Les Éditions du Boréal
4447, rue Saint-Denis
Montréal (Québec) H2J 2L2
www.editionsboreal.qc.ca

Quelque chose
comme un grand peuple

Joseph Facal

Quelque chose comme un grand peuple

Essai sur la condition québécoise

Boréal

Les Éditions du Boréal reconnaissent l'aide financière du gouvernement
du Canada par l'entremise du Programme d'aide au développement
de l'industrie de l'édition (PADIÉ) pour ses activités d'édition
et remercient le Conseil des Arts du Canada pour son soutien financier.

Les Éditions du Boréal sont inscrites au Programme d'aide aux entreprises
du livre et de l'édition spécialisée de la SODEC et bénéficient du Programme
de crédit d'impôt pour l'édition de livres du gouvernement du Québec.

Couverture : Christine Lajeunesse

© Les Éditions du Boréal 2010
Dépôt légal : 1er trimestre 2010
Bibliothèque et Archives nationales du Québec

Diffusion au Canada : Dimedia
Diffusion et distribution en Europe : Volumen

*Catalogage avant publication de Bibliothèque et Archives nationales du Québec
et Bibliothèque et Archives Canada*

Facal, Joseph, 1961-

    Quelque chose comme un grand peuple : essai sur la condition québécoise

    Comprend des réf. bibliogr.

    ISBN 978-2-7646-2000-7

    1. Nationalisme – Québec (Province). 2. Québec (Province) – Histoire – Autonomie et mouvements indépendantistes. 3. Québec (Province) – Conditions sociales – 21e siècle. 4. Québec (Province) – Conditions économiques – 21e siècle. I. Titre.

    FC2926.9.N3F32   2010   320.5409714   C2009-942579-3

À ma femme, à mes enfants et à toute ma famille, qui d'autre ?

Ouverture

Comprendre pour mieux agir

Toutes les civilisations ont disparu à cause de l'insuf-fisance de leurs principes.

José Ortega y Gasset

Le soir du 15 novembre 1976, René Lévesque a dit de nous, Québécois, que nous n'étions pas un « petit peuple », mais « peut-être quelque chose comme un grand peuple ».

Quand on s'y arrête un instant, ces mots ne vont pas de soi. C'est le « quelque chose » qui, pour ma part, m'a toujours intrigué. Comment un peuple peut-il être « quelque chose » comme un grand peuple ? Il est « grand » ou il ne l'est pas, me semble-t-il, selon le sens que l'on choisit de donner au mot.

J'ai fini par penser que cette drôle d'expression était sans doute révélatrice de la façon dont Lévesque nous voyait. Peut-être voulait-il dire que notre peuple était en train de montrer, par son opiniâtreté à rester lui-même depuis quatre siècles, par l'audace de tous ces gens qui avaient décidé de lui faire confiance ce jour-là, que, si nous étions petits par le nombre, nous n'étions pas petits par médiocrité, par indignité, par incapacité à viser haut.

Mais, en même temps, nous n'étions pas encore tout à fait un « grand » peuple. Nous étions « quelque chose comme » un grand peuple. Comme si ce que nous étions devenus forçait l'admiration, mais que Lévesque voyait aussi en nous — et sans doute aussi en lui — des ambiguïtés, des hésitations, des ambivalences, un potentiel partiellement réalisé seulement, qui nous plaçaient en quelque sorte dans l'antichambre de l'authentique grandeur.

C'est du moins ainsi que j'ai toujours interprété ce curieux assemblage de mots dans la bouche d'un homme dont la parole épousait presque à la perfection toutes les inflexions de la pensée.

Comment nier, en tout cas, qu'il y a en nous, dans notre trajectoire, dans nos réalisations, dans cette obstination à durer malgré les aléas de l'histoire et le poids des adversités, pour paraphraser Lévesque, « quelque chose comme » une fabuleuse réussite, mais aussi de l'inachevé, de l'inaccompli, de même que des choses déjà faites, mais à refaire de nouveau et autrement ?

Le besoin d'écrire ce livre m'habitait depuis longtemps. Toutes sortes de circonstances m'avaient empêché de m'y consacrer.

Jusqu'au mois d'avril 2003, j'étais engagé dans la vie politique à titre de ministre au sein du gouvernement du Québec. Je faisais déjà des constats, qui se sont renforcés et précisés depuis : nos difficultés à transmettre à nos enfants un héritage culturel robuste, l'épuisement de la social-démocratie traditionnelle, la myopie du discours économique néolibéral, la lancinante persistance d'une question nationale que certains voudraient voir disparaître sans s'attaquer aux causes qui la nourrissent, les malaises divers suscités par la question identitaire, et d'autres encore.

Pendant que j'étais encore en politique active, il m'était arrivé de m'en ouvrir publiquement. À quelques reprises, j'avais avancé, par exemple, que ce qu'on a pris l'habitude d'appeler le « modèle québécois » de développement, s'il nous avait globalement bien servis, vieillissait mal et que la fierté de ce qui avait été accompli depuis la Révolution tranquille ne devait pas se transformer en repli frileux sur des positions sans avenir. Cela n'avait pas plu à tout le monde, c'est le moins qu'on puisse dire[1].

Devenu ensuite professeur à HEC Montréal, j'ai continué à approfondir ces questions. J'ai commencé par me pencher sur la généalogie de ce modèle de développement, sur son évolution, ses performances, sur ce que font les autres peuples aux prises avec des défis semblables aux nôtres. Il en ressortait toujours que ces questions, à moins de vouloir faire semblant, étaient difficilement dissociables de celle du statut politique du Québec, sans évidemment s'y réduire.

Parallèlement, j'ai aussi publié des dizaines de chroniques dans *Le Journal de Montréal* et écrit deux autres ouvrages, et je continue à prononcer des conférences devant les publics les plus divers.

Après chaque chronique ou conférence, des personnes intelligentes et informées expriment leurs désaccords avec moi sur des points précis, ou même sur ma lecture globale de notre situation, ce qui est bien sûr parfaitement légitime. Mais d'autres, sans doute tout aussi intelligentes mais moins informées, ont des réactions à mes propos qui témoignent surtout de leur propension à la fuite dans des univers virtuels et incantatoires.

Au fil du temps, une sorte d'ordre du jour s'est donc imposé à moi : faire le point et poser au moins les bases conceptuelles d'un redressement collectif québécois. Évaluer le chemin parcouru par notre nation, examiner l'état présent des lieux, esquisser des perspectives d'avenir, en m'en tenant à l'essentiel. Voilà le projet des pages qui suivent et, au fond, de toute mon action publique depuis que j'ai quitté la vie politique.

Que les choses soient cependant claires d'entrée de jeu : cet ouvrage est un *essai*. Je propose une *lecture personnelle* de notre situation collective. J'indique les chantiers qui me semblent prioritaires et pourquoi, sans prétendre à l'exhaustivité et sans entrer dans les détails. On ne trouvera donc pas ici un programme d'action complet. C'est là le travail des partis politiques.

La plupart des idées émises ici n'ont rien de neuf, et je les défends depuis des années. Une idée n'est pas nécessairement plus juste ou plus intéressante parce qu'elle est neuve. Une vieille

proposition qui ne s'est pas encore matérialisée est peut-être simplement une idée juste dont l'heure n'est pas encore arrivée. C'est
d'ailleurs un stratagème vieux comme le monde que d'essayer
d'écarter une idée qui déplaît sous prétexte que d'autres l'ont déjà
avancée.

Notre situation collective est-elle dramatique ou tellement
pire qu'ailleurs ? Non, bien sûr. Je le redis : l'affirmation économique, politique, culturelle du peuple québécois, au cours des
dernières décennies, doit se lire comme une des grandes réussites
du monde occidental, si on tient compte de son histoire douloureuse, de sa taille modeste et de sa situation en Amérique du Nord.

Mais le peuple québécois, j'en suis plus persuadé que jamais,
vit aussi plus dangereusement que d'autres peuples, en raison de
cette petite taille, de son évolution démographique, des limites
de son statut politique, de la fragilité de ses finances publiques,
de plusieurs autres défis qui se profilent. Mais, par-dessus tout, en
raison de nos difficultés à penser clairement notre situation dans
sa globalité et à nous la représenter à nous-mêmes.

Évidemment, chacun d'entre nous a sa propre liste de problèmes qu'il juge prioritaires. Certains sont propres au Québec.
D'autres, nous les partageons avec les autres sociétés occidentales,
comme l'actuelle crise économique ou le déclin démographique.

La question du statut politique du Québec reste bien sûr le
principal clivage de notre vie politique depuis des décennies. On
ne semble pas à la veille de le surmonter.

D'un côté, les souverainistes n'arrivent pas à convaincre la
majorité de la population de les suivre, ayant progressivement
désappris à parler du *pourquoi* de l'indépendance. La souveraineté est une réponse à une question que les Québécois ne se
posent pas en ce moment : quel statut politique convient le
mieux à la situation des francophones du Québec ?

De l'autre côté, les fédéralistes québécois qui disent souhaiter
une réforme du fédéralisme canadien qui donnerait davantage
d'autonomie au Québec n'ont aucun interlocuteur significatif
dans le reste du Canada. D'autres fédéralistes nous proposent, à

l'instar d'un Pierre Elliott Trudeau jadis, d'assumer pleinement la dynamique politique canadienne et de nous y investir à fond. Comme si les dernières décennies n'étaient porteuses d'aucune leçon.

Il s'en trouve aussi qui, périodiquement, nous proposent de faire comme si cette question n'existait pas : ceux-là cautionnent par le fait même la situation actuelle, en plus d'être, tôt ou tard, inévitablement ramenés aux tensions et conflits qu'elle engendre. Depuis des lunes, avec une régularité de métronome, on décrète le déclin de la question nationale… jusqu'à l'éruption suivante, et en se fermant les yeux sur sa présence souterraine dans nombre de questions d'apparence plus sectorielle.

Chose certaine, à l'heure actuelle, chaque camp est trop faible pour se dire sûr de l'emporter définitivement, mais assez fort pour neutraliser l'autre. Il en résulte une communauté profondément divisée sur son avenir politique. Or, une communauté politiquement divisée est une communauté politiquement affaiblie, et qui s'affaiblit encore à mesure que son poids dans l'ensemble canadien baisse inexorablement. Voilà, en tout cas, qui est parfaitement indéniable.

Que cela plaise ou pas, le Québec étant ce qu'il est, la question nationale *est* une question sociale, et la question sociale *pose* la question nationale. J'entends par là que la question nationale n'est pas un problème *à côté* des autres problèmes, mais une problématique qui les traverse presque tous, parce qu'elle pose, au fond, la question du siège de l'autorité ultime. Prétendre le contraire, c'est ne rien comprendre ou faire semblant.

Mettons ici une chose bien au clair. Un professeur d'université est aussi un citoyen. Dès lors que chaque citoyen est appelé à choisir dans quel pays il vivra, il n'y a plus de neutralité scientifique qui tienne. Mes vues sur la question n'ont pas changé : loin d'être une option politique parmi d'autres, la souveraineté du Québec est une exigence proprement existentielle si notre peuple ne veut pas se contenter d'un destin collectif très en dessous de ses moyens.

Mais se fera-t-elle ? me demandera-t-on spontanément. Franchement, je n'en sais rien et, comme le métier de prophète expose dangereusement au ridicule, je préfère penser que l'avenir reste ouvert et qu'il sera fait de ce que nous choisirons d'en faire.

En plus de croire que la souveraineté du Québec serait immensément bénéfique, je ne suis sûr que d'une seule autre chose : s'il devenait un jour évident que la souveraineté ne se fera jamais et qu'elle n'est plus qu'un impossible rêve, si cette idée quittait pour de bon le domaine de l'espérance, le Québec francophone perdrait l'un des plus puissants ressorts de son dynamisme, et le sentiment d'une immense et irrémédiable défaite collective qui s'installerait alors serait proprement accablant. J'y reviendrai, évidemment.

Cela dit, que le Québec devienne un pays ou non ne nous dispense pas de nous frotter immédiatement à d'autres questions pressantes.

À cet égard, le phénomène planétaire le plus déterminant de notre temps est assurément la mondialisation. Au strict plan économique, elle a largement profité aux sociétés qui ont su ouvrir intelligemment leurs frontières. Le Québec est l'une de celles-là, comme aussi l'Irlande, l'Espagne et le Chili, par exemple. Globalement, la mondialisation a d'ailleurs fait reculer la pauvreté dans le monde bien plus qu'elle ne l'a approfondie.

Elle a cependant des impacts profonds sur notre tissu industriel et sur presque toutes les facettes de nos vies, bouleverse nombre de nos repères historiques et culturels, fait des gagnants et des perdants et rend caduques plusieurs de nos politiques publiques traditionnelles. Elle accélère notamment toutes sortes de tendances qui lui étaient antérieures, comme la montée du relativisme éthique et culturel.

Sur le front intérieur, notre économie, qui n'allait ni très bien ni très mal jusqu'à ce qu'éclate la crise, génère des revenus fiscaux qui ont de plus en plus de peine à couvrir nos dépenses sociales. Il faudra de surcroît composer avec une pénurie de main-d'œuvre qui freinera la croissance. Plusieurs régions connaissent aussi depuis longtemps de graves difficultés économiques, alors que nous entrons dans une époque où le développement semble vouloir se concentrer dans les pôles urbains.

Notre système de soins de santé, jadis source de fierté légitime, répond de moins en moins à des demandes de plus en plus lourdes. Ceux qui ont un médecin de famille s'estiment chanceux. Les temps d'attente restent désespérément longs. Les progrès de la science et le vieillissement de la population — l'a-t-on assez dit ? — font augmenter rapidement la part des dépenses de santé dans le budget de l'État, asphyxiant progressivement les autres missions essentielles que nous lui demandons d'assumer, et cela, alors que nous sommes déjà l'une des sociétés les plus endettées du monde industriel. La volonté politique d'agir sur notre système de soins de santé fait cependant défaut, surtout parce que les problèmes y sont tout sauf simples et que la polarisation idéologique du débat est extrême.

On trouve un exemple très concret de l'impact de notre insuffisante vigueur économique et de l'augmentation des dépenses de santé dans l'état de nos infrastructures de transport — parfois mal construites, mais surtout peu entretenues, faute de ressources. Elles font tout simplement honte quand on revient d'un voyage dans l'une ou l'autre des sociétés auxquelles nous pouvons raisonnablement nous comparer. En 2008, plus de la moitié des ponts qui sont du ressort du gouvernement du Québec étaient jugés en mauvais état[2].

Notre système d'éducation ne me semble pas non plus être à la hauteur des exigences qui se dessinent. Certes, il ne faut surtout pas glorifier un passé dans lequel on n'instruisait convenablement qu'une petite élite. Il reste que la baisse de la confiance des parents dans le réseau public est aujourd'hui manifeste. L'abandon scolaire se maintient à des niveaux désespérants, malgré qu'on ait perdu de vue que diplômer et éduquer sont deux choses très différentes.

À mon avis, plusieurs des méthodes pédagogiques introduites ces dernières années reposent sur une philosophie — une idéologie, à vrai dire — malavisée. Certains indicateurs donnent même à penser que la maîtrise des connaissances de base — lire, écrire, compter —, si elle a progressé sur le long terme, stagne, voire pourrait avoir reculé ces dernières années.

À l'université, on échappe difficilement au sentiment que beaucoup de ceux qui la fréquentent y viennent moins pour apprendre que pour y obtenir les accréditations officielles que le marché du travail exige… ou pour y passer le temps. Comme d'autres, je note aussi l'inculture historique radicale de trop de nos jeunes, bien qu'ils soient, quand on y pense, les produits du système que leurs aînés ont mis en place. Et loin de moi la certitude que nous étions meilleurs qu'eux à leur âge. Un regard rapide sur les mémoires de maîtrise ou les thèses de doctorat récents révèle, par exemple, une indiscutable hausse du niveau.

L'hétérogénéité ethnoculturelle grandissante de Montréal et la persistance d'une relative homogénéité dans le reste du Québec creusent également, me semble-t-il, une incompréhension réciproque qui va en augmentant.

Contrairement à une bêtise fréquemment entendue, l'immigration n'a rien d'un phénomène nouveau au Québec, où l'on accueille et intègre des immigrants depuis quatre cents ans. Le Québec reçoit cependant de plus en plus d'immigrants qui viennent d'univers culturels très éloignés de la tradition judéochrétienne occidentale. Leur intégration, de même que l'affirmation du fait français, se heurtent aujourd'hui à de multiples embûches. Cela pose avec une acuité inédite une question vitale : comment aménager cette diversité culturelle croissante, comment prendre acte aussi de la force d'attraction de la langue anglaise, tout en préservant l'identité distincte du groupe majoritaire au Québec ?

Dans le Québec d'aujourd'hui, on note une ambivalence, une confusion, voire un sentiment de culpabilité devant cette volonté normale et naturelle de la part des francophones — même si elle est parfois exprimée maladroitement — de protéger une identité collective qui n'est certes jamais figée, mais qui comporte des traits culturels hérités du passé auxquels il est parfaitement sain de tenir. Quant à la langue française en particulier, à des vitesses évidemment très différentes, elle recule à Montréal, recule au Québec, recule au Canada, et, s'il convient d'être nuancé, il faut voir la réalité à travers des lunettes furieusement roses pour ne pas s'en inquiéter.

Je me revois encore arrivant au Québec en 1970, à l'âge de neuf ans, en provenance de l'Uruguay, avec mon père et ma mère. Mes parents savaient que rien ne serait facile. Qu'on me pardonne de rappeler tout simplement que personne ne les a obligés à venir ici. Il ne leur serait même pas venu l'idée de demander à la société qui les accueillait de changer pour les accommoder. Il allait de soi que c'était à nous de le faire. Mais c'était avant que les sociétés occidentales ne soient rongées de l'intérieur par la mauvaise conscience et par un relativisme culturel dont on ne voit plus trop où il s'arrête.

Ces questions de l'intégration des immigrants et de l'avenir de notre langue sont évidemment indissociables de celle de la condition minoritaire et déclinante des francophones au sein du Canada. À vrai dire, sous couvert d'un dépassement vertueux des clivages et d'une « ouverture à l'Autre », des forces puissantes sont à l'œuvre qui, volontairement ou non, dissolvent la mémoire historique des francophones et leur vigilance sur les questions identitaires. Or, un peuple ne se construit pas une pleine conscience de soi et un avenir qui vaille sur une amnésie collective ou un reniement de ce qui lui a permis de perdurer.

De partout montent aussi, avec une intensité croissante, me semble-t-il, les revendications de multiples groupes d'intérêts. Nos gouvernements tendront souvent à huiler la roue qui grince le plus. Toutes ces revendications sont, bien sûr, une conséquence de l'approfondissement progressif de la démocratie et des libertés individuelles dans toutes les sociétés occidentales depuis deux siècles. Plusieurs d'entre elles sont porteuses d'une volonté d'émancipation ou de réparation d'injustices qui est parfaitement légitime et souvent salutaire.

Mais leur apparente surenchère semble aussi rendre de plus en plus difficile la conception d'un projet politique un peu robuste qui réussirait à faire progresser une vision largement partagée du bien commun. Sans tomber dans le piège de l'idéalisation du passé, c'est comme s'il était de plus en plus difficile de s'entendre sur ce que devraient être les fondations sur lesquelles reposerait notre vie collective[3]. Presque par défaut, le droit, particulièrement les droits individuels, et le marché semblent être devenus les deux derniers régulateurs du social.

Je me risque à dire que, dans une société québécoise où l'industrie du rire occupe une place qui devrait laisser songeur, le sentiment qui prédomine chez une bonne partie de ceux qui passent pour nos élites intellectuelles et politiques me semble être une sorte de satisfaction d'être « enfin » entrés dans la modernité, de nous être courageusement délestés de nos vieux ancrages catholico-autoritaires, d'être aujourd'hui en train de faire pareil avec nos repères « ethniques » et historiques, et le plus vite sera évidemment le mieux.

Le philosophe Gilles Labelle notait récemment que la chose la plus largement partagée au Québec de nos jours, chez ceux dont le métier est de penser et d'en parler, semble être non seulement le discrédit des anciennes autorités, mais aussi de presque tout ce qui était là avant nous[4]. Nous sommes cependant, ajoutait-il, parfaitement incapables d'accomplir des actes fondateurs d'une nouvelle société qui soient positifs en eux-mêmes, qui soient autre chose qu'une dénonciation si rageuse du passé qu'elle en devient suspecte et dévoile du coup notre trouble contemporain[5].

Au fond, nous vivons la poursuite, remise au goût du jour, du récit enchanté de la Révolution tranquille — qui, dès les années 1960, disait déjà : *avant nous,* pénombre et obscurantisme, *avec nous,* les lumières de l'émancipation. La vérité me semble plutôt être que la Révolution tranquille — qui fut tout à la fois une modernisation économique et sociale et un redressement nationaliste éminemment salutaire — nous est racontée depuis longtemps d'une façon devenue presque le cas type du récit écrit par des vainqueurs qui se mettent avantageusement en scène, sans rendre justice à la complexité des choses.

Dans l'air du temps présent, on détecte à vrai dire plusieurs sentiments qui coexistent : une satisfaction justifiée devant nos indiscutables réussites collectives, une crainte de perdre des acquis sociaux impressionnants, une inquiétude chez certains à l'égard de ce que nous réserve un avenir qu'on ne sait trop comment lire, une insouciance chez d'autres, la crainte de nouveaux reculs pour la nation québécoise, comme ceux qui suivirent les échecs des souverainistes en 1980 et en 1995, et la prise de conscience chez le plus grand nombre que les changements requis seraient exigeants, avec les résistances normales qui en découlent.

Tout cela nous amène à nous dérober collectivement devant des tâches qui devraient nous mobiliser et être la substance d'une véritable refondation du Québec. Le pouvoir politique prend évidemment bonne note de l'humeur populaire, qu'il entretient d'ailleurs en partie.

On conviendra en tout cas sans peine de ceci : la scène politique québécoise a déjà été plus inspirante. Aucun des principaux partis ne réussit pour le moment à susciter un large rassemblement autour d'une proposition exigeante de redressement collectif. Le cynisme à l'endroit de la classe politique a existé de tout temps, mais il ne semble jamais avoir été aussi élevé. Mes étudiants me parlent souvent d'une sorte de décalage entre la politique actuelle et ce qui les préoccupe vraiment.

Bien sûr, toute médaille a son revers. Notre société est aussi une des plus riches de la planète. Nous demeurons certes moins prospères que le reste de l'Amérique du Nord, le Mexique excepté, mais nous avons considérablement réduit notre retard par rapport au Canada anglais. Jusqu'à ce qu'éclate l'actuelle crise, le chômage avait fondu ces dernières années, le nombre de bénéficiaires de l'aide sociale également, bien qu'on y trouve encore des familles entières qui, de génération en génération, se transmettent un triste héritage de dépendance économique et sociale.

On peut aussi aisément, de l'univers artistique au monde de la science, en passant par le milieu des affaires, dresser une longue liste de réussites québécoises. Dans des secteurs économiques de pointe, comme l'industrie du spectacle, les télécommunications, l'aéronautique, les technologies de l'information, les biotechnologies ou les médicaments, le Québec est un joueur qui compte à l'échelle nord-américaine et même mondiale. Et la paix sociale, comme disait Robert Bourassa, est la norme des choses chez nous.

Bref, « tout est relatif » : cette phrase, l'une des plus fausses et des plus funestes du dernier siècle, est ici en bonne partie vraie. Aux yeux d'un immigrant qui a quitté guerre, famine et chaos, de quoi la majorité d'entre nous pourrait-elle sérieusement se plaindre ici, si ce n'est de ce que nos désirs ne sont pas comblés aussi rapidement que nous le voudrions ?

Le Québec d'aujourd'hui est donc une sorte de kaléidoscope : selon l'angle sous lequel on le regarde, on pourra choisir de voir le chemin parcouru, les retards qui persistent, les réussites éclatantes ou les échecs patents, et l'on trouvera toujours assez d'exemples pour asseoir une lecture positive ou négative.

À un extrême, nous pouvons choisir de voir le Québec comme la pointe avancée de ce nouvel *Âge des ténèbres* décrit par Denys Arcand, où le confort matériel et la bureaucratisation du social ne parviennent plus à dissimuler une abyssale perte de sens, ou, à un autre extrême, de voir le Québec, à l'instar de Michel Venne, comme un formidable « laboratoire » de l'« alter-mondialisme », une société dans laquelle « certains des autres mondes souhaités existent déjà[6] ».

Il crève cependant les yeux que plusieurs de nos acquis sont menacés par les pressions combinées de notre déclin démographique et de la mondialisation, qui viennent accentuer des difficultés déjà évoquées. Et ces pressions ne font que commencer à faire sentir leurs effets. Notre modèle économique et social, j'en suis persuadé, ne peut survivre sans une modernisation conduite avec audace et doigté, mais qui sera difficile. Déjà sur le fil du rasoir, il sera débordé, si nous ne faisons rien, quand ces pressions s'exerceront avec leur pleine intensité.

Face à cela, certains proposent de faire encore plus de ce qui ne fonctionne plus. D'autres suggèrent des démantèlements injustifiés qui équivaudraient à des reculs. D'autres encore font une imitation tout à fait convaincante de l'autruche. Et ceux qui le peuvent se barricadent et n'oublient pas de vérifier périodiquement la solidité de leurs propres défenses. C'est pourtant avant l'orage qu'un toit se répare, pendant qu'il en est encore temps.

Que faire précisément ?, me demanderez-vous.

Ce n'est pas tout à fait la bonne question. Je vais vous confier un secret : pour l'essentiel, nous le savons. On ne compte plus les articles, les ouvrages et les rapports d'experts qui proposent des listes de réformes à accomplir.

Imaginons un instant que vous réunissiez dans une salle les 1 000 personnes qui ont le plus réfléchi à notre situation collective. Évidemment, la question du statut politique du Québec — qui demeure pour moi à la fois non réglée et centrale, parce qu'elle influence plus qu'aucune autre question la manière dont notre peuple se perçoit et parce qu'elle détermine le champ d'action et les outils qui s'offrent à lui — continuerait à les diviser. Mais je mets aussi ma main au feu que les trois quarts de ces personnes tomberaient rapidement d'accord sur quelques réformes structurantes identifiées depuis longtemps.

Elles n'auraient évidemment pas l'appui de cette ultragauche pour qui l'État n'en fait jamais assez, ni de cette ultradroite pour qui le seul État qui vaille est un État minimal, mais on se passera sans tristesse de ceux-là. On ne pourrait guère compter non plus sur ceux qui ne voudraient rien dire ou faire qui compromettrait leurs chances de conquérir le pouvoir ou de s'y maintenir.

Si nous n'arrivons pas à enclencher ces réformes, ce n'est donc pas parce que nous ne savons pas *quoi faire*, mais parce que trop de gens ne voient pas encore *pourquoi* il faut absolument le faire. Autrement dit, le Québec n'est pas en panne d'idées, mais en déficit de sens. Lorsque les peuples relèvent la tête et se mobilisent, ce n'est jamais en faveur d'une liste d'épicerie.

Et si l'appui populaire fait défaut, ce n'est pas à cause de l'incapacité des gens à comprendre, mais parce que ces questions sont réellement complexes, discutées publiquement depuis peu, sujettes à des divergences d'opinion souvent légitimes, parce que leur compréhension est entravée par les faussetés ou les demi-vérités qui circulent, et parce qu'elles déboucheraient sur des réformes dont le peuple pressent, avec raison, les difficultés.

Parlant de son propre pays, la France, un homme aussi indiscutablement de gauche que Jacques Attali ne disait pas autre chose récemment. À la question « Que faire ? », il répondait : « Tout le monde le sait. » Plus précisément,

> Tout le monde sait que la situation est critique, que le pays est endetté, vieillissant, travaille trop peu, décline et qu'il est même en train de décrocher ; tout le monde sait que rien n'a été fait de sérieux depuis dix ans et que, si rien n'est fait pendant encore cinq ans, la chute se fera de plus en plus brutale. Les actions à entreprendre sont claires, simples, mathématiques, indiscutables[7].

Puis suivait la prescription : éducation, productivité, innovation, fin de l'endettement et ainsi de suite. À sa manière et dans son contexte, Barack Obama ne dit pas autre chose.

Ce qui faisait dire au philosophe Luc Ferry, ministre de la Jeunesse, de l'Éducation nationale et de la Recherche sous Jacques Chirac, que la vraie question n'est donc pas « Que faire ? », puisqu'on le sait dans ses grandes lignes, mais « Comment faire ? » et plus encore, « Pourquoi le faire, dans quel but[8] ? ». Il n'y a jamais eu autant d'experts, dit Ferry, mais aussi peu de grands desseins politiques dans lesquels pourrait se reconnaître la majorité de la population. La discussion sur les finalités du politique est tragiquement absente, si on exclut bien sûr les utopies, qui ne font jamais de bons programmes de gouvernement, comme nous l'a tragiquement enseigné le XXᵉ siècle.

À quelques nuances près, ces propos de Ferry et d'Attali valent pour le Québec. On voit tous les jours à quelles résistances se heurtent des propositions de bon sens comme le retour à une culture du savoir et de l'effort dans nos écoles ou la réforme de la fiscalité et du financement des services publics. Résistances organisées de la part des groupes qui perdraient des situations avantageuses, mais résistances aussi, diffuses et néanmoins tenaces, d'une masse de gens qui ne voient pas pourquoi il faudrait absolument agir en ce sens.

Je ne parle évidemment pas ici — je m'empresse de le préciser — des mobilisations citoyennes largement médiatisées qui ont fait échec, ces dernières années, à certains projets de développement authentiquement mauvais, mais de réformes structurelles pour accroître la prospérité économique, refonder la solidarité, renforcer l'identité québécoise et transmettre à nos enfants un patrimoine bonifié et non dilapidé.

On entend parfois dire que les étiquettes « gauche » et « droite » ne signifieraient plus rien aujourd'hui. C'est évidemment une sornette. Mais il est vrai que les familles idéologiques ont des contours plus flous que jadis, pour des raisons sur lesquelles je reviendrai, et que le nouveau clivage dominant au Québec, en plus de celui qui persiste autour de la question nationale, semble opposer ceux qui osent et ceux qui craignent. On verra toutefois que, pour moi, « oser » signifiera tantôt essayer du nouveau et tantôt revenir à des valeurs éprouvées dont nous avons eu tort de nous éloigner.

Certes, dans les milieux politiques, on indique parfois, du bout des lèvres, qu'il faudra bien un jour *se décider à...*, mais dès que la résistance semble un peu ferme, le pouvoir politique recule. Il *surfe* sur l'humeur populaire plus qu'il ne gouverne. Alors qu'il faudrait au contraire relever le regard, nous jouons des cartes de court terme, alourdissant d'autant des problèmes qui ne se régleront pas seuls et que le temps ne fera qu'aggraver.

Se redresser, mais pour transmettre quoi, au juste, aux prochaines générations ? demandera-t-on. Quelle *idée* du Québec ?

On n'ose plus utiliser l'expression « projet de société », tant elle a été dévoyée par ceux qui pensent que les sociétés peuvent se remodeler du haut vers le bas de façon autoritaire et qui aiment faire souffler ce que René Lévesque, au sortir d'un congrès péquiste houleux, avait appelé « les petits vents chauds de l'anarcho-niaiserie ».

Accomplir quoi, donc ? Mais accomplir ce à quoi aspirent, au fond, tous les peuples, mais que chacun définit à sa manière : la plus grande prospérité matérielle pour le plus grand nombre, la capacité pour ce peuple de faire librement ses choix collectifs, un équilibre entre les droits et les responsabilités de chacun, une identité culturelle vibrante et confiante et des institutions publiques qui s'acquittent efficacement de leur mission.

Mais cela exige d'abord, me semble-t-il, que l'on réponde clairement aux cinq questions qui comptent dans la vie d'un peuple. Qui sommes-nous ? Où en sommes-nous ? Comment en sommes-nous arrivés là ? Où devrions-nous aller ? Quoi faire pour nous y rendre ? Et cela exige ensuite, j'en suis persuadé, de bâtir sur des fondations construites avec les matériaux les plus nobles et les plus durs : l'école, la famille, le patriotisme, le travail et la solidarité ; ceux qui, partout et à toutes les époques, ont permis le progrès authentique.

Pourquoi m'attarder sur ces enjeux et pas sur d'autres ? Après tout, ne sommes-nous pas aussi confrontés à d'autres défis majeurs, comme les problèmes écologiques ou la persistance de poches de pauvreté ?

Simplement parce que les enjeux sur lesquels je veux me concentrer me semblent la clé de tout le reste. La pauvreté criante, par exemple, est surtout une conséquence des dysfonctions au sein de la famille et, dans une moindre mesure, de l'école. Une société est en sérieuse difficulté, me semble-t-il, si les institutions chargées d'assurer sa stabilité, sa cohésion et son progrès sont elles-mêmes en difficulté. Or, c'est bien ce que je crois percevoir.

À cet égard, je suis habité à la fois par l'inquiétude et la confiance. Inquiétude quand je pense à ce que nous léguerons à ceux qui nous suivent si un redressement collectif ne survient pas rapidement. Inquiétude quand je constate l'inadaptation de nos politiques au monde qui se déploie sous nos yeux. Inquiétude quand je vois l'incapacité d'une bonne partie de notre classe politique à prendre acte de nos problèmes et à commencer à leur tordre le cou.

Inquiétude aussi de voir à quelle fréquence, de façon presque automatique, on oppose productivité économique et solidarité sociale au Québec, alors que ces deux objectifs peuvent se renforcer mutuellement. Inquiétude de voir qu'un peuple dont l'identité collective et la confiance en soi me semblaient s'affirmer progressivement se laisse replonger périodiquement dans le dénigrement de soi.

Pour tout dire, je trouve étrange et triste qu'un peuple si jeune — quatre cents ans à peine — montre déjà de tels signes de fatigue collective.

Mais confiance aussi que la résilience de notre peuple, son ingéniosité, sa débrouillardise, ses atouts, dûment mobilisés, peuvent finir par faire de nous une nation plus libre, plus prospère, plus fraternelle, plus confiante devant les bouleversements de notre époque.

Il va de soi que mon propos comportera une part de subjectivité entièrement assumée. Nous savons depuis quelques siècles qu'on ne peut pas logiquement déduire une prescription d'une description. La réalité sociale ne porte pas en elle des réponses objectives aux questions que nous lui adressons. Il me semble seulement que la tâche à l'ordre du jour est de travailler à imposer une interprétation globale de notre condition présente, des voies futures qu'il nous faut collectivement emprunter et des raisons pour ce faire.

PREMIÈRE PARTIE

D'hier à aujourd'hui

I

D'où nous venons

Les peuples se ressentent toujours de leur origine. Les circonstances qui ont accompagné leur naissance et servi à leur développement influent sur tout le reste de leur carrière.

ALEXIS DE TOCQUEVILLE

Notre situation collective actuelle, avec ses parts d'ombre et de lumière, ne s'est pas matérialisée du jour au lendemain. Faire le point sur la condition québécoise exige donc un retour en arrière. Et cela, non seulement parce que le passé explique en partie le présent, mais aussi parce que le jugement qu'on porte sur lui influence puissamment nos choix d'aujourd'hui, et donc aussi notre avenir.

L'interprétation du passé est cependant un permanent sujet de discorde, et les raisons de cela sont bien connues. L'être humain n'habite pas Sirius. Il vit dans une société dont les valeurs et les sensibilités évoluent, qui est traversée par des conflits idéologiques, et cela influence naturellement le regard qu'il choisit de porter sur le passé. Même un historien parfaitement apolitique, à supposer que cela existe, ne pourrait embrasser une réalité dans sa totalité, et la sélection des faits qu'il ferait serait forcément influencée par sa subjectivité. Il n'y a donc jamais une seule façon de lire le passé, ce qui ne veut pas dire que toutes les lectures soient également valables.

L'historien peut aussi avoir une intention politique ouvertement assumée quand il revient sur le passé. Lionel Groulx, par exemple, n'a jamais caché que son travail d'historien visait à redonner de la fierté à une nation canadienne-française humiliée, afin de la tirer de sa torpeur. Thomas Chapais, lui, proposait sciemment un récit historique *bonne-ententiste* qui faisait l'apologie d'une collaboration mutuellement bénéfique entre anglophones et francophones.

Des récits historiques nous sont aussi régulièrement proposés par des organismes qui font peu ou pas mystère de leurs visées politiques ou qui s'en défendent sans convaincre personne. On se souviendra par exemple des risibles *Minutes du Patrimoine* ou de la suave télésérie *Le Canada, une histoire populaire*, dont l'optique fédéraliste ne passait inaperçue qu'aux yeux des handicapés intellectuels, de même que des innombrables célébrations historiques parrainées par le ministère du Patrimoine canadien, qui reposent sur une lecture du passé exaltant l'unité canadienne.

Personne n'a non plus oublié la controverse sur le sens à donner au 400e anniversaire de la ville de Québec, ni celle sur la « commémoration » de la défaite française des plaines d'Abraham, ni celle encore sur les nouveaux manuels d'histoire du Québec et du Canada pour les élèves québécois de niveau secondaire, que leurs concepteurs voulaient « plus rassembleurs » et qui glissaient en sifflotant sur certains des épisodes les plus sombres de notre histoire.

Bref, ici comme ailleurs, et depuis la nuit des temps, l'histoire est toujours sous haute surveillance. Elle ne va jamais de soi. Chaque famille politique voudrait imposer sa lecture du passé pour essayer de mieux maîtriser le présent. Mais toutes n'ont évidemment pas les mêmes moyens.

Comment nous lire

Ces temps-ci, on continue à travailler fort un peu partout pour proposer aux Québécois des lectures de leur passé différentes de celles auxquelles ils ont été habitués. Tous ces efforts n'obéissent pas, cela va de soi, aux mêmes motivations.

Gérard Bouchard, par exemple, qui est souverainiste, propose depuis quelques années de réécrire l'histoire du peuple québécois. Il faut, dit-il, moins centrer le récit sur « la vieille identité nationale canadienne-française[1] » et le recadrer plutôt dans la perspective élargie d'une francophonie nord-américaine en phase avec les autres jeunes collectivités du Nouveau Monde. Et cela, explique-t-il, pour tenir compte de la diversité culturelle croissante de notre société et faire en sorte que ceux venus d'ailleurs se sentent partie prenante de cette mémoire collective dont toute nation a besoin.

Son intention est généreuse, son érudition est impressionnante et sa bonne foi est indiscutable. Mais son projet, on le sait, s'est attiré de vives critiques. La plus significative, selon moi, est que, en voulant redéfinir la nation québécoise sur des bases essentiellement linguistiques, territoriales et légalistes sous prétexte de l'élargir et de la recomposer, il la divise et la désagrège, puisqu'il ne donne désormais à cette nation qu'une cohérence strictement formelle, sans épaisseur authentique, sans une véritable conscience historique largement partagée et profondément assumée[2].

Historien à l'Université Laval, Jocelyn Létourneau, qui n'est pas de la même famille politique que Gérard Bouchard, va encore plus loin dans ses efforts pour nous convaincre que nous devons lire autrement notre passé. Il reproche notamment à Bouchard de proposer une lecture du passé qui laisse entendre que notre destin collectif doit forcément trouver son aboutissement politique dans l'accession du Québec au statut d'État souverain. Mais, plus fondamentalement, Létourneau nous invite à tourner le dos aux interprétations de notre passé qui reposent sur ce qu'il appelle « nos tics identitaires canoniques[3] » : l'insécurité, l'angoisse et la déresponsabilisation.

Son point de départ se présente sous des allures assez raisonnables : l'histoire de notre peuple, dit-il, ne fut pas qu'une histoire d'oppression et de survivance, qu'une « crucifixion continuelle[4] ». Elle doit plutôt se lire comme une alternance somme toute assez normale d'avancées et de reculs, de victoires et de défaites. Normale, mais en même temps compliquée, c'est-à-dire « plurivoque et polysémique, multidirectionnelle et polyphonique[5] ».

Compliquée, parce que les francophones du Québec, dit Létourneau, veulent rester différents des anglophones tout en leur ressemblant, veulent être séparés d'eux sans être rejetés par eux, veulent décider seuls de leur avenir mais sans être abandonnés à eux-mêmes. Et il revisite ensuite les principaux moments de notre histoire en les réinterprétant à cette enseigne.

Jusqu'ici, discutable mais défendable. Mais Létourneau ne s'arrête pas là. S'il faut lire autrement notre passé, c'est pour en arriver, au nom de la « complexité » de notre trajectoire, à ne plus nous penser comme une nation. Carrément. Trop simple, dit-il. Dépassé également. Nous devons plutôt nous penser en termes « postnationaux » et nous réconcilier avec notre ambivalence identitaire et politique : c'est-à-dire la chérir au lieu de la déplorer, y voir une richesse et non le symptôme d'une maladie. Car elle est, dit Létourneau, la marque de notre astuce politique collective.

Et pourquoi ? À quelles fins ? Mais bien sûr pour assumer, en toute sérénité, l'appartenance du Québec au Canada, puisque celle-ci présente, « malgré les vicissitudes et les blessures qui l'ont marquée, un parcours suffisamment heureux pour être poursuivi[6] ». Selon Létourneau, tout ne fut certes pas qu'un lit de roses, mais il y a surtout un « problème » dans les rapports entre le Québec et le Canada parce que trop d'intellectuels nationalistes ont travaillé à nous en convaincre. C'est ce que Létourneau appelle « une représentation subtile et pénétrante » de la condition québécoise[7].

J'ai toujours trouvé étonnant que Létourneau fasse si peu de cas de deux objections majeures et pourtant si simples.

La première est que l'histoire de toutes les nations, sans exception, est compliquée. Aucune n'a eu une trajectoire rectiligne, uniformément triomphale ou tragique. Toutes ont connu des victoires, des défaites, des avancées, des reculs, des accélérations, des freinages, des doutes, des égarements. Certaines comptent plus de victoires que de défaites, chez d'autres, l'inverse prévaut.

Aucune nation n'est jamais non plus traversée par une intention collective qui fasse l'unanimité. Même lorsqu'on a l'impression que toute une nation se met en marche, on trouvera toujours des voix dissidentes qui proposent de ne pas bouger, d'aller plus vite ou moins vite ou d'aller ailleurs.

Bref, dans l'histoire de toutes les nations, on pourra toujours sélectionner des moments et interpréter ceux-ci d'une manière qui permettra de dire que, si intention nationale il y a, elle est, comme dit Létourneau, « plurivoque et polysémique, multidirectionnelle et polyphonique ». Mais, dans le cas des autres nations, curieusement, cela ne semble pas être une raison suffisante pour que Létourneau cesse de les voir comme des nations si elles ont les caractéristiques généralement reconnues à celles-ci.

L'autre objection fondamentale est bien sûr que l'ambivalence identitaire des Québécois francophones, qui est manifeste, n'est ni tombée du ciel ni issue d'une prédisposition génétique. Fille de notre histoire, elle est tout simplement, comme l'a bien vu Yvan Lamonde, « la résultante de l'ambivalence culturelle et de l'ambivalence politique[8] ».

L'identité et la culture québécoises sont certes, à un premier niveau, les produits du mélange des cultures française, britannique, américaine, amérindienne et même vaticane. Mais si leur mode d'expression politique témoigne d'une telle ambivalence, c'est surtout parce que les Québécois ont été placés, malgré eux, dans des situations qui alimentaient cette ambivalence, voire qui les contraignaient à user tactiquement de celle-ci.

Autrement dit, nous avons certes développé, depuis plus de

deux cents ans, une indéniable habileté à pratiquer le funambulisme identitaire et politique, mais celui-ci est issu d'une obligation et non d'un choix. Il nous fut d'abord imposé par les armes, puis on le rendit systémique par suite de la mise en minorité planifiée de notre nation. Depuis, cette ambivalence est devenue une sorte d'habitude, entretenue par une bonne partie de nos élites politiques et intellectuelles, assumée aussi par de larges segments de la population, car elle se vit au quotidien dans le confort matériel et dans la conscience plus ou moins avouée qu'être entretenu et déresponsabilisé n'a pas que des inconvénients.

L'éditorialiste en chef du journal *La Presse*, André Pratte, déploie lui aussi beaucoup d'énergie et de talent pour nous convaincre de nous voir différemment. Dans deux ouvrages récents, il nous invite à « faire table rase » du passé, à « moins se souvenir pour mieux progresser », à « faire le ménage parmi nos mythes ». Il faut, dit-il, non pas « oublier notre passé, mais apprendre [...] à le voir d'une autre manière[9] ». Finissons-en avec ce « mythe du Québec comme victime[10] », comme « pays martyr[11] », lance-t-il.

Le nœud de son argumentation est le même que chez Létourneau, mais il triture moins la langue pour nous dire où il faut loger : les tensions sont inévitables et normales, tous les torts ne sont pas du même côté et, fondamentalement, le Québec s'est épanoui dans le Canada. Puis, suivent les réinterprétations qu'il nous propose de 1760, 1837-1838, 1867 et autres moments cruciaux de notre histoire, qui sont, pour l'essentiel, celles de Létourneau, des historiens de l'école de Québec ou de ceux du Canada anglais de naguère.

Évidemment, un Gérard Bouchard aurait parfaitement raison de ne pas vouloir être amalgamé à Jocelyn Létourneau ou à André Pratte. L'historien de Chicoutimi veut redéfinir la nation québécoise, alors que celui de Québec veut l'oblitérer.

Leurs travaux, et ceux de plusieurs autres personnes que je laisse de côté, ont cependant en commun, malgré leurs différences, un trait fondamental : c'est de proposer des lectures de l'histoire qui ont pour effet, comme l'a bien vu Joseph-Yvon Thériault, « soit de ramener l'existence du Canada français à celle d'une ethnie parmi d'autres, soit de cacher son existence dans les catégories de la modernité[12] ».

Pour le dire autrement, dans plusieurs travaux récents, à des degrés divers, le caractère francophone, de souche ou d'adoption, de la majorité des gens d'ici, qui ne sont pas toute la nation mais qui en sont le tronc principal, de même que la singularité de leur parcours historique sont relativisés, banalisés, voire marginalisés. Ils le sont au profit, chez Bouchard, d'une lecture du Québec comme « société » ou comme « territoire », ou, chez Létourneau et Pratte, comme manifestation régionale, quoique distincte, de l'aventure canadienne[13].

Je rappelle au passage, avant qu'on me reproche de ne pas le noter, qu'il n'existe pas une définition univoque des notions de « peuple » et de « nation », ni en droit international ni dans les diverses sciences sociales. Mais il nous en faut bien une. Soulignons aussi que le débat sur ces notions, s'il semble parfois ésotérique et byzantin aux yeux du profane, donc futile de son point de vue, est en fait crucial, puisque c'est de la représentation qu'une collectivité se donne d'elle-même que découlent ses politiques linguistique, culturelle et d'immigration.

Le philosophe José Echeverria, marchant dans les traces d'Ernest Renan, avance que « la nation et le peuple sont des communautés humaines caractérisées par la participation à un même passé et par la volonté de se construire un futur[14] ». Fernand Dumont a lui aussi défini la nation en des termes presque identiques.

Cela n'implique donc ni une homogénéité ethnique — les Français d'aujourd'hui, rappelait Dumont, ne descendent pas tous des Gaulois, pas plus que les Québécois n'ont tous des ancêtres venus de France — ni un quelconque déterminisme fondé sur le sang[15]. Mais cela suppose toutefois une mémoire partagée, à des degrés divers évidemment, un désir de vivre ensemble et des institutions propres.

Pour ce qui est de la différence entre la notion de « nation » et celle de « peuple », elle tient pour l'essentiel dans ce que la nation fonde sa légitimité principalement, mais pas exclusivement, sur l'origine commune de ses membres, alors que la notion de « peuple » met plutôt l'accent sur un avenir commun à construire.

La nation a donc une connotation rétrospective — renvoyant à tout ce qui a permis à une collectivité de prendre ses traits distinctifs : langue, culture, religion, façons d'être et de faire. La notion de peuple est davantage prospective, mettant plus l'accent sur le fait que la collectivité évolue, change, se construit un avenir au jour le jour en prenant des décisions collectives.

De ce point de vue, s'il n'en tenait qu'à moi, j'aimerais pouvoir dire que font partie de la nation québécoise (ou du peuple) tous ceux qui habitent le territoire du Québec, sauf évidemment les Amérindiens, qui font partie de nations distinctes et reconnues comme telles. Idéalement, cette nation québécoise inclurait donc la majorité francophone d'origine canadienne-française — qui donne à la nation son caractère distinct — la minorité anglophone porteuse de droits historiques et tous ceux nés ailleurs qui ont choisi de vivre au Québec et qui sont théoriquement appelés à s'intégrer à la majorité francophone selon les politiques en vigueur depuis trois décennies. Les francophones ne formeraient donc pas *toute* la nation québécoise, mais ils en seraient le cœur et le tronc, et c'est autour d'eux que la nation devrait se regrouper.

Mais je vois bien, et c'est un vieux débat, ce que cette définition a de problématique. On peut souhaiter, voire décréter, qu'il en est ainsi — par la « magie du vocabulaire », disait Dumont —, mais on est bien forcé de constater qu'une part significative de la population du Québec ne s'identifie pas à cette nation québécoise, voire nie carrément sa prétention à être telle.

Bref, aucune définition de la nation québécoise ne fait l'objet d'un consensus à l'heure actuelle. Et on voit mal comment il pourra en être autrement tant que des gens auront le choix de se définir comme faisant partie d'une *nation canadienne* ou d'une *nation québécoise*, ou des deux ensemble, ce qui vide de son sens le concept de nation. Quand une nation est encastrée dans une autre nation, la première a forcément quelque chose de moins tangible et de plus évanescent que la seconde.

Évidemment, qu'une définition soit problématique ou que ce qu'elle cherche à désigner soit complexe, voire inachevé, ne suffit pas pour tout disqualifier. Après tout, nombre de Québécois n'éprouvent pas non plus le moindre sentiment d'appartenance à une *nation canadienne*, dont il ne viendrait pourtant à l'idée de personne de nier l'existence.

Notons au passage le caractère en partie artificiel de cette opposition trop tranchée entre nationalisme ethnique et nationalisme civique dont on nous rebat continuellement les oreilles. Dans l'histoire récente de l'Occident, hormis quelques cas rarissimes, on ne trouve guère d'États construits exclusivement sur l'idée d'une adhésion purement volontaire à une nation — ce qui est la conception dite *civique* — ni non plus d'États fondés uniquement sur l'idée d'une appartenance de sang à cette nation — ce que serait la conception purement *ethnique*.

Dans la réalité, les deux se combinent dans des formes et des proportions variables selon les nations. Même des nations comme les États-Unis ou la France, souvent présentées comme les cas types d'une nation se définissant par référence à des valeurs universelles, ancrent celles-ci dans une langue, une identité, une sensibilité et des repères symboliques issus de leur histoire et de leur culture, particulièrement celles du groupe majoritaire.

Il faut dire que l'air du temps se prête bien à ce révisionnisme historique que j'évoquais. Nous vivons à une époque qui se veut si furieusement *moderne*, sans qu'on sache trop ce que cela recouvre exactement, qu'on en est venu à la qualifier de *postmoderne* ou d'*hypermoderne*.

Dans un tel climat intellectuel, quiconque évoque le passé du peuple québécois, à moins qu'il ne pratique le métier d'historien,

passe presque d'emblée pour une sorte de nostalgique. Si, de surcroît, il insiste beaucoup sur le caractère douloureux de ce passé,
sa cause est entendue : il fait dans le repli victimaire, la crispation
identitaire et le grattage de plaie, en plus d'être, évidemment,
« frileux ».

Or, selon moi, cette affaire est claire et nette : il faut dire non.
Simplement et fermement. Non à cette javellisation jovialiste de
notre passé, non à ces appels à l'amnésie collective lancés sous le
couvert du « regard-tourné-vers-l'avenir ». On ne construit rien
de solide si on ne sait pas qui on est et d'où on vient. L'avenir
m'intéresse autant que quiconque, mais je ne vois pas en quoi il
nous impose d'oublier pour y faire face.

Non, ce n'est pas nécessairement une macération morbide
que de se donner pour grille d'interprétation que l'histoire de la
majorité francophone du Québec, c'est d'abord celle d'une communauté qui fut conquise par les armes, occupée, dépossédée,
annexée, mise en minorité, et à qui ses élites prêchèrent, le plus
souvent, la soumission et la résignation. Figurez-vous que cela
laisse des traces encore perceptibles aujourd'hui.

Cette trame ne suffit évidemment pas pour englober et expliquer la totalité de notre parcours historique. Mais si elle n'est pas
la seule, elle en est la principale. Notre histoire, si elle n'est pas que
cela, est *d'abord* l'histoire d'une volonté de *durer,* qui se transforme progressivement en désir de *s'affirmer,* puis de *s'émanciper,*
dans le contexte évidemment difficile qui est le lot de toutes les
nations minoritaires conquises par les armes.

C'est cette trame qui doit demeurer pour moi le fil conduc-
teur central — et non unique — du parcours historique de la
nation québécoise. Cela ne veut évidemment pas dire que tout a
toujours été uniformément noir, ni que toutes les critiques formulées à l'encontre de la majorité anglophone du Canada ou du
régime fédéral sont toujours fondées. Mais s'il est vrai, comme le
soutiennent Pratte et Létourneau, que notre nation a su trouver
en elle les moyens de tirer son épingle du jeu et s'épanouir, la
question est de savoir si les circonstances historiques et poli-

tiques dans lesquelles elle fut placée l'y aidèrent ou lui compliquèrent la tâche.

Refuser, comme le fait Létourneau, au nom de la « complexité », de poser comme trame principale de notre histoire une volonté croissante de *durer*, de *s'affirmer*, puis de *s'émanciper* est aussi absurde que de s'interdire de prêter, sous prétexte de « complexité » et de « il-n'y-avait-pas-que-cela », une volonté de *domination* aux puissances impériales comme les États-Unis ou jadis la Grande-Bretagne, la France et l'Espagne.

Il est d'ailleurs symptomatique que le récit d'eux-mêmes auquel les francophones sont le plus attachés, dans lequel ils se reconnaissent le plus malgré les efforts déployés pour qu'ils en viennent à se voir autrement, est toujours découpé de la même manière, scandé par les mêmes dates qui jalonnent toutes des moments ayant marqué négativement la mémoire historique des francophones : la Conquête par les Britanniques en 1760, le soulèvement et la répression en 1837 et 1838, la mise en minorité définitive en 1840, la perte des droits scolaires et linguistiques des francophones hors Québec (en 1871, 1896, 1905 et 1912) et les deux référendums de 1980 et 1995 — échecs des souverainistes, mais reculs pour tout le Québec —, le premier ayant été suivi de l'imposition forcée, en 1982, d'une Constitution rejetée jusqu'à ce jour.

Si tant de Québécois persistent à lire ainsi leur parcours collectif, ce n'est pas le résultat d'un complot ourdi depuis plus de deux cents ans par nos intellectuels nationalistes, mais c'est tout simplement parce que ce récit est celui qu'ils trouvent le plus vraisemblable.

Assurons-nous ici d'être bien compris : jusqu'à un certain point, il est normal et légitime de revisiter les interprétations traditionnelles. C'est ainsi que progresse la connaissance. Je dis simplement que toutes les interprétations ne se valent pas, que certaines sont plus convaincantes que d'autres, que le révisionnisme de Jocelyn Létourneau ou d'André Pratte, qui aseptise et édulcore notre passé, pousse le bouchon trop loin et que ses motivations politiques crèvent les yeux.

Qu'on me permette de donner quelques exemples choisis parmi les événements historiques dont l'interprétation a le plus fort impact sur nos débats d'aujourd'hui.

Le révisionnisme à l'œuvre

L'interprétation des effets de la Conquête britannique de 1760 nous divise encore. Les historiens de l'école de Montréal — Maurice Séguin, Michel Brunet, Guy Frégault — et leurs héritiers soutiennent que nous étions une société jusque-là « normale », mais qui fut déstructurée et décapitée par la défaite militaire de la France et le changement de maître.

Au moment où la Nouvelle-France laurentienne (le « Canada » d'alors) passe dans le giron britannique, elle est une petite partie de l'immense empire colonial français d'Amérique, lequel comprenait, outre les terres autour du golfe du Saint-Laurent, celles jouxtant le golfe du Mexique et une grande partie des terres au sud des Grands Lacs et jusqu'aux montagnes Rocheuses. Cette Amérique du Nord française faisait obstacle au développement des colonies britanniques, davantage peuplées, plus dynamiques et mieux arrimées à leur métropole.

Quand Londres se substitue à Paris comme métropole, explique Maurice Séguin, les nouveaux maîtres privilégient logiquement les ressortissants britanniques. Le changement de régime colonial coupe les commerçants francophones de leurs réseaux d'approvisionnement et d'écoulement de leurs marchandises, de leurs sources de crédit et des contrats dispensés par l'administration coloniale.

Nos élites politiques, exclues désormais des postes de l'administration coloniale, retournent en France ou se replient sur leurs seigneuries. Il ne reste aux nôtres que la sous-traitance ou l'agriculture. La maîtrise des leviers économiques et politiques nous échappe désormais, et les conséquences de cela iront en s'aggravant. Tout part de là.

Les historiens de l'école de Québec — Fernand Ouellet et Jean Hamelin au premier rang — montreront plutôt du doigt la pauvreté matérielle de la colonie avant la Conquête, expliquée surtout par l'inexistence d'une bourgeoisie commerciale et l'absence d'un « esprit capitaliste » sous le Régime français et par le manque de dynamisme de la politique coloniale française. Le conquérant britannique, disent-ils, apportera avec lui l'esprit d'entreprise, les capitaux requis ainsi que les droits et les bienfaits civiques et politiques liés à la condition de sujets britanniques, comme l'*habeas corpus* en 1784 et le parlementarisme à partir de 1791.

Jocelyn Létourneau et André Pratte ne disent pas autre chose aujourd'hui, et tout n'est pas faux, bien sûr, dans ce point de vue.

Il est vrai que la majorité des Canadiens — comme on appelait à cette époque les Québécois francophones d'aujourd'hui — vivaient modestement avant 1760. Mais la pauvreté matérielle n'était-elle pas le lot de l'immense majorité de la population chez tous les peuples au XVIIIe siècle ? Les paysans étaient-ils tellement plus riches en Angleterre à ce moment-là ? Ce n'est pas avant la première révolution industrielle que les conditions de vie des populations commenceront à s'améliorer notablement.

Il est vrai aussi, comme le note André Pratte, que la Grande-Bretagne livre à ce moment une guerre d'ampleur mondiale à la France et veut lui arracher des territoires, bien plus qu'elle ne veut écraser spécifiquement les francophones d'ici. Mais quelles qu'aient pu être ses motivations, elles ne changent rien aux conséquences pour les vaincus : ils subissent la loi de leur vainqueur.

Aurions-nous prospéré, se demande André Pratte, si Montcalm avait vaincu Wolfe ? Nous ne le saurons jamais, conclut-il[16]. C'est vrai dans un sens, mais, à moins de postuler que ces gens étaient collectivement des incapables, pourquoi s'interdire de penser qu'ils auraient su se prendre en main sur le plan économique ? Et, sur le plan politique, est-il déraisonnable de penser que ce peuple, si le sort des armes n'en avait pas décidé autrement, aurait sans doute connu un cheminement semblable à

celui des autres colonies européennes sur le continent américain, qui ont presque toutes fini par obtenir leur indépendance
politique ?

Examinons maintenant les rébellions de 1837-1838. À
quelques nuances près, l'interprétation qu'en a faite l'école de
Montréal continue à me convenir tout à fait.

La guerre d'indépendance qui fait naître les États-Unis
amène au Canada des loyalistes en fuite. Ceux-ci veulent retrouver ici les mêmes droits qu'ils avaient comme sujets britanniques
dans les treize colonies américaines, notamment le droit d'élire
une assemblée législative. Il est donc hors de question pour eux
d'être assujettis au droit civil français et au régime seigneurial
accordé par Londres aux Canadiens en 1774, non par magnani-
mité mais pour qu'ils n'aient pas la fâcheuse idée de se joindre
aux Américains.

Dilemme pour Londres : reconnaître les mêmes droits à tous
les habitants du Canada, c'est perdre le contrôle de la colonie aux
mains des francophones, qui forment 90 % de la population,
mais reconnaître moins de droits à ces derniers, c'est faire le lit de
la désobéissance civile et, peut-être, leur redonner l'idée de se jeter
dans les bras des Américains. On divise donc la colonie en un
Haut-Canada majoritairement anglophone et un Bas-Canada
majoritairement francophone.

Malgré la défaite de 1760, les francophones entretiennent
encore l'espoir de préserver une certaine maîtrise de leur destinée
collective, précisément parce qu'ils sont largement majoritaires
au Bas-Canada et à la nouvelle Assemblée législative. Ils aspirent
à être reconnus et traités pour ce qu'ils sont, la majorité, et, logiquement, se servent de ce pouvoir législatif qu'ils contrôlent en
partie. Mais le vrai pouvoir, on le sait, est entre les mains d'un
gouverneur général britannique et de deux Conseils (exécutif et
législatif) dont les membres sont nommés plutôt qu'élus.

Les élites politiques francophones mènent alors leurs combats autour d'enjeux politiques qui perdurent jusqu'à aujour-
d'hui : la langue, l'immigration, la maîtrise des impôts, les droits

démocratiques. Peu à peu, un indiscutable sentiment national prend forme et s'affirme chez elles et dans le peuple.

Le mouvement des Patriotes est donc tout à la fois, pendant plus de trois décennies et jusqu'à son écrasement en 1838, un authentique projet de *libération nationale* et un projet de *modernisation* politique, économique et sociale inspiré par les idéaux des Lumières, ceux des pères fondateurs américains et par les décolonisations latino-américaines.

Cette thèse, nous dit Létourneau, a le tort de poser « comme unanime chez les Patriotes, et comme univalent dans ses velléités d'aboutissement et ses modalités de déploiement, un désir de changement qui n'est pas conçu de la même façon par tous ceux qui l'appuient, fermement ou modestement[17] ».

Diantre ! Voilà qu'on nous informe que les Patriotes ne pensaient pas tous la même chose, avec la même intensité, sur tous les sujets. Il y en avait certains qui étaient plus pressés que d'autres ou qui attachaient plus d'importance à telle revendication qu'à telle autre.

On trouvera pourtant toujours une variété de motivations et des différences d'intensité à la base de tous les mouvements collectifs d'envergure. Cela suffit-il pour qu'il faille diluer, ou même renoncer à voir, dans les événements de 1837-1838, ce qu'on y voit depuis bientôt deux siècles : un mouvement d'émancipation nationale et sociale qui fut noyé dans le sang ?

En tout respect, le révisionnisme historique prend parfois des tournures franchement étranges. André Pratte reproche à Gérard Bouchard de soutenir que ce sont l'intransigeance et la mauvaise foi du colonisateur qui poussèrent les Patriotes à commettre l'erreur de prendre les armes. Il reproche aussi à Gérard Filteau d'avancer que le soulèvement donna aux autorités coloniales le prétexte qu'elles cherchaient pour écraser les Patriotes[18].

Comprenons-nous : considérant le déséquilibre des forces en présence, on peut très raisonnablement plaider que la prise des armes fut une monumentale erreur stratégique de l'aile radicale des Patriotes, même si le geste était noble et courageux. Mais il est aussi bien connu que ceux parmi les Patriotes qui le firent, puisque le mouvement était effectivement divisé sur l'opportunité de prendre les armes, le firent *après* les Britanniques, une fois la tête des chefs patriotes mise à prix, pour défendre ces derniers. C'est nul autre que… Lord Durham, dans son célèbre rapport, qui le note :

> Dans le but de maintenir une forme de gouvernement quelconque, l'on disposa des deniers publics contre la volonté des Canadiens représentés à l'Assemblée. La rébellion qui devait en résulter n'aurait pu être évitée, même si elle fut précipitée par les Anglais qui, instinctivement, sentaient le danger qu'il y avait pour eux à laisser aux Canadiens le temps de se préparer[19].

Les Britanniques de Montréal sont en effet radicalement contre l'idée d'une république canadienne-française et ne cachent pas qu'ils sont prêts à prendre les armes pour la prévenir. Si le gouverneur Gosford cède aux demandes des Canadiens français, il incite les Britanniques au soulèvement armé. Chaque camp est en quelque sorte poussé à l'intransigeance en raison de l'intransigeance de l'autre.

D'où la double nature du soulèvement de 1837 dans le Bas-Canada : « soulèvement des Britanniques du Bas-Canada contre la menace d'une république canadienne-française, soulèvement de la section la plus avancée des nationalistes canadiens-français contre la domination anglaise[20] ». Si cette interprétation est un « mythe », il revient à André Pratte d'en présenter une plus convaincante.

Du côté francophone, la répression britannique se solde, on le sait, par 325 morts dans les combats, 99 condamnés à mort, 12 exécutions, quelque 3 000 exilés aux États-Unis, des fermes et des villages incendiés et rasés, des centaines de familles soudainement privées de leurs moyens de subsistance.

André Pratte avance aussi qu'il « existait dans le comportement rebelle une nette tendance à l'intolérance dont on peut craindre qu'elle aurait dégénéré en Terreur miniature, ou à tout le moins en un gouvernement excessivement autoritaire[21] ».

Curieux argument : nous devons, disait-il plus tôt, nous interdire de conjecturer sur ce qu'aurait été l'avenir de la Nouvelle-France si elle n'avait pas été conquise, puisque nous ne le saurons jamais, mais il n'est pas interdit de le faire sur la gouverne autoritaire, voire violente, des rebelles s'ils l'avaient emporté. N'avaient-ils pas pourtant reconnu des droits aux autochtones dans leur déclaration d'indépendance en 1838 ? Et les leaders patriotes n'avaient-ils pas secouru les Irlandais de Grosse-Île et accordé, dans la fameuse loi de 1832, les pleins droits civiques aux juifs du Bas-Canada ?

Le drame amorcé par 1760, aggravé par la répression de 1837-1838, est finalement parachevé par ce verrou qu'est l'Acte d'Union de 1840 : en unissant le Haut-Canada et le Bas-Canada au sein d'un Canada-Uni, on se donne les moyens de mettre progressivement en minorité les francophones. L'immigration accélérera ensuite ce basculement démographique. Dès lors, le régime parlementaire fonctionnera à l'avantage de la nouvelle majorité anglophone. On ajoutera l'injure à l'insulte en épongeant les dettes du Haut-Canada avec les surplus du Bas-Canada.

Minorisés démographiquement, dépossédés économiquement, émasculés politiquement, les francophones voient donc s'envoler les espoirs d'autonomie relative qu'ils avaient entretenus pendant toute la période où ils avaient été majoritaires. Du point de vue britannique, toute velléité d'autonomie le moindrement significative des Canadiens français serait en effet un obstacle à l'impérieux travail de consolidation d'une Amérique du Nord britannique qui craint toujours les ambitions du jeune géant américain.

Dans son célèbre rapport de 1839, Lord Durham, on le sait, dit de nous qu'on « ne peut guère concevoir de nationalité plus dépourvue de tout ce qui peut vivifier et élever un peuple[22] ». Conséquemment, dans « tout plan qui sera adopté pour l'administration future du Bas-Canada, le premier objectif doit être d'en faire une province anglaise[23] ». Nous assimiler, dit-il, c'est nous rendre service autant que servir les intérêts de la Couronne. Mais l'attachement des francophones à leur identité, de même que leur fécondité, rendent la chose impossible, et Londres doit donc s'assurer de la collaboration d'au moins une partie des élites francophones.

Dans ce contexte, Pratte et Létourneau insistent beaucoup sur le fait que Louis-Hippolyte Lafontaine, allié au leader réformiste Robert Baldwin, obtient pour les siens, en 1848, le gouvernement responsable : dorénavant, le pouvoir exécutif sera responsable devant les élus du peuple, desquels il tient sa légitimité, et n'obéira plus au bon vouloir du gouverneur nommé par Londres. Et ils ont raison de dire que ce n'est pas rien.

Mais il est facile de répondre que Londres n'accorde le gouvernement responsable qu'à partir du moment où les francophones deviennent minoritaires dans le Parlement du Canada-Uni, c'est-à-dire une fois que l'essentiel du pouvoir politique nous a irrémédiablement échappé. On ne concède du pouvoir aux francophones que lorsque les limites de son exercice deviennent irrévocables. Notre autonomie ne s'exercera désormais que sur les affaires intérieures : *dès ce moment,* il n'y a plus d'égalité possible entre les deux peuples.

C'est donc très précisément le fait de devenir démographiquement minoritaires qui enchâsse pour de bon, qui cristallise ce basculement politique funeste des francophones, qui est au fond une tragédie en trois temps : conquis en 1760, punis pour avoir relevé la tête en 1837-1838, puis encastrés dans un système que l'on verrouille en 1840 et qu'ils ne pourront plus jamais modifier sans le consentement du groupe majoritaire.

L'union fédérale de 1867 n'est, en ce sens, que la consolidation de ce qui avait été amorcé en 1840. Il faut certes se doter d'une structure politique qui chapeautera l'expansion commerciale et territoriale vers l'ouest et se prémunir contre la tentation de l'annexion aux États-Unis. Mais Macdonald, Galt, Brown et les autres leaders canadiens-anglais ont désormais pour eux le poids du nombre.

Quand le Canada (Québec et Ontario actuels), le Nouveau-Brunswick et la Nouvelle-Écosse se regroupent pour faire naître le *Dominion of Canada,* les francophones ne représentent déjà plus que le tiers de la population. On mettra donc en place un régime fortement centralisé, dans lequel les leaders francophones consentent à la prépondérance anglophone dans l'exercice des pouvoirs les plus importants, en échange d'une amélioration des concessions locales faites au Québec. En donnant aux francophones un gouvernement provincial aux pouvoirs limités mais qu'ils contrôleront, les leaders anglophones espèrent les dissuader de faire valoir leurs droits à l'échelle de tout le pays.

C'est en ce sens que l'union de 1867 « recouvre avec exactitude, écrira Séguin, la réalité sociale[24] ». À mesure d'ailleurs que ce projet confédéral prendra forme, la méfiance et l'opposition grandiront, mais Macdonald et George-Étienne Cartier refuseront toujours farouchement la tenue d'élections axées sur ce projet. L'ajout subséquent de nouvelles provinces situées à l'ouest accentuera ensuite la minorisation démographique et politique du fait français.

Il n'est donc pas du tout exagéré de dire que la condition québécoise d'aujourd'hui trouve plusieurs de ses paramètres explicatifs les plus fondamentaux dans cette mise en minorité progressive des francophones, qui se déploie, se raffine et se finalise, pour l'essentiel, de 1760 à 1867.

Un dernier exemple, enfin, de réécriture de l'histoire qui provoque plus que des haussements de sourcils, mais tiré d'un passé plus récent. Cette fois, la stratégie derrière l'argumentation révisionniste est de placer la responsabilité de l'échec sur les épaules de la partie lésée. « *Blaming the victim* », disent les Anglais.

À partir des pourparlers constitutionnels autour de la formule Fulton-Favreau de 1964, les dernières décennies ont été marquées, on le sait, par de nombreuses péripéties constitutionnelles qu'on ne relatera pas de nouveau ici. Que des échecs, bien sûr, documentés jusqu'à la lie : Fulton-Favreau (1964), Victoria (1970), le rapatriement unilatéral de la Constitution et l'isolement du Québec (1981 et 1982), Meech (1990), Charlottetown (1992) et toute une litanie de propositions qui ne se rendirent même pas jusqu'à l'étape des pourparlers formels.

Depuis 1982 plus précisément, c'est-à-dire depuis que des changements furent apportés à la Constitution canadienne sans le consentement du Québec, changements auxquels il n'a pas souscrit à ce jour, il s'agit essentiellement de trouver un moyen d'amener le Québec à signer la loi fondamentale du pays dont il fait partie. Le nœud de l'affaire est d'enchâsser dans cette Constitution la reconnaissance de la différence culturelle du Québec et les moyens effectifs de protéger cette différence, et de le faire à des conditions qui soient acceptables en même temps pour lui et pour le reste du Canada.

La succession des échecs amène forcément la question : à qui la faute ?

J'ai exposé ailleurs et à de nombreuses reprises ma réponse à cette question. Mais c'est celle d'André Pratte qui compte ici : « le refus des compromis » de notre part. « Voilà l'attitude qui a empêché le Québec de faire des gains depuis quarante ans », écrit-il[25]. Nous ne sommes pas assez souples : c'est le fond de l'affaire, nous dit-il. Notre faute, donc, pour l'essentiel.

Selon lui, Fulton-Favreau échoua parce que Jean Lesage, sous le feu nourri des intellectuels nationalistes et de l'opposition officielle, renia sa parole. Robert Bourassa rejeta l'entente de Victoria parce que les mêmes forces nationalistes le tenaient en joue. Meech fut certes une occasion tristement manquée, mais par la faute de seulement « deux provinces » : pas un mot sur l'hostilité profonde de la majorité du peuple canadien-anglais à l'endroit de cette idée de reconnaître le caractère distinct du Québec, attestée par tous les sondages à l'époque.

Nous eûmes ensuite tort, poursuit-il, de ne pas accepter l'accord de Charlottetown, qui contenait un gain si capital — la garantie que 25 % des sièges au Parlement fédéral seraient réservés au Québec — qu'il aurait justifié que nous vivions avec les autres inconvénients d'une entente à propos de laquelle je rappellerai seulement, pour mémoire, que vingt-huit de ses soixante clauses devaient être négociées… après le référendum organisé pour nous la faire accepter.

Bref, notre faute, presque toujours, pour cause d'intransigeance. Et pourquoi cette intransigeance québécoise ? « Ce refus des compromis tient sans doute son origine de notre insécurité. Mais, aujourd'hui, il relève plutôt du complexe de supériorité[26] », écrit André Pratte. Pardi !

Que les représentants du Québec aient pu, çà et là, commettre des erreurs d'appréciation est fort possible, voire probable ; mais qu'ils aient été les principaux responsables de tous ces échecs en raison de leur rigidité excessive, affublés qu'ils étaient d'un complexe de supériorité qui serait aussi, par extension, celui du peuple québécois, j'avoue que je n'y aurais pas pensé.

En fait, les changements démographiques, politiques et culturels survenus au Canada anglais ces dernières décennies, écrit André Pratte, rendent désormais « futile d'espérer, voire d'exiger du reste du Canada aujourd'hui qu'il accorde au Québec le statut d'"égal" à tout le reste du pays[27] ». Et, pour s'assurer que nous avons bien compris, il ajoute que le nouveau rapport de force rend désormais « absolument irréaliste, voire ridicule, la quête d'une quelconque égalité[28] » de la part du Québec.

Sur ce point, il a parfaitement raison. Toute la question est de savoir quelles conclusions on choisit d'en tirer.

Nationalisme culturel et nationalisme politique

Revenons à l'interprétation qu'il convient selon nous de donner du parcours québécois.

Depuis bientôt deux cent cinquante ans, le vis-à-vis des francophones du Québec, « l'Autre » comme on dit de nos jours — c'est-à-dire le conquérant britannique jadis et les Canadiens anglais majoritaires aujourd'hui —, a toujours bénéficié d'un rapport de force qui lui était favorable. Or, comme les francophones n'ont jamais été suffisamment nombreux à vouloir aller jusqu'à la sortie définitive du régime, cela ne leur laissait d'autre mode d'expression politique que l'ambivalence et les accommodements plus ou moins productifs selon les circonstances.

Si notre parcours est indéniablement ondoyant, ce n'est donc pas parce que nous avons, *par essence,* une sorte de penchant naturel pour l'incohérence ou l'indécision. Notre ambivalence résulte simplement de la division introduite jadis dans notre communauté par le pouvoir colonisateur et maintenue depuis par la dynamique propre au rapport majoritaire-minoritaire. Toutes les minorités sont confrontées à ce choix : affrontement ou collaboration ?

Jocelyn Létourneau, pour revenir un instant à lui, se soucie presque exclusivement de recenser toutes les manifestations d'ambivalence au sein du groupe minoritaire, mais sans jamais s'interroger sur leurs sources. Escamotant les causes de l'ambivalence pour ne retenir que ses effets, il gomme ainsi une donnée cruciale : celui qui a toujours eu le gros bout du bâton avait, lui aussi, « son » intention nationale, qui fut et demeure de se construire tout naturellement un régime politique à son goût[29].

Pour le dire comme Yvan Lamonde, historien à l'Université McGill, chez Létourneau, « l'Autre [le Britannique, puis le Canadien anglais] est le plus souvent présenté comme un référent neutre, une caisse de résonance qui ne répercute que le son de celui qui s'y frotte[30] ». À tant vouloir valoriser la cohabitation, nous dit Lamonde, Létourneau « anesthésie la mémoire des combats historiques[31] ».

Par un recours sélectif à l'oubli, il donne la fausse impression que l'ambivalence trouve sa source en nous, qu'elle n'est pas un « problème » historique et politique à résoudre et qu'il est donc légitime et même fécond d'en faire carrément « un principe organisateur et un lieu structurant[32] ». Et, pour couronner le tout, conclut Lamonde, en faisant passer ceux qui ne pensent pas comme lui pour des « nationologues » contaminés par l'idéologie souverainiste, Létourneau donne la fausse impression qu'il s'élève, lui, tel un *vrai scientifique*, au-dessus de ces considérations bassement partisanes pour atteindre la vérité vraie.

Évidemment, si on rejette sa vision des choses, il faut proposer d'autres réponses à au moins deux questions. La première : comment caractériser cette ambivalence que personne ne niera et qui traverse toute notre histoire depuis le début du XIXe siècle ? Et la seconde : quelle est alors cette intention nationale primordiale — mais pas unique — qui serait au cœur du parcours complexe de notre peuple ?

On trouve des réponses convaincantes et profondément documentées aux deux questions dans les travaux d'Yvan Lamonde[33].

Notre ambivalence, dit-il, est en fait une oscillation perpétuelle entre le nationalisme *culturel* et le nationalisme *politique*, qui s'incarne dans l'alternative suivante : faut-il se contenter de « revendiquer le respect des caractéristiques culturelles "nationales" — la langue, la religion, les lois, les mœurs — ou prendre appui sur ces caractéristiques nationales pour réclamer, en vertu du principe des nationalités, le droit à l'autodétermination, à la souveraineté, à un État[34] » ?

Autrement dit, devons-nous nous contenter de demander que l'Autre respecte ce que nous sommes ou devons-nous plutôt exiger et faire advenir, au nom justement de ce que nous sommes, un autre aménagement politique, qui pourrait faciliter la préservation de nos particularités culturelles ? Sous une forme ou sous une autre, c'est à ce dilemme fondamental, explique Lamonde, que nous avons toujours été confrontés depuis que nous avons entrepris de nous redresser après avoir été conquis.

Dès 1835, Étienne Parent, à la tête de l'influent journal *Le Canadien*, choisit le camp du nationalisme culturel. La défense de notre langue et de nos institutions peut se faire, dit-il, dans le cadre politique en place. Chez d'autres Patriotes, comme

Papineau, ce souci de défendre ce que nous sommes débouche sur des positions politiques plus fermes, même s'il ne va pas jusqu'à prôner l'indépendance. Un pas que franchiront évidemment les Patriotes qui, en 1838, veulent poursuivre la lutte armée. Après 1840, Lafontaine reprendra pour l'essentiel la position de Parent.

Le nationalisme culturel règne ensuite en maître tout au long de la seconde moitié du XIXe siècle et de la première moitié du XXe siècle, tout simplement parce que nos élites et le peuple voient bien qu'il n'y a pas beaucoup d'espace pour que le nationalisme puisse s'exprimer *politiquement*. Mais, sous diverses formes, l'idée que la préservation de l'identité et l'affirmation collective passent par un changement de la dynamique politique n'est jamais totalement absente et elle ressurgit périodiquement.

Pour certains, ce changement passe par l'indépendance du Québec : Lanctôt (1865), Tardivel (1895), Francœur (1917), Bruchési (1920), Paul Bouchard (1936), les frères O'Leary (1937), Raymond Barbeau (1957). Mais cette idée, toujours présente dans le décor, reste très marginale jusque dans les années 1960.

Selon d'autres, la politisation du nationalisme passe par diverses formes d'*autonomisme provincial* : Honoré Mercier évidemment, puis *L'Action française* dans les années 1920, le mouvement des Jeune-Canada, l'Action libérale nationale de Paul Gouin, André Laurendeau, les Jeunesses Patriotes, *La Nation* et bien sûr Lionel Groulx, qui, même s'il est difficile à suivre sur la question du statut politique du Québec, a toujours bien vu que la question de l'identité culturelle du Québec était une question éminemment politique. Duplessis, bien sûr, aspirera et instrumentalisera tout cela avec virtuosité.

Le prolongement politique de l'affirmation culturelle devient encore plus manifeste après la Seconde Guerre mondiale, empruntant un sentier de gauche et anti-*Cité libre* chez des gens comme Vadeboncœur, Dumont et Rioux, ou un sentier de droite chez Barbeau et son Alliance laurentienne, dans un parti politique comme le Ralliement national et dans diverses revues. C'est évidemment la création du RIN en 1960 et, encore plus, celle du Parti québécois en 1968 qui consacreront la politisation du nationalisme culturel.

Même à l'heure actuelle, on perçoit encore cette oscillation entre le nationalisme culturel et le nationalisme politique. Ce n'est pas l'effet du hasard si, au moment où le mouvement souverainiste a l'air de plafonner et que l'horizon de la réforme constitutionnelle est plus bloqué que jamais, les inquiétudes à propos de la langue française et de la situation démographique du Québec semblent ressurgir avec une acuité particulière. Quand le chemin politique est entravé, le nationalisme reprend sa tonalité culturelle.

Du coup, l'intention nationale primordiale qui est au cœur du parcours de notre peuple apparaît assez clairement.

Ce projet, explique Lamonde, c'est bel et bien une recherche d'*autonomie* croissante par rapport à l'Autre. Selon les époques, il s'agira, sur près de deux cents ans, s'exprimant autour de figures et de mouvements facilement repérables, d'abord de l'autonomie du Bas-Canada par rapport à la métropole britannique (les Patriotes), puis de l'autonomie du Canada par rapport à la Grande-Bretagne (Henri Bourassa), puis de l'autonomie du Canada français par rapport au Canada (Mercier, Duplessis), puis l'autonomie de ce Canada français devenu Québec par rapport au Canada (la Révolution tranquille, les initiatives québécoises de renouvellement du fédéralisme, la montée du mouvement souverainiste et la tenue des deux référendums sur la souveraineté).

Que cette trame puisse comporter son lot de *complexités* et de dimensions *polyphoniques,* que certains croient encore possible de déployer cette volonté d'autonomie dans l'espace canadien alors que d'autres n'y croient pas, cela ne la rend pas moins clairement perceptible pour autant.

Libération, conservation, modernisation

Évidemment, tout ceci ne doit pas nous rendre insensible au caractère changeant, selon les époques et les conjonctures, de cette volonté de redressement et d'autonomie.

De façon parfaitement acceptable, on a traditionnellement découpé le nationalisme canadien-français, puis québécois, en trois grandes phases, chacune avec son caractère dominant, mais pas exclusif : un nationalisme porté par un projet de *libération* depuis la fin du XVIIIe siècle jusqu'en 1840, un nationalisme porté par un projet de *conservation* de 1840 jusqu'au lendemain de la Seconde Guerre mondiale et un nationalisme dont la tonalité dominante est une volonté de *modernisation de type social-démocrate* depuis 1960. Dans les faits, on trouvera souvent, à divers moments, un enchevêtrement plus ou moins harmonieux de ces trois formes de nationalisme[35].

On a, par exemple, beaucoup déploré la nature conservatrice du nationalisme canadien-français pendant les cent ans et plus qui séparent la défaite militaire des Patriotes et la Révolution tranquille. Mais ce conservatisme s'explique parfaitement. L'Église y est évidemment pour beaucoup. Tous les peuples ont besoin de chefs. Comme les élites politiques laïques sont en déroute après les événements de 1837-1838, l'Église catholique reste la seule force de ralliement idéologique et sociale un peu robuste, et elle réussira à s'imposer durablement.

Une fois minorisés pour de bon au moyen de l'Acte d'Union de 1840, les Canadiens français voient bien qu'ils sont désormais soumis à une dynamique politique qu'ils ne maîtrisent plus. Or, les changements que l'on subit sans les avoir choisis sont insécurisants et perçus comme des menaces. C'est pourquoi les Canadiens français sont enclins à les rejeter. C'est donc *parce que* le nationalisme canadien-français n'a pas d'espace pour s'exprimer *politiquement* pendant cette période qu'il s'exprime *culturellement*, dans un registre défensif axé sur la défense de la langue française et de la religion catholique.

L'intention nationale principale de la collectivité n'en demeure pas moins claire : avec les moyens qui restent, toujours, essayer de *durer*, de *préserver* ce que l'on est, de *s'affirmer* du mieux que l'on peut, de se dégager des espaces d'*autonomie*, aussi étroits soient-ils.

Évidemment, les effets de la minorisation démographique sont beaucoup plus dramatiques pour les francophones du reste du Canada, qui se font assimiler sans discontinuer jusqu'à nos jours, tout simplement parce qu'ils n'ont plus le nombre requis pour résister. Des « épisodes d'excentrement et de tassement », dira suavement Létourneau au sujet des reculs successifs de leurs droits linguistiques[36].

Ces « épisodes » ont cependant pour double conséquence d'illustrer l'inefficacité relative d'une stratégie de présence québécoise minoritaire sur la scène fédérale et de renforcer progressivement, tout au long du XXe siècle, l'idée que l'affirmation du fait français aura désormais intérêt à se concentrer sur le territoire québécois, seul endroit où les francophones sont majoritaires.

Enfin, le pourquoi et le comment du passage du nationalisme conservateur au nationalisme plus moderne à partir des années 1950 sont si connus qu'on peut se permettre d'y aller ici à grands traits.

La prospérité économique de l'après-guerre, presque partout en Occident, transforme profondément nos sociétés. Les peuples ont davantage les moyens de leurs ambitions et confient à l'État la tâche d'organiser celles-ci. Le Québec s'inscrit dans ce courant général, mais plus tardivement. Inutile ici de décrire les faits saillants de cette Révolution tranquille qui s'ouvre en 1960, mais qui se préparait de longue date.

Une particularité du cas québécois est cependant que l'industrialisation et l'urbanisation, qui sont évidemment très antérieures à la Révolution tranquille, mettent davantage en contact les *deux solitudes* et rendent plus visible, et donc plus intolérable pour les francophones, leur infériorité par rapport aux anglophones d'ici[37].

Or, dès que les francophones comprennent le profit politique qu'ils peuvent tirer de l'utilisation de l'État comme levier, on assiste de nouveau à ce retour du balancier du nationalisme culturel vers le nationalisme politique. D'où le déclin du nationalisme axé sur la conservation de nos traits culturels, au profit d'« un nationalisme qui opère la jonction entre le territoire, la spécificité culturelle et le pouvoir politique[38] ».

Et, comme de raison, sitôt que l'État du Québec devient plus présent dans notre vie collective, que le discours nationaliste québécois se repolitise, le partage des pouvoirs au sein de la fédération canadienne se trouve de nouveau mis en cause : d'abord en ce qui a trait à la répartition des produits de la fiscalité, puisque le Québec veut les moyens de ses ambitions, puis en ce qui concerne la répartition des pouvoirs, dans les domaines de la diplomatie, de l'immigration et des politiques sociales.

Dès lors, ce nationalisme politique québécois empruntera l'une ou l'autre de deux grandes avenues : le projet souverainiste ou la recherche d'une plus grande autonomie du Québec au sein du Canada. Mais, toujours, une même ligne de force : ne pas se contenter de ce que l'on a et chercher à s'affirmer davantage.

Bref, du milieu du XIXᵉ siècle à aujourd'hui, les Québécois ont évidemment amélioré leur sort matériel, comme presque tous les autres peuples de la planète. Ils ont aussi fait des gains politiques. Mais, dans les domaines où le groupe majoritaire avait son mot à dire, il n'y aura eu de gains pour les francophones, pour l'essentiel, que lorsque la majorité anglophone y aura consenti, de gré ou de force.

C'est en ce sens que tout l'horizon de ce qui est possible pour nous, depuis plus d'un siècle et demi, est fortement conditionné par notre statut de minorité et, au moins partiellement, inféodé à une volonté autre que la nôtre. La volonté du groupe majoritaire n'est pas nécessairement toujours hostile ou contraire à nos intérêts, mais l'essentiel est que notre volonté y est souvent subordonnée. Voilà un fait massif et irrécusable, pas une interprétation possible parmi d'autres.

De ce point de vue, quand on veut caractériser notre parcours national, il n'est pas exagéré, me semble-t-il, de parler d'une sorte de miracle : le Québec n'est pas devenu une autre Louisiane.

C'est en ce sens que la trajectoire de ces colons arrivés de France, et de ceux venus d'ailleurs qui s'en firent solidaires, doit se lire, selon moi, comme une véritable reconquête de soi, obstinée, têtue, entravée d'innombrables manières, qu'ils doivent pour l'essentiel à leurs propres mérites bien plus qu'à la sollicitude d'autrui, admirable à défaut de compter beaucoup d'épisodes héroïques. On ne le souligne peut-être pas assez. Il faut dire que la sueur et les larmes sont moins glorieuses que le sang.

2

Où nous en sommes

*Les petites nations. Ce concept n'est pas quantitatif;
il désigne une situation; un destin : les petites
nations ne connaissent jamais la sensation heureuse
d'être là depuis toujours et à jamais; elles sont toutes
passées, à tel ou tel moment de leur histoire, par l'antichambre de la mort; toujours confrontées à l'arro-
gance des grands, elles voient leur existence perpé-
tuellement menacée ou mise en question; car leur
existence est question.*

MILAN KUNDERA

Le récit historique aujourd'hui encore dominant fait entrer le
Québec dans la modernité à partir de 1960. Dans les faits, cependant, plus aucun historien sérieux ne défend cette image d'Épinal
d'une société franchement arriérée et plongée dans la pénombre
jusqu'à l'arrivée au pouvoir de l'équipe de Jean Lesage.

Certes, le conservatisme du *discours* nationaliste canadien-
français pendant le siècle qui précède la Révolution tranquille ne
fait pas de doute. On a cependant beaucoup exagéré l'immobi-
lisme et la noirceur de *toute* la société. Il faut dire que la génération qui a fait la Révolution tranquille en avait gros sur le cœur
contre l'Église catholique et contre Maurice Duplessis.

Redresser la nation

Il est vrai que l'Église pesait lourd et freina bien des élans jusqu'au tournant des années 1960. Mais elle fournit aussi au corps social un encadrement et une colonne vertébrale que personne d'autre ne pouvait offrir à l'époque, en plus de maintenir allumée la flamme de l'identité nationale. Elle appuya aussi énergiquement la création de plusieurs institutions qui jouent encore un rôle central dans le Québec d'aujourd'hui : les universités francophones, le mouvement Desjardins, Hydro-Québec, Radio-Québec (Télé-Québec maintenant), l'UPA, la CSN et bien d'autres.

Duplessis, lui, tint tête aux offensives centralisatrices d'Ottawa et, s'il est vrai qu'il compta sur le capital étranger pour assurer la prospérité économique du Québec, il laissa les finances publiques dans un si bon état que les libéraux de Lesage n'auront ensuite aucun mal à financer les emprunts de la Révolution tranquille.

Sur le plan intellectuel, la Révolution tranquille avait aussi été précédée d'un immense travail de labour. Il n'est pas exagéré de dire que presque toute la vie intellectuelle et politique du Québec français pendant les cent ans qui précèdent 1960 tourne autour de la recherche des moyens de régler nos comptes avec la subordination politique, la dépossession économique, l'insécurité culturelle et l'infériorité sociale.

À partir de François-Xavier Garneau, qui est la figure dominante du XIXe siècle, chez Groulx ensuite, père fondateur du nationalisme contemporain, qui domine la première moitié du XXe siècle, mais aussi chez des figures plus mineures comme Léon Gérin, Esdras Minville, Édouard Montpetit et tant d'autres, le redressement d'une nation vaincue est l'axe central et commun de leurs travaux. Après la Seconde Guerre mondiale, la querelle entre l'école de Montréal et l'école de Québec sur les causes du « retard » du Québec ne doit pas faire perdre de vue ce qui les unit : accélérer l'avènement d'une nouvelle conscience de nous-mêmes plus affirmative.

À vrai dire, quand on y regarde de plus près, c'est plutôt comme si le Québec d'avant 1960 laissait voir différents stades de développement simultanés, selon l'angle sous lequel on choisit de l'examiner.

Plusieurs facettes de ce Québec dit traditionnel tranchent en effet avec cette image convenue d'une société qui refuse le progrès. Il existait un entrepreneuriat industriel québécois, modeste mais indéniable, depuis la fin du XIXe siècle[1]. Le libéralisme était plus présent que ce que l'historiographie conservatrice laissa croire longtemps[2]. Le peuple n'était pas entièrement sous la coupe du clergé[3]. Les villes étaient déjà les moteurs du développement économique depuis un siècle[4]. Le syndicalisme n'était pas moins revendicateur parce que catholique[5]. Les sciences sociales progressaient[6]. Des courants modernistes traversaient tous les arts[7].

On peut certes repérer des manifestations concrètes de chacun des stéréotypes négatifs communément associés à la Grande Noirceur : corruption politique, antisyndicalisme, moralisme, xénophobie, groupuscules fascisants. Mais le Québec ne fut pas pire que d'autres sociétés de son temps, et ce serait même plutôt le contraire si on le compare, par exemple, aux États-Unis ou à la France des années 1930 et 1940.

Cependant, ce qui s'imposa indiscutablement après la Seconde Guerre mondiale était que les francophones du Québec étaient plus pauvres et moins scolarisés que les anglophones du Québec et du reste du Canada.

- En 1961, au moment où s'amorce la Révolution tranquille, un francophone gagne en moyenne 37 % de moins qu'un anglophone au Québec, un francophone bilingue gagne moins qu'un anglophone unilingue, et quand un anglophone de naissance se francise, il chute dans l'échelle des revenus pour aller rejoindre les francophones de souche[8].
- À la même époque, le Québec, seule province majoritairement francophone, est le seul endroit au Canada où un anglophone unilingue gagne plus qu'un... anglophone bilingue[9].

• En 1959, moins de la moitié des jeunes dans le groupe d'âge des 14 à 17 ans fréquentent l'école au Québec, contre plus de 80 % en Ontario[10].

• En 1951, les francophones représentent 80 % de l'ensemble des travailleurs au Québec, mais ils ne comptent que pour 54 % de ses ingénieurs civils et 25 % de ses ingénieurs électriciens.

• En 1957, moins de 10 % des enseignants dans le système scolaire francophone ont un diplôme universitaire, alors qu'ils sont 33 % dans le système scolaire anglo-québécois et 25 % dans le reste du Canada.

• La fréquentation obligatoire de l'école jusqu'à l'âge de 14 ans ne sera imposée au Québec qu'en 1943, approximativement vingt ans après les autres provinces canadiennes.

Dans presque tous les cas où les indicateurs économiques montrent un Québec à parité avec le reste du Canada, l'explication réside dans le fait que la minorité anglophone déclassait tellement la majorité francophone qu'elle relevait la moyenne québécoise globale.

De multiples explications de cette infériorité économique et sociale des francophones ont été avancées, qui ne s'excluent évidemment pas et qui contiennent des parts variables de vérité : la marginalisation économique et politique déclenchée par la Conquête, l'industrialisation tardive et déséquilibrée, le contrôle de l'économie québécoise par le capital étranger, le déplacement progressif du centre de gravité de l'économie nord-américaine vers l'ouest tout au long du XXe siècle, la dépendance envers les ressources naturelles, les rapports compliqués que le catholicisme entretient avec l'argent, l'accumulation des biens matériels et le savoir, la propension des francophones à cultiver le fatalisme et la résignation, la dépendance envers l'État, le relatif isolement linguistique et culturel en Amérique du Nord, le faible encouragement à l'entrepreneuriat et à la prise de risques, un manque de confiance lié à la condition de peuple minoritaire et vaincu, la discrimination et d'autres encore[11].

Quoi qu'il en soit, au tournant des années 1960, même si le sentiment que le Québec est une société en retard sur tous les plans dissimule une réalité infiniment plus nuancée, l'idée qu'il faut donner un grand coup d'accélérateur est devenue irréfragable.

Pour l'essentiel, on peut caractériser la Révolution tranquille comme une modernisation accélérée de quelques grandes institutions, animée à la fois par une affirmation nationaliste, une rationalité technocratique et une soif de justice sociale qui s'abreuve aux divers courants de la gauche mais aussi au personnalisme chrétien. Cette modernisation est portée par une nouvelle élite davantage scolarisée que la précédente, altruiste certes, mais qui roule aussi pour son propre compte.

Un État-providence moderne se construit rapidement, qui prend le relais de l'Église, devient maître d'œuvre du développement économique et social et s'impose comme l'instrument privilégié de l'émancipation collective des francophones et de l'affirmation de l'autonomie politique et administrative du Québec.

On a pris l'habitude d'appeler *modèle québécois* les arrangements institutionnels et les stratégies de développement économique et social issus de la Révolution tranquille. Il faut évidemment entendre ici le mot *modèle* dans un sens renvoyant à une représentation simplifiée de la réalité à partir de quelques traits de base — comme dans l'expression *modèle mathématique* — et non dans le sens de quelque chose d'admirable posé en exemple à suivre, comme dans les expressions *élève modèle* ou *mari modèle.*

Ces traits de base, on les connaît : interventionnisme robuste de l'État, générosité du filet de protection sociale, importance particulière des secteurs coopératif et communautaire et accent mis sur la concertation et la recherche de consensus.

Le modèle a évidemment évolué depuis 1960. Depuis les travaux de Benoît Lévesque et Gilles L. Bourque, on a pris l'habitude de distinguer un modèle québécois dit de *première génération* et un modèle québécois de *seconde génération.*

Le modèle de première génération, qui se déploie *grosso modo* de 1960 jusqu'au milieu des années 1980, s'ordonnait autour d'un État assez lourd et centralisé, bureaucratique, keynésien, agissant souvent lui-même en entrepreneur. Le modèle de seconde génération s'articule autour d'un État qui essaie progressivement de devenir plus coordonnateur ou plus accompagnateur et qui recourt davantage à des mécanismes de concertation sectoriels faisant une place à d'autres acteurs organisés de la société[12].

Ce modèle n'a ni l'originalité ni la banalité que lui prêtent ses défenseurs et ses adversaires les plus passionnés, non plus que l'influence qu'on lui prête quand vient le temps d'expliquer les succès et les problèmes de notre société.

Le débat actuel sur les mérites du modèle québécois a en effet quelque chose d'un peu irréel. Forcément, on ne saura jamais comment se serait développée la société québécoise si nos élites avaient opté pour un autre modèle de développement : que vaut alors une mise en parallèle du réel et du virtuel ? De plus, ce modèle québécois originel a pris une forme largement dictée par les circonstances qui prévalaient au début des années 1960 : il est le produit de la nécessité plus que d'un choix à proprement parler, puisque l'État était le seul levier collectif que les francophones contrôlaient à l'époque.

Par ailleurs, quand on essaie de prendre la mesure des choses au Québec, on ne peut déterminer précisément quelle part de notre situation s'explique par les manières de faire qui sont au cœur de ce modèle et quelle part serait survenue de toute façon en raison de facteurs indépendants de notre volonté. En d'autres termes, comment isoler le rôle spécifique joué par ce modèle dans l'explication de notre situation ?

Quant à la place considérable de l'État au sein du modèle québécois, si on tient à tout prix à dégager des facteurs qui auraient joué un rôle plus spécifique ici qu'ailleurs au Canada pour l'expliquer, on peut certainement en dégager quatre.

Il y a d'abord la rapidité extraordinaire avec laquelle l'Église, qui était jusqu'en 1960 l'institution centrale de la société québécoise francophone, est remplacée par un État qui doit reprendre à son compte, presque du jour au lendemain, toutes les missions sociales dont s'occupait celle-ci.

Le nationalisme économique est un autre facteur explicatif important : pour accélérer la reprise de la maîtrise de l'économie locale par les francophones, le gouvernement du Québec crée des sociétés d'État puissantes afin qu'elles servent de leviers à l'entrepreneuriat québécois.

Un troisième élément explicatif propre à bien des sociétés, mais particulièrement pertinent dans le cas du Québec, réside aussi sans doute dans ce que Peter Lindert a appelé le degré d'*affinité sociale* entre la classe moyenne et les plus défavorisés[13]. Plus la classe moyenne, qui est généralement celle comprenant le plus grand nombre d'électeurs et de contribuables, s'identifie aux couches sociales les plus démunies et se sent proche d'elles — en fait de valeurs, de langue, de religion, etc. — plus elle tend à appuyer la mise en place par l'État de programmes sociaux qui redistribuent la richesse et offrent une protection contre les risques de la vie.

C'est ce que Lindert a baptisé le « *could be me factor* » (« ce pourrait être moi ») : on est plus solidaire de quelqu'un qui vit un malheur dont on a le sentiment qu'il pourrait nous arriver à nous aussi. Or, la prospérité est chose relativement neuve au Québec, et l'homogénéité linguistique, religieuse et culturelle y fut très forte jusqu'à tout récemment. La classe moyenne québécoise s'est donc longtemps sentie socialement et culturellement plus proche de ceux d'en bas que de ceux d'en haut.

Enfin, j'ai également expliqué dans un ouvrage précédent la place considérable qu'a prise au Québec l'appareil étatique par la thèse dite de la *vocation forcée* vers le secteur public de la nouvelle élite technocratique francophone qui émerge au tournant des années 1960[14]. À cette époque, le secteur privé québécois n'offre pas aux jeunes francophones qui sortent désormais en grand nombre des universités les perspectives auxquelles leur capital de scolarisation les fait aspirer. Les entreprises contrôlées par des francophones sont de petite taille et ne se trouvent pas dans des secteurs de pointe. Les entreprises dynamiques et de grande taille sont le plus souvent des filiales d'entreprises américaines ou anglo-canadiennes, et les postes de direction locaux y sont presque l'apanage des anglophones.

Ces jeunes francophones fraîchement diplômés veulent autant que possible travailler au Québec pour des raisons linguistiques. Ce désir, combiné à la faiblesse des débouchés dans le secteur privé, allait les orienter vers le secteur public. S'installant progressivement aux commandes de l'appareil d'État pendant les années 1960, ils ont donc un intérêt à la fois personnel et collectif à favoriser l'expansion de l'État — le constater n'est en rien une condamnation. Ils tendent aussi à partager une culture politique qui prône l'expansion de l'État afin de moderniser la société québécoise, en raison de la force des idéologies égalitaristes à cette époque, de leur trajectoire personnelle et de leur formation fréquente en sciences sociales.

La mesure de nous-mêmes

Que penser maintenant du chemin parcouru depuis 1960 ? On peut bien sûr choisir entre mille et une portes d'entrée pour traiter de cette question. Mentionnez Céline Dion, Robert Lepage, le Cirque du Soleil, Bombardier, et voilà : le Québec triomphe aux quatre coins du globe. Pointez plutôt les projecteurs sur les ratés du système hospitalier ou l'état de nos routes, et voilà : le Québec fonce droit vers le mur.

Je propose plutôt d'évaluer le chemin parcouru à la lumière de trois indicateurs : la richesse individuelle et collective des Québécois, sa distribution plus ou moins équitable et la situation de la langue française. Ce sont là, me semble-t-il, les marqueurs les plus représentatifs de cette thématique à trois volets qui est au cœur du débat public québécois depuis des décennies : prospérité, solidarité, identité.

En ce qui concerne le premier indicateur, les travaux les plus récents sont ceux de Fortin, Boivin et Corriveau[15]. En termes de revenu moyen par habitant ajusté pour tenir compte du pouvoir d'achat, le Québec, s'il avait été un pays, venait au 26e rang des 180 pays membres du Fonds monétaire international en 2006. Avec un revenu moyen par habitant de 30 910 $, le Québec est donc riche à l'échelle mondiale.

Toutefois, le Canada sans le Québec, lui, est au 10e rang, tiré vers le haut, il est vrai, par la situation exceptionnelle de l'Alberta. Notre richesse est donc inférieure à la moyenne canadienne, mais le pétrole albertain fausse un peu le portrait : il n'y a pas grand mérite à être chanceux. On trouvera ces données dans le tableau 1 à la fin de l'ouvrage.

Dans ce même classement international, le Québec occupait cependant le 18e rang en 1981. Nous avons donc glissé dans ce classement. La plupart des pays qui nous devancent sont d'ailleurs des pays de taille comparable au Québec. Mais on notera que ce sont justement des pays et donc que leur gouvernement respectif contrôle des leviers qui échappent au gouvernement du Québec.

Quand on compare maintenant le Québec au reste de l'Amérique du Nord plutôt qu'au reste du monde, le portrait s'assombrit très nettement. Le revenu moyen par habitant chez nous est inférieur de 30 % à ce qu'il est aux États-Unis, ce qui nous classe, pour l'année 2006, au 55e rang sur 60 si on met ensemble les dix provinces canadiennes et les cinquante États américains.

On notera cependant que sept provinces canadiennes sont présentes dans les dix derniers rangs du classement : cette pauvreté relative par rapport aux États-Unis est donc un problème canadien et non spécifiquement québécois, à l'exception bien sûr des trois provinces canadiennes qui possèdent des hydrocarbures : l'Alberta, Terre-Neuve et la Saskatchewan. On trouvera ces données dans le tableau 2 placé en fin de volume.

Il est vrai toutefois que l'existence aux États-Unis de revenus individuels fabuleusement élevés tire la moyenne américaine vers le haut. L'écart devient moindre si on compare plutôt le revenu *médian,* c'est-à-dire celui qui, dans une échelle allant du revenu le plus bas jusqu'au revenu le plus haut, compterait autant de barreaux d'échelle au-dessous de lui qu'au-dessus de lui.

Le retard du Québec par rapport aux neuf autres provinces canadiennes était en 2006 de 16 % en ce qui a trait au revenu par habitant à pouvoir d'achat identique. Toutefois, si on enlève de la comparaison pancanadienne les trois provinces déjà mentionnées, le Québec a pratiquement rattrapé le reste du Canada. Le retard québécois par rapport à l'Ontario, qui était de 21 % en 1961, n'était plus que de 8 % en 2006.

Bref, même si nous avons pratiquement rattrapé l'Ontario et la moyenne canadienne (sans les trois provinces déjà mentionnées), nous restons cependant loin de 48 des 50 États américains et nous avons perdu du terrain par rapport à des pays européens de taille similaire. Un portrait nuancé, c'est le moins qu'on puisse dire, qui ne justifie ni le jovialisme délirant ni le dénigrement acharné. Dans le débat public, selon qu'une personne est prédisposée à porter un jugement positif ou négatif sur le Québec, elle choisira avec qui elle fait la comparaison. La réalité fournit des arguments aux deux points de vue.

Traditionnellement, c'est cependant la comparaison avec l'Ontario qui est la plus courante et la plus « raisonnable », puisqu'il s'agit de la province voisine, qu'elle n'a pas de pétrole comme le Québec et que les deux constituent le cœur du Canada central. On verra que les raisons qui expliquent cette réduction progressive de l'écart de niveau de vie entre le Québec et l'Ontario sont aussi celles qui expliquent ce retard persistant et même croissant par rapport à d'autres sociétés.

En théorie, expliquent Fortin, Boivin et Corriveau, les sociétés s'enrichissent de quatre manières : en faisant travailler une plus grande proportion de leur population, en faisant travailler chacun pendant un plus grand nombre d'heures, en générant plus de travail et de valeur par heure travaillée ou en réussissant à vendre plus cher ce qu'elles produisent tout en payant moins cher ce qu'elles achètent.

Le Québec s'est beaucoup appuyé sur la première et la quatrième manières, pas du tout sur la deuxième et un tout petit peu sur la troisième.

Le pourcentage des Québécois occupant un emploi est aujourd'hui presque identique à celui des Ontariens. Trois causes à cela : le rattrapage effectué en matière de scolarisation, qui a augmenté partout mais plus vite au Québec qu'en Ontario, l'entrée massive des femmes sur le marché du travail, en hausse partout mais plus rapide au Québec qu'en Ontario, et une diminution, encore une fois plus forte au Québec qu'en Ontario, du nombre de jours de travail perdus en raison des conflits de travail.

Pour ce qui est du nombre de jours travaillés, il baisse à peu près partout, mais il a baissé plus vite au Québec qu'en Ontario depuis quarante ans. Choix parfaitement légitime, mais qui a évidemment des conséquences sur la création de richesse. On travaille au Québec moins d'heures par semaine, moins de semaines par année et moins d'années dans une vie qu'ailleurs au Canada et, évidemment, qu'aux États-Unis et en Asie. On travaille cependant plus au Québec qu'en Europe occidentale et dans les pays scandinaves.

Quant à la quantité de valeur générée par heure travaillée, elle a évidemment progressé au Québec (1,0 % par année en moyenne depuis vingt-cinq ans), mais moins qu'en Ontario et ailleurs au Canada (1,3 % par an), beaucoup moins qu'aux États-Unis (1,6 %) et encore moins que dans l'ensemble des pays de l'OCDE (1,9 %). Nous progressons par rapport à nous-mêmes, mais nous reculons par rapport aux autres, si bien que nous nous classons maintenant dans le dernier tiers des pays de l'OCDE.

Enfin, les prix de notre électricité exportée aux États-Unis et de notre or vendu dans le monde ont augmenté, alors que nos importations ont bénéficié de la force du dollar canadien. Quand ce que vous vendez se vend plus cher, et que ce que vous achetez vous coûte moins cher, vous vous enrichissez.

À vrai dire, non seulement le Québec a-t-il pratiquement comblé son écart de niveau de vie par rapport à l'Ontario, mais la classe moyenne avec enfants, a calculé Fortin, y vit maintenant mieux. Relisez bien ce qui précède : la famille québécoise de la classe moyenne avec enfants a maintenant un niveau de vie supérieur à celui de la famille équivalente en Ontario[16].

Le point de départ de Fortin est que le salaire d'un individu est une chose et que les revenus globaux des familles sont une tout autre chose. Pour les revenus familiaux, il faut alors tenir compte de la présence de plus d'un salaire (sauf évidemment si la famille est monoparentale), du nombre de semaines travaillées, des revenus de placement, des diverses allocations reçues, des taux d'imposition, etc. Le portrait change alors de façon saisissante.

Si on examine la période allant de 1998 à 2006, on note, soutient Fortin, un étonnant essor de la classe moyenne québécoise. Après déduction de l'effet de l'inflation sur le budget familial, il voit pendant cette période des hausses du revenu familial médian — qu'il assimile donc ici *grosso modo* à celui de la classe moyenne québécoise — de 22 % pour les couples avec enfants, de 23 % pour les couples sans enfants, de 26 % pour les familles monoparentales dirigées par un homme et de 30 % pour les familles monoparentales dirigées par une femme. Il explique cela par la croissance économique vigoureuse du Québec pendant les dix années qui ont précédé l'actuelle crise, par l'augmentation spectaculaire du taux d'emploi et du salaire horaire médian des femmes et par les politiques fiscales de soutien aux familles.

Or, le coût de la vie est de 13 % moindre au Québec qu'en Ontario. Si on y ajoute les différences dans les transferts gouvernementaux et les seuils d'imposition, le pouvoir d'achat médian des familles avec enfants (qu'elles soient biparentales ou monoparentales), donc leur niveau de vie, était plus élevé au Québec qu'en Ontario en 2006. On trouvera ces données dans le tableau 3 à la fin de l'ouvrage.

Si cette réalité se concilie mal avec le sentiment d'étouffement de la classe moyenne, c'est parce que bien des gens surconsomment par rapport à leurs moyens, comme en témoignent les taux d'endettement personnel très élevés et les taux d'épargne très bas. Certes, la crise modifie toutes ces données, mais mon but ici est d'essayer de cerner succinctement l'évolution de la performance québécoise sur le long terme.

On oppose souvent à cette lecture de notre situation le fait que le pouvoir d'achat du salaire hebdomadaire moyen n'a pas augmenté depuis trente ans au Québec, essentiellement parce que les salaires ont cessé d'augmenter plus vite que le coût de la vie. Et, comme si l'évaluation de notre situation n'était pas déjà assez compliquée, il se trouve que c'est exact, bien que ce soit également le cas dans le reste du Canada.

Fortin explique cette stagnation du pouvoir d'achat par le ralentissement du rythme de création de la richesse, qui lui-même découle de facteurs déjà évoqués.

D'abord, le nombre d'heures travaillées a baissé de 12,5 % depuis 1974 : travailler moins — il convient ici d'insister — est un choix parfaitement légitime, mais qui conduit les employeurs à freiner la rémunération. Travail et salaire sont comme les deux termes d'un contrat : si l'un varie à la baisse, l'autre s'ajustera en conséquence.

Ensuite, la hausse de la valeur produite par heure travaillée — la productivité — a ralenti en termes relatifs. De 1974 à 2007, le revenu intérieur par heure travaillée a augmenté de 1 % de plus par année que l'indice des prix à la consommation (IPC), alors qu'il avait augmenté de 4,8 % de plus par année que l'IPC de 1963 à 1974.

Enfin, la contribution des employeurs au financement des avantages sociaux des salariés, notamment de leurs régimes de retraite, a augmenté de 161 % de plus que l'IPC depuis 1974. Ici encore, vouloir bonifier notre retraite est un choix légitime, mais qui n'est pas gratuit. Les employeurs ont donc freiné en conséquence la progression des salaires.

Fortin a même calculé que, contrairement à l'opinion répandue selon laquelle les patrons seraient, comme il dit, « partis avec la poche », la part du revenu intérieur net qui correspond aux profits des entreprises était de 19 % en 1974 et de… 17 % en 2007. Celle qui correspond à la rémunération des salariés était de 76 % en 1974 et de… 75 % en 2007.

Si on reprend maintenant de nouveau de la hauteur, un autre des indicateurs des progrès collectifs du Québec français est la spectaculaire augmentation de la part de l'économie québécoise que contrôlent les francophones. De 1961 à 1987, le contrôle que les francophones du Québec exercent sur l'industrie manufacturière locale est passé de 47 % à 60 %[17]. Au début des années 1990, trente ans après le début de la Révolution tranquille, 70 % des recettes des entreprises au Québec étaient le fait d'entreprises dont le siège social était ici, comparativement à 60 % et 50 % en Ontario et en Alberta[18].

Les ennemis de l'intérieur

Il se trouve malheureusement que l'élan québécois risque d'être freiné, voire stoppé net, par des forces qui poussent en sens inverse.

Ces forces sont déjà là, mais elles gagneront en intensité dans les prochaines années. Certaines d'entre elles nous viennent de l'extérieur, et je les évoquerai plus tard, mais d'autres ont surgi de l'intérieur même de notre société. On les voit aussi à l'œuvre dans d'autres sociétés, mais elles ont une acuité particulière chez nous en raison de la position tout à fait unique du Québec en Amérique du Nord.

J'en décris ici trois parmi une foule d'autres possibles, parce qu'elles ont l'avantage d'être quantifiables. Ce sont l'évolution prévisible de notre démographie, notre endettement public et nos performances scolaires. Je m'en tiens à l'essentiel, tant ces phénomènes ont été largement documentés.

a) La situation démographique

Elle se résume en deux propositions : le Québec vieillit rapidement, et sa population augmente beaucoup plus lentement que jadis (avant de commencer très bientôt à décroître).

Cette double tendance est le résultat de trois facteurs : une natalité anémique, une espérance de vie à la hausse et un solde migratoire (ceux qui arrivent moins ceux qui partent) très faiblement positif. Je ne m'éternise pas sur leurs causes archi-connues.

Parmi les données déjà disponibles et celles anticipées, si le scénario le plus probable établi par l'Institut de la statistique du Québec devait se confirmer, les plus marquantes me semblent les suivantes.

• D'ici 2031, il y aura un million de plus de Québécois âgés de plus de 65 ans, pendant que le bassin potentiel de travailleurs, lui, diminuera durant cette période de 500 000 personnes.

• La proportion des Québécois âgés de plus de 65 ans, qui était de 13 % en 2001, passera à 25 % en 2025 et à 30 % en 2051 : il y aura donc à ce moment-là deux aînés pour chaque adulte dit « en âge de travailler », c'est-à-dire qui a de 15 à 64 ans, alors que ce ratio est de un pour cinq aujourd'hui.

• L'espérance de vie à la naissance est passée de 75 ans en 1980-1982 à 80 ans en 2003-2005, et rien ne permet de penser qu'elle ne continuera pas de progresser. Il doit bien y avoir une limite, mais personne ne sait où elle se trouve. Une bonne nouvelle peut aussi poser un défi : plus les gens vivent longtemps, plus la facture sociale s'alourdit.

• Ailleurs au Canada et aux États-Unis, le nombre des aînés augmentera aussi, mais, contrairement à chez nous, cette augmentation s'accompagnera d'une forte hausse du bassin de travailleurs disponibles, qui permettra donc à leurs économies de mieux faire face au phénomène du vieillissement.

• Au Québec, dès 2021, les décès dépasseront les naissances et, dès 2032, la population québécoise commencera à diminuer.

Notre poids démographique au sein du Canada et en Amérique du Nord, qui baisse déjà rapidement, continuera à chuter.

• La minirecrudescence des naissances observée depuis quelques années est trop faible pour ralentir les tendances générales. Sur le long terme, la chute de la natalité au Québec est proprement sidérante : le taux de natalité est passé de 3,9 enfants par femme entre 1951 et 1962 à 1,65 en 2007, alors que l'indice requis pour le renouvellement naturel de la population est de 2,1. De plus, le nombre des femmes en âge de procréer va baisser.

• Comme on le verra dans un instant, l'immigration fait très légèrement baisser l'âge médian de la population, mais elle ne permet à elle seule ni de stopper le vieillissement, ni de faire augmenter la population totale.

• Certes, tout l'Occident vieillit, mais le Québec a commencé à vieillir plus tardivement et vieillit plus rapidement qu'à peu près partout ailleurs, en plus d'être un îlot linguistique et culturel francophone dans une mer anglophone, ce qui n'est évidemment pas le cas des peuples vivant sur un continent comme l'Europe, où la diversité linguistique empêche l'écrasante prééminence d'une seule langue[19].

Les conséquences de ce déclin démographique sont nombreuses et graves : pénurie de main-d'œuvre, baisse de l'influence politique du Québec au sein du Canada, pression considérable sur les régimes de retraite, forte hausse des dépenses de santé, pressions sans cesse accrues sur les ressources allouées aux autres missions de l'État, montée en force du discours sur la préservation des acquis sociaux, difficulté à imposer l'éducation comme véritable priorité nationale en dépit des beaux discours, et ainsi de suite.

Nous serons peut-être témoins d'une sorte de *gérontocratisation* de la vie politique et sociale du Québec. Comme les électeurs âgés seront de plus en plus nombreux et qu'ils devraient très logiquement voter en fonction de leurs intérêts, de plus en plus de mesures seront prises en fonction d'eux. Tout n'est pas mauvais là-dedans, loin de là, mais nous risquons aussi de voir une baisse généralisée de l'audace, de la prise de risques et de la créativité.

Un jeune et brillant intellectuel, Jean-Frédéric Légaré-Tremblay, a récemment attiré mon attention sur une remarque fondamentale du grand démographe français Alfred Sauvy : le vieillissement, disait Sauvy, est un phénomène qui provoque et entretient sa propre analgésie, en ce sens qu'une société qui vieillit trouve de plus en plus difficilement en elle l'énergie, l'élan, la vitalité qu'il lui faudrait pour faire face à un tel défi.

b) La dette publique

J'arriverai dans un instant aux objections de ceux qui ne voient pas dans notre endettement public un problème. D'abord, les faits.

En 2009, la dette publique nette du Québec est d'environ 137 milliards de dollars, ce qui en fait la province canadienne la plus endettée. Si on ajoute à cette dette nette les dettes d'Hydro-Québec, des municipalités et des réseaux de la santé et de l'éducation, la dette globale du secteur public dépasse les 208 milliards en 2009, soit 68,6 % de notre PIB. Si on veut être sérieux, il faut aussi prendre en compte la part québécoise de la dette fédérale. Tous ces gouvernements et ces administrations demandent en effet aux mêmes contribuables d'en assumer, directement ou indirectement, les conséquences.

Le problème est d'autant plus sérieux que, après les efforts d'assainissement des dernières années, l'endettement des gouvernements québécois et canadien vient de repartir en flèche. Tout ce qui est consacré à payer les intérêts de ces dettes qui s'alourdissent de nouveau est de l'argent qu'on ne consacre pas à ce que nous voudrions vraiment.

De 2009 à 2013, les Québécois paieront au total environ 39 milliards simplement en intérêts pour cette dette publique québécoise en plein gonflement, et cela n'inclut pas notre part des intérêts de la dette fédérale. Pour comparaison, rappelons que le gouvernement du Québec entendait, en 2009, consacrer 14,4 milliards à l'éducation et 26,8 milliards à la santé et aux services sociaux.

Tôt ou tard, tout emprunteur doit aussi entreprendre de rembourser non plus seulement les intérêts de sa dette, mais aussi le capital… dans un contexte où la diminution de la population active freinera les recettes fiscales.

Je suis abasourdi de voir que l'on puisse se dire de gauche, donc théoriquement soucieux de justice sociale, et ne pas se préoccuper de transférer nos factures impayées à des générations futures qui seront moins nombreuses que nous.

c) Notre performance scolaire

Il y a ici de bonnes et de mauvaises nouvelles. En 1961, au Québec, les hommes avaient complété en moyenne 10 années de scolarité, contre 11 pour les Noirs américains, 13 pour les Blancs américains et 12 pour les Ontariens. Quarante ans plus tard, en 2001, chez les adultes âgés de 25 à 29 ans au Québec, le nombre médian d'années d'études était de 15, soit exactement le même qu'en Ontario, alors que ce nombre était de 14 ailleurs au Canada et aux États-Unis[20].

Voyons maintenant la partie nettement moins reluisante du tableau d'ensemble. On peut définir l'analphabétisme de bien des façons. C'est aussi un problème que nombre de ceux qui en souffrent seront tentés de cacher, d'où les difficultés à le saisir. Il reste que l'*Enquête internationale sur l'alphabétisation,* dévoilée par l'Institut de la statistique du Québec en 2006, avançait que 55 % des Québécois âgés de plus de 16 ans éprouvaient des difficultés de lecture et d'écriture[21]. Fait plus troublant, parce que plus difficilement contestable sur le plan méthodologique, les gains obtenus en matière d'alphabétisation des adultes furent d'à peine 4 % de 1996 à 2006, alors que nous entrons dans une époque qui sera de plus en plus impitoyable pour ceux qui auront ces carences de base[22].

Quant au taux de décrochage dans le réseau scolaire public au Québec au niveau secondaire, non seulement il est tragiquement élevé, mais il continue à augmenter. Il était de 26 % en 2000 et est ensuite passé à 29 % en 2008 : plus d'un jeune sur quatre ayant passé par notre secteur public se lance donc dans la vie avec un bagage scolaire insignifiant. Le Québec est à l'avant-dernier rang au Canada, ne devançant que le Manitoba, alors qu'en Ontario le décrochage a, au contraire, reculé de sept points de 2003-2004 à 2006-2007[23].

Dans le meilleur des cas, ces jeunes décrocheurs se condamnent à ce parcours du combattant qu'est le retour à l'école à l'âge adulte. Six jeunes sur dix seulement obtiennent leur diplôme d'études secondaires en cinq ans, et ils seront à peine sept sur dix au bout de sept ans[24]. Un immense gâchis individuel et collectif.

Comparons-nous un instant à autrui maintenant. L'*Enquête internationale sur les mathématiques et les sciences* (TEIMS) est une évaluation menée tous les quatre ans dont la coordination est assurée par l'Association internationale pour l'évaluation des acquis scolaires. Elle compare les résultats en mathématiques et en sciences qu'obtiennent les élèves de niveau secondaire dans 49 pays. Les jeunes Québécois en deuxième année de secondaire y avaient glissé du 10e rang en 2003 au 19e rang en 2007, en sciences, et du 6e au 8e rang, en mathématiques[25].

Le test PISA 2006 de l'OCDE a montré, lui, des résultats québécois inférieurs à la moyenne canadienne en lecture et égaux à cette moyenne en sciences[26]. Une autre étude menée par le Centre international pour l'évaluation des apprentissages scolaires (CIEAS) a mesuré les aptitudes en lecture chez des enfants de la quatrième année du niveau primaire dans 41 pays et quelques provinces canadiennes. Il s'agissait de vérifier s'ils comprenaient ce qu'ils lisaient. Le Québec est arrivé au milieu du peloton, mais a fait moins bien qu'en 2003[27].

Sur le long terme, il est indiscutablement vrai que le niveau de scolarisation moyen au Québec, quand on compare le présent au passé, tend à monter. Il n'y a pas là grand mérite, puisque la démocratisation de l'éducation dans toutes les sociétés occiden-tales a rendu plus accessible à tous l'acquisition des aptitudes de base — lire, écrire, compter. Mais quand nous nous comparons à autrui, la tendance générale des dernières années indique que nous reculons ou, si l'on préfère, que nous avançons moins vite, et donc que nous prenons du retard.

Établir un lien de cause à effet entre ces reculs et la réforme introduite ces dernières années ne va pas de soi. Mais il est extra-ordinairement troublant de constater que ces reculs surviennent depuis son introduction, alors qu'elle devait permettre des pro-grès qu'on ne voit guère. Il tombe sous le sens que, si des progrès évidents et indiscutables avaient eu lieu, les partisans des nou-velles méthodes pédagogiques se seraient empressés de les porter à leur crédit.

Dans un autre chapitre, je me pencherai sur ce que les chiffres ne disent pas à propos de l'école québécoise.

Faussetés et demi-vérités

Évidemment, quiconque s'avance sur la place publique en évo-quant quelques-uns des problèmes abordés plus tôt se heurtera immanquablement à un barrage d'idées reçues. Cela ressemble toujours à peu près à ce qui suit.

- Le vieillissement de la population n'est pas problématique parce que les aînés seront en relative bonne santé, que les baby-boomers qui partent à la retraite sont riches et que ce vieillisse-ment peut, de toute façon, être contré par une politique de sou-tien à la famille et une augmentation de l'immigration.
- Le Québec est une des sociétés les plus riches de la planète : le problème n'est donc pas celui de la création de richesse, mais de sa répartition ; et, s'il est vrai que nous sommes plus pauvres que d'autres en Amérique du Nord, consolons-nous : nous sommes plus solidaires.

• Pour mieux répartir cette richesse et bonifier les programmes sociaux, on peut encore augmenter les impôts des riches et des entreprises.

• La dette publique n'est pas un problème, parce que d'autres sont plus endettés que nous et qu'on se la doit en partie à nous-mêmes.

Un mot rapide sur chaque point.

Oui, les aînés de demain seront en meilleure santé que ceux d'aujourd'hui, et il faut évidemment s'en réjouir. Mais leur pression sur les finances publiques ne sera pas moindre pour autant, puisqu'ils seront beaucoup plus nombreux, vivront beaucoup plus longtemps et auront accès à beaucoup plus de nouveaux médicaments. Si on prend comme groupe de référence les gens qui ont de 45 à 64 ans, les dépenses de santé sont trois fois plus élevées chez les 65 à 74 ans, cinq fois plus élevées chez les 75 à 84 ans et huit fois plus chez ceux qui ont 85 ans ou plus[28].

Être vieux ne veut pas nécessairement dire être dépendant, mais un vieillissement généralisé fait forcément augmenter le nombre de personnes dépendantes. Évidemment, en plus du vieillissement, d'autres facteurs suscitent aussi une hausse inévitable des dépenses de santé, comme l'équipement et les médicaments plus sophistiqués et plus coûteux, la rémunération du personnel ou nos exigences de qualité de vie sans cesse plus élevées.

Souligner que les baby-boomers qui partent présentement à la retraite sont plus riches que les retraités de jadis n'aurait de sens que si on leur permettait de piger dans leurs propres économies pour se soigner. Or, ceux qui brandissent cet argument sont habituellement les plus farouches adversaires d'une hausse de la contribution individuelle et privée de chacun à sa propre santé. Ils soutiennent donc deux positions qui se contredisent.

De plus, bien des gens s'illusionnent sur leur propre situation financière : dans les faits, peu d'entre eux épargnent suffisamment et les niveaux d'endettement personnel sont très élevés. À l'image des cigales de la fable, beaucoup demanderont implicitement à la collectivité d'assurer leur subsistance ou légueront leurs dettes à leur descendance.

Un chercheur comme François Béland, de l'Université de Montréal, a consacré beaucoup d'énergie à essayer d'établir que le poids croissant des dépenses de santé, qu'il ne nie pas, serait plus aisément supportable si le gouvernement du Québec n'avait pas, ces dernières années, baissé les impôts, ni tenté de juguler son endettement, et s'il s'ouvrait davantage à une contribution finan-cière du gouvernement fédéral. Mais on comprend sans peine que cela pose toute une autre série d'épineux problèmes, notam-ment en ce qui concerne l'équité entre les générations et la capa-cité du Québec à faire ses propres choix[29].

La hausse de la natalité, elle, est plus facile à évoquer qu'à faire advenir. Les mesures mises en place jusqu'à maintenant au Qué-bec — centres de la petite enfance, congés parentaux, etc. — sont fondamentalement positives et semblent avoir des effets modestes mais réels sur le nombre des naissances. Il s'agit toute-fois d'un chantier difficile, coûteux, de très longue haleine.

S'imaginer que l'immigration peut substantiellement aider à contrer le déclin démographique du Québec est une autre des inepties les plus fréquemment entendues.

L'âge moyen des immigrants qui arrivent au Québec est de trente ans, soit dix ans de moins seulement que l'âge médian au Québec. À cet âge, beaucoup d'entre eux choisiront de ne pas avoir d'enfants. Leur taux de fécondité tend aussi à s'aligner rapi-dement sur celui des Québécois de souche. On estime également qu'environ un immigrant sur sept quitte le territoire du Québec une fois son statut régularisé.

Statistique Canada[30] a calculé que, pour vraiment stabiliser le bassin de travailleurs et l'empêcher de décroître, le Québec devrait accueillir chaque année 300 000 nouveaux arrivants et les retenir tous, soit le nombre total d'étrangers qui entrent annuel-lement au Canada ! De la science-fiction. Il convient aussi de rap-peler que, en proportion de la taille de sa population, le Québec est déjà, depuis plus d'un demi-siècle, l'une des dix sociétés industrialisées dans le monde qui reçoivent le plus grand nombre d'immigrants[31].

Bref, l'immigration a de nombreuses retombées positives, mais contrer la pénurie de main-d'œuvre ou rajeunir le Québec n'en font pas partie.

Dans le même ordre d'idées, vouloir contrer le dépeuplement des régions par l'immigration, autre bêtise fréquemment entendue, c'est s'imaginer que les immigrants — hormis bien sûr ceux qui iraient dans des régions éloignées pour y occuper des emplois extrêmement spécialisés — auront un comportement différent de celui des francophones qui émigrent vers les pôles urbains parce que c'est là que se trouvent les possibilités économiques.

Deuxième point, maintenant. On l'a vu, la question de savoir si nous sommes une société riche ou pauvre dépend de la comparaison que l'on choisit. La question du partage de la richesse au Québec est plus complexe.

La crise actuelle change évidemment le portrait, mais, en 2004, le taux de pauvreté au Québec, soit le pourcentage de la population qui vit sous le seuil de bas revenu tel que défini par Statistique Canada, était de 11 %, soit le plus bas pourcentage de notre histoire, alors qu'il était de 17 % en 1994. De plus, cette partie de la population avait vu son pouvoir d'achat augmenter en moyenne de 22 % de 1994 à 2004, un progrès supérieur à celui du reste de la population. Parce que le coût de la vie est plus bas ici qu'en Ontario et que les transferts sociaux chez nous sont plus généreux, le pouvoir d'achat des familles pauvres du Québec était également de 12 % supérieur à celui des familles pauvres de l'Ontario.

Il est vrai que les riches se sont davantage enrichis que les pauvres ces dernières années, que l'écart s'est donc accru et qu'il faut s'en préoccuper. Mais cet accroissement n'est pas continu dans le temps, étant survenu principalement de 1995 à 1997, par suite des compressions fédérales dans les programmes sociaux.

De plus, si on observe un creusement de l'écart entre riches et pauvres dans presque toutes les sociétés occidentales, il reste moins prononcé au Québec que dans le reste du Canada, parce que nous combattons plus énergiquement la pauvreté. Beaucoup reste à faire, mais il faut savoir reconnaître nos succès[32]. Évidemment, les revenus de certains dirigeants d'entreprises sont un authentique scandale, mais c'est une autre question.

Toute la question de la « solidarité » au Québec est d'ailleurs particulièrement délicate. Si on essaie de l'évaluer à l'aide d'un indice comme le coefficient de Gini, qui mesure le degré d'inégalité caractérisant la répartition des revenus dans une société, le Québec est, parmi les quatre provinces canadiennes les plus peuplées, celle qui affiche *la plus grande inégalité avant* les interventions de redistribution de l'État et *la moins grande inégalité après* l'impôt et les programmes de soutien. Bref, l'État au Québec fait énormément pour l'égalité des chances et je dis bravo.

Si, par contre, on mesure la solidarité par d'autres indices traditionnels, comme les dons librement consentis aux organismes de charité ou les heures consacrées au bénévolat, le Québec est au dernier rang au Canada et au 59e rang sur 64 entités politiques au Canada et aux États-Unis[33].

On notera également que, dans une société où l'on invoque si fréquemment la solidarité, on ne voit guère de mobilisations populaires larges pour les plus authentiquement mal pris d'entre nous : prestataires de l'aide sociale, sans-abri, toxicomanes, autochtones. Les mobilisations les plus fortes des dernières années ont plutôt visé à préserver le gel des tarifs pour des services publics auxquels tous ont accès indépendamment de leur situation financière : droits de scolarité universitaires, garderies à tarifs réduits, tarifs d'hydroélectricité et ainsi de suite. Notre solidarité semble souvent à géométrie variable.

Un mot seulement sur la fiscalité, tant il est vrai que le sujet mériterait un ouvrage à lui seul. Un des jeunes fiscalistes du Québec les plus brillants, Luc Godbout, a beaucoup fait pour éclairer cette question.

Après avoir établi tout ce dont il faut tenir compte pour parvenir à un portrait réaliste du « fardeau » fiscal québécois —

impôts versés à toutes les administrations publiques, taxes à la consommation et cotisations versées aux divers régimes sociaux — il a constaté que la pression fiscale globale imposée aux Québécois correspond à la moyenne dans les pays de l'OCDE, mais qu'elle est plus lourde que chez nos principaux partenaires économiques, qui sont les États-Unis et les autres provinces canadiennes. Or le Québec doit, bien évidemment, tenir compte davantage de ce qui se passe dans son aire de jeu immédiate que dans le reste du monde.

Là où le Québec se « distingue » véritablement de presque tous les autres pays de l'OCDE, c'est dans le fait qu'il s'appuie beaucoup plus sur l'impôt sur le revenu et nettement moins sur les taxes à la consommation[34]. Quant aux fameuses études de KPMG, continuellement évoquées, qui dépeignent certaines villes québécoises comme de véritables paradis pour ce qui est des coûts d'entreprise très faibles, ce dont il faut évidemment se réjouir, notre fiscalité n'y est pour rien : ils s'expliquent par les faibles coûts de la vie et de la main-d'œuvre au Québec[35].

Imposer davantage les riches et les entreprises ? C'est évidemment le réflexe conditionné de ceux qui n'aiment pas trop se frotter à la complexité des choses.

En 2003, 133 000 contribuables au Québec ont déclaré un revenu annuel de plus de 100 000 $, sur un total de 5,7 millions. Ces 2 % de contribuables aisés ont versé 25 % du total de l'impôt sur le revenu récolté par le gouvernement du Québec. Luc Godbout a calculé que, si la fiscalité appliquée aux premiers 100 000 $ de revenu restait la même, mais que l'on ajoutait, par exemple, une imposition supplémentaire de 10 % sur ce qui excède le seuil de 100 000 $, le fisc québécois récolterait à peine 184 millions de plus sur un budget global qui dépasse maintenant largement les 60 milliards de dollars.

Bref, pour accroître substantiellement les montants récoltés par le fisc, il faudrait procéder à des hausses draconiennes de l'impôt sur les hauts revenus, qui feraient évidemment fuir leurs détenteurs, ou alors descendre beaucoup plus bas dans l'échelle sociale et imposer encore plus lourdement la classe moyenne, épine dorsale de notre société[36].

Le raisonnement vaut largement pour les entreprises. Celles qui ne paient pas d'impôt sur leurs profits — l'a-t-on assez dit ? — sont celles qui ne font pas de profits. On a finalement compris que la taxe sur le capital, qu'aucun expert ne défendait, devait être allégée puis abolie, mais les entreprises restent assujetties à une série d'autres charges fiscales.

Les données de 2005 indiquent que les 2 296 grandes entreprises du Québec, soit 2 % du total des entreprises, ont versé 57 % de l'impôt sur les profits en 2001. Une hausse de 10 % de cet impôt sur leurs profits rapporterait, selon Godbout, autour de… 131 millions[37]. Ici encore, pour récolter plus, il faudrait aussi imposer davantage les petites et moyennes entreprises, déjà plus lourdement imposées ici que dans la moyenne des sept pays les plus industrialisés.

Et l'évasion fiscale ? dira-t-on. Vrai problème, certes, mais il tombe sous le sens que, s'il était simple à régler, il l'aurait été depuis longtemps. Les fraudeurs ont la déplaisante habitude de se cacher.

Un mot enfin sur la dette publique. Je le répète : cette affaire est grave, très grave, d'autant plus que l'endettement vient de repartir à la hausse.

Ceux qui minimisent le problème comparent souvent la dette du Québec à celle des autres pays, mais ils oublient que les chiffres de l'OCDE tiennent compte des dettes de *toutes* les administrations publiques. Si on recalcule la nôtre de cette manière, on s'aperçoit qu'elle est une des plus lourdes parmi les sociétés industrialisées[38].

D'autres pays ont, c'est vrai, une dette par habitant plus lourde que la nôtre, comme les États-Unis, mais ils ont aussi un plus gros moteur économique que le nôtre. Le fardeau de la dette doit s'apprécier à la lumière de la capacité de payer. Et que nous devions rembourser cette dette à des prêteurs québécois plutôt qu'étrangers ne fait pas une grande différence sur le plan économique : ce dollar emprunté à un Québécois sera un dollar de moins que ce dernier investira au Québec.

S'il faut donc entreprendre de réduire notre endettement, ce n'est pas pour des raisons idéologiques, mais pour que le paiement des intérêts de la dette prenne moins de place dans le budget et dégage assez d'espace pour amoindrir l'impact du trou budgétaire — du manque à gagner, si l'on préfère — qui sera créé inévitablement par la chute des recettes fiscales et la hausse des dépenses de santé.

Évidemment, les projections faites dépendent toujours des hypothèses retenues. Pour essayer de cerner le tsunami qui s'en vient, Godbout et Fortin ont, en 2007, soit avant que n'éclate l'actuelle crise, construit un scénario raisonnable, et même un tantinet optimiste.

Ils ont supposé une évolution de la démographie qui est celle jugée la plus vraisemblable par l'Institut de la statistique du Québec, des dépenses de santé qui suivent la courbe des dernières années, une hausse du taux d'emploi dans toutes les catégories d'âge, une croissance modérée de la productivité, un gel des heures travaillées au nombre actuel, des transferts fédéraux en hausse de 3,3 % par année et un taux d'inflation annuel de 2 %. Je vous épargne les détails[39].

Projetés sur la période 2005-2051, la croissance économique et les rentrées fiscales du gouvernement ralentissent, la progression des dépenses de santé s'accélère, la proportion des ressources que nous pouvons consacrer aux autres missions de l'État baisse et des déficits persistants apparaissent, deviennent de plus en plus élevés, s'additionnent les uns aux autres et se chiffrent en dizaines de milliards. Et c'était avant que n'éclate la pire crise depuis des décennies.

Nous n'aurons donc guère d'autre choix que d'essayer simultanément de diminuer cette facture et d'absorber ce choc. Et, comme on le verra plus tard, aucune des pistes de solution n'est simple et sans douleur.

L'indiscutable fragilité du français

Un bref survol du parcours collectif québécois doit obligatoirement s'arrêter un peu sur la question linguistique. L'affaire
est évidemment si complexe qu'on trouvera des chiffres pour
venir appuyer des diagnostics très divergents. On n'en fera pas le
tour ici.

Dans le rapport qui porte leur nom, Gérard Bouchard et
Charles Taylor ont présenté des données inquiétantes et d'autres
plus positives, tirées de la masse d'études disponibles. Clairement,
disent-ils, il y a matière à inquiétude.

> • La proportion de la population québécoise qui parle le plus
> souvent français à la maison est passée de 83 % en 2001 à 81,8 %
> en 2006 ; la baisse semble faible, mais voyez sa rapidité.
> • Pour la première fois de notre histoire, la population de langue
> maternelle française sur l'île de Montréal est passée sous la barre
> des 50 % en 2006.
> • Dans la région de Montréal, de 30 à 40 % des immigrants ne
> parlant pas le français ne suivent pas de cours de français et tra-
> vaillent en anglais, et, parmi ceux qui suivent des cours de fran-
> çais, le tiers les abandonne avant la fin.
> • En 2006, 52 % des immigrants qui ne connaissaient pas le
> français étaient ici depuis plus de quinze ans.
> • En 2005, 40 % des élèves allophones diplômés du secondaire
> francophone partaient ensuite étudier dans des cégeps anglo-
> phones, qui sont une filière déterminante de la langue de tra-
> vail[40].

Dans la foulée, une étude du Conseil de la langue française
dévoilée en juin 2008 nous apprenait aussi que :

> • L'usage du français au travail par les allophones sur l'île de
> Montréal n'avait pas progressé depuis trente ans.
> • La francisation des immigrants qui n'étaient pas d'origine

latine, qui représentent 35 % du total des immigrants, stagnait autour de 15 % depuis trente ans[41].

Certes, par souci d'être pondérés, Bouchard et Taylor ont aussi rappelé les faits suivants :

• Chez les immigrants allophones arrivés au Québec avant 1961, 43,3 % ne parlaient plus leur langue maternelle à la maison et, parmi ceux-ci, les trois quarts utilisaient l'anglais et un quart le français, alors que chez les immigrants allophones arrivés entre 2001 et 2006, parmi les 24,1 % qui ne parlent plus leur langue maternelle à la maison, les trois quarts utilisent désormais le français et un quart l'anglais.

• La proportion des immigrants qui connaissent le français ou qui maîtrisaient le français et l'anglais à leur arrivée est passée de 37,2 % en 1995 à 60,4 % en 2007 ; évidemment, puisque le Québec accorde la priorité au recrutement dans les bassins francophones.

• De 1976-1977 à 2003-2004, la proportion des élèves allophones fréquentant le réseau scolaire précollégial francophone est passée de 20,3 % à 79,5 % ; évidemment, puisque c'est ce que la loi 101 impose.

• Environ 72,2 % des jeunes Québécois de langue maternelle anglaise âgés de 5 à 15 ans disent savoir le français[42].

On pourrait encore aligner des chiffres et des chiffres. Mais, d'entrée de jeu, deux choses crèvent les yeux.

La première est que les résultats positifs sont des conséquences directes de l'adoption de la loi 101 en 1977 ou de l'établissement de critères de sélection des immigrants qui favorisent ceux ayant une connaissance *a priori* du français. Autrement dit, il a fallu ramer contre le sens naturel du courant pour parvenir à enregistrer quelques progrès. Rappelons cependant que la Charte de la langue française a subi près de 200 modifications depuis son adoption, qui ont pratiquement toutes eu pour effet d'en affaiblir la portée.

Et le deuxième constat massif, irréfutable, si on a des yeux pour voir, est que les résultats négatifs et les résultats positifs ne sont pas d'égale importance. Il y a certes des données encourageantes, mais les données inquiétantes sont nettement plus significatives. Les deux plateaux de la balance ne portent pas le même poids.

Dans l'état actuel des choses, notre natalité est trop faible, l'école obligatoire en français ne suffit pas et la francisation des milieux de travail piétine. Résultat : le poids du français, mesuré en proportion du nombre de gens le parlant à la maison, qu'il s'agisse de leur langue maternelle ou d'une langue apprise, diminue à Montréal, diminue au Québec et diminue au Canada, à des vitesses évidemment très différentes. De nombreuses études établissent aussi que la rentabilité de la maîtrise du français sur le marché du travail au Québec s'affaiblit[43].

Le Québec francophone est même un cas unique au monde. Nous sommes en effet, expliquait le démographe Marc Termote,

> la seule société d'immigration où l'avenir de la langue de la population d'accueil dépend de son comportement linguistique. Que ce soit au Canada anglais, aux États-Unis, en France, en Angleterre, en Allemagne ou ailleurs, la langue parlée par la majorité n'est pas en danger. Les immigrants qui s'installent dans ces pays doivent très rapidement apprendre à parler la langue, alors qu'au Québec ils ont le choix entre le français et l'anglais. Et obliger les enfants d'immigrants à fréquenter l'école française n'est pas suffisant, surtout lorsqu'on sait que, une fois leurs études secondaires terminées, la moitié d'entre eux vont à un cégep anglais[44].

On a bien lu : nous sommes la seule société d'immigration au monde — la seule — dont la survie de la langue de la majorité dépend des choix que nous ferons et des comportements que nous adopterons. Et, à cet égard, les chiffres ne révèlent pas tout.

Nous disons en effet aimer notre langue, et je ne doute pas

que nous soyons sincères. Mais nous avons toutes les misères du monde à agir en conséquence.

Nous passons immédiatement à l'anglais pour avoir l'air gentils et ouverts, ou parce que c'est plus rapide pour se faire comprendre… chez nous ! Nous regardons comme des excentriques ceux qui se battent pour cette langue. Nous trouvons des allures de prétentieux chez ceux qui s'efforcent de bien la parler. Des humoristes s'imaginent qu'il faut mal parler pour être drôle.

Les preuves de notre relâchement collectif sont à vrai dire partout. Nous laissons Air Canada nous rire au nez depuis des décennies. Nous n'avons jamais trouvé incongru ou gênant que Jean Chrétien, qui martyrisait notre langue avec autosatisfaction, nous représente dans le monde entier.

Nous ne voyons pas non plus la niaiserie profonde de l'argument selon lequel de petites nations — comme les Néerlandais ou les Danois — n'ont pas de peine à concilier langue nationale et diversité linguistique, alors que nous sommes en Amérique du Nord, pas en Europe, et qu'il faut évidemment avoir la politique de sa géographie.

Nous persistons aussi à ne pas saisir la différence entre le multilinguisme individuel — c'est-à-dire ce formidable atout qui consiste pour une personne à savoir parler plusieurs langues — et le bilinguisme quasi institutionnel de beaucoup de nos entreprises et même du gouvernement du Québec.

Nous en sommes même au point où un organisme gouvernemental, l'Office québécois de la langue française, dans son rapport 2002-2007 sur la situation linguistique, a rappelé à l'ordre son propre patron, le gouvernement du Québec lui-même, en montrant du doigt l'exigence à l'embauche du bilinguisme dans notre fonction publique pour des postes qui ne le nécessitent pas, les formulaires en anglais systématiquement disponibles, les boîtes vocales et les messages d'accueil bilingues, le non-respect par le gouvernement de sa propre politique linguistique dans l'octroi de contrats, et ainsi de suite[45].

Et nous acceptons sans broncher que le gouvernement du

Québec nous dise que notre langue progresse quand elle recule et qu'il se refuse à prendre ce taureau par les cornes, par crainte de déclencher une crise qui nuirait à ses intérêts partisans.

Dans le « sirupeux » Québec d'aujourd'hui — l'expression est de Christian Dufour —, l'attitude des jeunes est particulièrement troublante, comme en témoignait une étude qualitative du Conseil de la langue française dévoilée en mai 2008.

Tout en se disant fiers de leur identité québécoise, les jeunes ne voient aucun vrai problème linguistique dans le Québec d'aujourd'hui et ne ressentent aucune inquiétude quant à l'avenir de leur langue. Comme employés, ils répondent spontanément en anglais au client anglophone, mais, comme clients, ils n'exigent pas d'être servis en français. Ils passent presque automatiquement à l'anglais quand ils rencontrent quelqu'un dont le français n'a pas un accent typiquement québécois.

Pour eux, la langue n'est pas l'expression d'une identité et d'une culture, mais un simple outil de communication détaché de tout rapport de force et de tout contexte social. Tout ce qui compte, c'est l'efficacité dans la communication — se faire comprendre — et, bien sûr, d'être gentil, ouvert, tolérant et respectueux envers « l'Autre », ce qui signifie le refus de presque toute affirmation linguistique personnelle et même de la possibilité d'envisager la moindre mesure coercitive additionnelle sur le plan collectif[46].

La défense de la langue française est une responsabilité à la fois collective et individuelle. Aucune loi ne pourra jamais rien contre la piètre qualité de la langue parlée, ni contre ce déplorable réflexe du francophone de passer à l'anglais dès qu'on s'adresse à lui dans cette langue. Sur le plan individuel, nous devons renouer avec ce que Jean-Claude Corbeil a joliment baptisé l'« esprit de Saint-Léonard », en référence aux célèbres événements de la fin des années 1960, c'est-à-dire « avec la conviction que chaque citoyen du Québec a un rôle à jouer dans l'avenir de la langue française, la conviction que cet avenir dépend de l'engagement de chacun à l'égard de notre langue commune, la conviction qu'il ne faut pas laisser aveuglément et paresseusement le sort de cette langue entre les mains des seuls politiciens ou du personnel des organismes de la Charte[47] ».

Par ailleurs, est-ce trop demander que l'État s'acquitte de ses propres responsabilités ? Est-ce trop demander que les communications du gouvernement du Québec se fassent en français avec les entreprises établies au Québec ? Est-ce trop demander que notre gouvernement, qui se met littéralement à fonctionner en anglais dès que quiconque l'aborde ainsi ou s'exprime simplement avec un accent étranger, ne donne des services en anglais que par l'entremise des organismes publics qui desservent principalement la communauté historique anglophone ? Est-ce trop demander qu'il se penche sur cette exigence de la maîtrise de l'anglais à l'embauche dans les entreprises lorsque rien ne le justifie, alors que celle du français n'est souvent même pas prise en compte ?

Je redis pour la millième fois que ce ne sont pas les immigrants qu'il faut montrer du doigt. L'immigrant, même s'il prétendra souvent le contraire parce qu'il sait la « bonne » réponse à donner, vient ici pour refaire sa vie, pas pour mener à notre place un combat que nous-mêmes ne semblons plus vouloir mener. Car voilà toute la question : avons-nous encore envie de nous battre pour cette langue ?

L'immigrant est peut-être sélectionné par le gouvernement du Québec, mais il sait parfaitement que le Québec est au Canada et en Amérique du Nord, où l'anglais règne en maître et où le français est une langue ultraminoritaire. Une fois ici, il découvre rapidement que la question linguistique s'inscrit dans un rapport de force et que les francophones ont des attitudes ambivalentes à l'endroit de leur propre langue. Partout et depuis toujours, l'immigrant penche logiquement, naturellement, du côté du groupe majoritaire, parce que c'est là que se trouvent la majorité des occasions favorables.

Cela dit, si la situation du français en Amérique sera toujours délicate, celui qui ne voit pas le lien entre l'avenir de notre langue et le statut politique du Québec est tout simplement quelqu'un qui ne veut pas le voir. Si vous expliquez gentiment à l'immigrant pakistanais qui loue des vidéos que la majorité au Québec parle le français, il va sans doute vous répondre que c'est vous qui êtes une minorité dans un Canada multilingue. Et il aura raison. Et si vous haussez le ton, peut-être vous traitera-t-il de « chialeux » ou pire, et il y a neuf chances sur dix que vous baisserez pavillon.

Non, je ne blâme pas notre peuple. Depuis des générations, une partie de son élite lui prêche qu'il y a toujours moyen de moyenner, qu'il ne faut surtout pas se « chicaner », qu'une défense robuste et décomplexée de notre langue signifie n'être pas « ouvert », « moderne », « tolérant », et que toute posture un peu verticale équivaut à vouloir rejouer la bataille des plaines d'Abraham. Cela laisse des traces.

3

L'idéologie multiculturaliste
contre la nation québécoise

*C'est dans la relation qu'elle entretient avec les pré-
occupations permanentes de l'humanité qu'on peut
le mieux découvrir la nature de chaque génération.*

ALLAN BLOOM

Parlons-en, tiens, de la *québécitude*.

Le Québec fait partie, jusqu'à nouvel ordre, d'un Canada où
le modèle de gestion de la diversité ethnoculturelle est celui dit du
multiculturalisme, qui s'incarne dans des lois, des politiques
publiques et des décisions des tribunaux.

J'avancerai ici deux idées centrales. La première est qu'il faut
voir ce multiculturalisme pour ce qu'il est vraiment : une *idéologie* au service d'un *projet politique*, dont on saisit habituellement
mal la nature radicale et autoritaire et dont il faut savoir démon-
ter les ressorts.

La seconde est que, dans sa version canadienne, qui est particulièrement affirmée et dont on voudrait nous faire croire qu'elle
est la meilleure ou même la seule façon adéquate de gérer ces
questions, le multiculturalisme est funeste si l'on se soucie de l'intégration réussie des nouveaux arrivants, de la cohésion sociale et
de l'identité nationale du Québec.

Je donne ici du mot *idéologie* la définition proposée par Guy Rocher : « un système d'idées et de jugements, explicite et généralement organisé, qui sert à décrire, expliquer, interpréter ou justifier la situation d'un groupe ou d'une collectivité et qui, s'inspirant généralement de valeurs, propose une orientation précise à l'action historique de ce groupe ou de cette collectivité[1] ».

Une précision, avant d'entrer dans le vif du sujet. Celui qui critique le multiculturalisme à la canadienne est fréquemment accusé d'être contre la diversité ethnoculturelle. C'est parfois le cas, mais ce n'est pas le mien. Que notre société soit composée de gens originaires de pays plus nombreux qu'auparavant est un fait, ni bon ni mauvais en soi. C'est la manière dont cette réalité est traitée au Canada et au Québec que je juge problématique et qui m'importe ici.

Genèse et nature du multiculturalisme

Sous l'influence du marxisme, les sociétés capitalistes et libérales ont longtemps été analysées à travers le prisme des classes sociales. Le passage du temps rendit cependant évident que la classe ouvrière n'avait aucune vocation révolutionnaire particulière. Le prolétaire ne voulait pas liquider le bourgeois, mais en devenir un. Le capitalisme traversait les crises, se réinventait continuellement et récupérait ceux qui voulaient l'abattre en les transformant en professeurs d'université ou en militants syndicaux.

Parallèlement, tout au long du XXᵉ siècle, mais plus particulièrement à partir des années 1960, de nouveaux mouvements sociaux — principalement celui des Noirs aux États-Unis et celui des femmes partout en Occident — s'imposèrent progressivement comme nouveaux sujets politiques. À la différence de la contestation ouvrière de jadis, ils faisaient valoir que c'était leur *identité* noire ou féminine qui était la cause première des injustices dont ils étaient les victimes, plutôt que leur position dans le mode de production capitaliste.

Pour faire vite, disons que cela ouvrit une brèche par laquelle allaient ensuite s'engouffrer des groupes de toutes sortes, qui revendiqueraient dès lors la reconnaissance de leur *différence* et la réparation des torts qu'ils alléguaient avoir subis en raison de celle-ci.

Cette déferlante était donc porteuse d'une mutation subtile, mais fondamentale. Alors que le libéralisme classique proposait pour idéal l'égalité juridique de tous, l'important serait désormais d'atteindre l'égalité « réelle ».

Les premières revendications identitaires visaient en effet à ce que sa « différence » n'empêche pas quelqu'un d'être un citoyen à part entière : les Noirs américains dans les années 1960 demandaient d'avoir le même droit de vote que les Blancs ou de s'asseoir où ils le voulaient dans un restaurant. Rapidement, on vit plutôt se multiplier les luttes en faveur de la reconnaissance juridique de telle ou telle différence, de l'obtention aussi d'espaces et de moyens pour qu'elle s'épanouisse, de l'élargissement en quelque sorte de la citoyenneté afin qu'elle accueille ces différences.

Partout en Occident, des intellectuels souvent issus ou proches du marxisme traditionnel — pensons par exemple à Herbert Marcuse, à Pierre Bourdieu, aux continuateurs de l'école de Francfort ou à Jean-Marc Piotte, ici au Québec — presseront la gauche de se détacher de sa fixation sur une classe ouvrière qui les a déçus, mais pour laquelle on gardera une pensée attendrie, et d'appuyer désormais les revendications des mouvements sociaux issus de la contre-culture des années 1960. C'est aussi à ce moment-là que se multiplieront, surtout dans les universités nord-américaines, les cours, les programmes d'études et même les départements entiers consacrés à ces questions, au sein desquels la science et l'idéologie entretiennent depuis le début des rapports particulièrement enchevêtrés.

Pour justifier ces revendications, l'histoire de l'Occident ne serait dorénavant plus lue comme une évolution graduelle et fondamentalement positive vers une forme supérieure de civilisation, mais comme le catalogue des méfaits commis par des sociétés blanches, mâles et hétérosexuelles, donc racistes, misogynes, impérialistes, aliénantes et oppressives. Cette lecture profondément négative de ce que nous sommes imprégna puissamment l'air du temps et la manière de penser de gens qui se percevaient pourtant comme des modérés[2], et elle perdure à ce jour.

On constate en tout cas sans peine que, dans ce que nous avons pris l'habitude d'appeler la société civile, une part importante et peut-être majoritaire de la revendication politique est désormais le fait d'« une multitude d'associations avançant leurs demandes sous le pavillon d'une identité particulière[3] » : minorités religieuses, minorités visibles, et on en passe. Il y a de tout là-dedans, et on trouvera chaque cause juste ou non en fonction de notre propre regard, mais le phénomène général lui-même est indiscutable : l'opprimé est désormais celui dont la différence, qui s'exprime sur le registre d'une identité entravée ou bafouée, est la cause de son malheur. C'est ce qui explique pourquoi la question de la « citoyenneté » est omniprésente dans le débat public contemporain[4].

Bref, parce qu'elle n'a pas abouti, l'espérance révolutionnaire d'hier s'est progressivement muée en une volonté contemporaine d'« approfondir » la démocratie. Comme il n'y a plus de grand soir à espérer, la contestation est devenue désormais permanente et revêt maintenant les habits neufs du pluralisme identitaire. En matière de changements sociaux, elle a évidemment produit des fruits si variés qu'il est impossible de porter sur eux un jugement indifférencié.

C'est dans ce terreau intellectuel et politique qu'est née l'idéologie multiculturaliste. Comme toute idéologie, elle se drape dans les bons sentiments et dit poursuivre le bien commun : qui, après tout, pourrait sérieusement s'opposer à l'harmonie dans les relations entre gens d'origines diverses ? Cette apparence d'évidence et de bienveillance, de même que son omniprésence aujourd'hui, obscurcit le fait que c'est le radicalisme d'hier, issu à l'origine du marxisme, puis reconfiguré au sein du mouvement contre-culturel des années 1960, qui est devenu la norme d'aujourd'hui dans les milieux intellectuels canadiens en matière de gestion de la diversité ethnoculturelle. Et c'est précisément parce qu'il y est devenu l'idéologie dominante de nos élites universitaires que sa critique est si malaisée, voire risquée.

Ce n'est sûrement pas, en tout cas, en raison de sa solidité intellectuelle. Le noyau dur de la doctrine multiculturaliste est en effet un relativisme plus ou moins appuyé qui soutient que les idées, les valeurs et les pratiques issues d'une culture particulière ne sauraient être posées comme supérieures aux idées, valeurs et pratiques issues d'une autre culture. Il en découle logiquement qu'on ne peut plus, ou très malaisément, poser comme fondements éthiques et culturels dominants d'une société les idées, valeurs et pratiques issues de son histoire et de ses traditions. Par défaut, il ne reste plus alors comme valeurs proposées à tous que la reconnaissance juridique des différences issues de la culture d'origine de chacun et des principes de droit visant à protéger les particularismes individuels contre la tyrannie potentielle de la majorité.

Deux difficultés sautent d'emblée aux yeux.

D'abord, si on choisit de poser la relative équivalence de toutes les cultures, jusqu'où exactement la poser ? Un cas de figure extrême serait par exemple de s'interdire de condamner des pratiques comme les mutilations génitales des femmes, sous prétexte de ne pas vouloir poser la supériorité d'une culture sur une autre. Doit-on donner son aval à l'introduction de tribunaux islamiques pour certains types de litiges, comme on l'envisagea un moment en Ontario ? Laisse-t-on l'Afghanistan retomber sous la coupe des talibans, dont on sait la conception qu'ils ont des femmes ?

Si le multiculturaliste relativiste répond non à l'une ou l'autre de ces questions, il doit bien tracer une ligne de démarcation entre ce qu'il accepte et ce qu'il n'accepte pas. Il s'enfonce dès lors dans des sables mouvants, dont il cherche à s'extraire en se cramponnant à un juridisme historiquement et culturellement désincarné et à une rhétorique des bons sentiments.

Ensuite, il suffit de parcourir ce qu'écrivent de nombreux tenants de l'idéologie multiculturaliste pour y voir ce que j'évoquais il y a un instant. Leur relativisme culturel fait bel et bien place à une exception de taille : nous-mêmes. Un type de société est en effet au banc des accusés : la société occidentale d'origine européenne et de tradition judéo-chrétienne, la nôtre donc, systématiquement dépeinte comme foncièrement oppressive et intolérante.

L'idéologie multiculturaliste divise le monde et chaque société de façon binaire, en dominants et dominés, oppresseurs et opprimés, tolérants et intolérants, reproduisant ainsi les postulats de base du marxisme d'antan, avec pour seule différence fondamentale la présence de nouvelles représentations de la figure de la victime. Et, pour faire taire ceux qui seraient tentés d'exprimer leur désaccord, un sophisme massif : le multiculturalisme vise à promouvoir l'égalité ; on ne peut être contre l'égalité ; donc, on ne peut être contre le multiculturalisme.

Assurons-nous ici d'être bien compris : que la trajectoire historique des sociétés occidentales comporte ses côtés sombres est une évidence qu'il ne faut pas refouler. Qu'il y ait encore du racisme et de la discrimination dans nos sociétés est aussi parfaitement indéniable. Mais c'est la fixation presque exclusive sur eux, de même que la réticence, voire le refus, de reconnaître les côtés positifs évidents de nos sociétés quand on les compare aux autres, qui frappe dans l'attitude de maints tenants de cette idéologie. Beaucoup d'entre eux gagnent d'ailleurs leur vie en débusquant le racisme et la discrimination, ce qui est évidemment une incitation à trouver qu'il y en a plutôt plus que moins.

Autre problème, qui ne semble cependant pas en être un de leur point de vue : comme on peut le constater tous les jours, en dehors de cette nébuleuse regroupant des universitaires, des activistes politiques et communautaires, des fonctionnaires et des journalistes, on sent que la majorité de la population, celle qu'on a pris l'habitude d'appeler au Québec le « vrai monde », reste attachée à une représentation moins éthérée, plus concrète et plus traditionnelle d'elle-même, de sa nation, de sa société.

C'est évidemment, expliqueront les idéologues multiculturalistes, parce qu'elle est empêtrée dans ses préjugés et son ignorance, parce qu'elle n'est pas assez « ouverte », pas assez sensible aux vertus de ce qu'on lui propose.

Mais faire la morale au peuple ne leur suffit pas. C'est précisément le propre des idéologies que de vouloir plier le réel, quitte à le refaçonner, pour le faire entrer dans le moule théorique. Pour changer le peuple en profondeur, il faut donc le déprogrammer pour ensuite le rééduquer. Et, comme c'est une tâche titanesque et de longue haleine, c'est tout l'appareil de l'État qui doit s'y mettre, et c'est dès l'école que tout doit commencer.

D'où ces refontes périodiques — certaines, pas toutes, évidemment — des programmes scolaires pour éduquer « correctement » nos enfants à la « citoyenneté » et les campagnes de « sensibilisation » pour que les parents comprennent que c'est pour notre bien à tous qu'on fait cela. Par exemple, dans le désormais célèbre rapport qui porte leurs noms et auquel nous viendrons dans un instant, Gérard Bouchard et Charles Taylor avancent que « c'est là, dès les premières années du primaire, que doit se former la sensibilité aux différences, aux inégalités, aux droits et aux rapports sociaux, ce qu'on résume en général par la notion de citoyenneté[5] ».

On objectera que personne ne peut sérieusement souhaiter qu'une population soit insensible aux différences et aux inégalités. Évidemment. Mais si, pour tous ceux qui s'inscrivent dans ce registre idéologique, il faut pratiquer la rééducation à grande échelle, c'est surtout parce que le peuple n'est pas encore *assez* sensible à ces différences et à ces inégalités, ni surtout sensible de la *même manière* qu'eux. En fait, le peuple ne sera suffisamment *sensible* que le jour où il pensera *exactement comme eux*. Jamais, a noté Huntington, l'intelligentsia multiculturaliste ne semble troublée ni ne s'interroge devant le fait qu'elle est seule à considérer comme absolument nécessaire cette vaste entreprise de resocialisation du peuple[6].

Les idéologues multiculturalistes diront évidemment de ma posture qu'elle sent le conservatisme nostalgique et hostile à la modernité. Pas du tout. En cette matière, ce serait d'ailleurs, de la part de l'immigrant que je suis, assez curieux. Ma posture est plutôt celle d'un moderne inquiet des excès de la modernité et des fantasmes de ces ingénieurs du social qui confondent les sociétés humaines et les éprouvettes de laboratoire.

Il faut dire que l'intelligentsia multiculturaliste a les moyens de ses ambitions. Elle a largement imposé son idéologie aux trois acteurs les plus puissants de notre société : les tribunaux, qui en ont fait rien de moins que l'armature philosophique et interprétative de tout notre appareil juridique, le gouvernement du Canada et le gouvernement du Québec, dont on peine à voir en quoi il s'éloigne vraiment de la conception canadienne, hormis pour la question linguistique.

Cette idéologie s'est aussi largement imposée dans notre système scolaire, du niveau primaire jusqu'aux universités. Dans ces dernières, les tenants de cette idéologie occupent des chaires lourdement subventionnées et les autres postes clés où l'on construit la rhétorique qui la justifie. Ils dirigent également d'innombrables organisations non gouvernementales qui diffusent leur idéologie dans tous les recoins de notre société et traquent les pensées déviantes. Ils ont enfin de puissants relais dans un univers médiatique qui est notre principale source d'information et de diffusion des modèles de comportement de notre époque. C'est à se demander pourquoi et comment le peuple fait pour s'entêter encore à ne pas penser comme on voudrait qu'il pense.

Chose sûre, cela permet à l'intelligentsia multiculturaliste d'imposer ce qui prend parfois l'allure d'une véritable *novlangue orwellienne*. On plaide en effet pour toutes les formes ou presque de *diversité*, sauf pour la diversité intellectuelle, car la foudre s'abat vite sur ceux qui osent penser autrement. On prône la *tolérance*, mais voyez l'intolérance fréquente à l'endroit de celui qui ose dire que toutes les victimes autoproclamées ne le sont peut-être pas ou qui avance que les sociétés occidentales, pour imparfaites qu'elles soient, ne méritent pas le procès ininterrompu qu'on leur fait subir.

Le fond de l'air est si profondément imprégné de cette idéo-logie qu'il en résulte une multiplication des incidents dont on se demande s'il faut en rire ou en pleurer. On se rappellera par exemple de Jean Charest et d'André Boisclair refusant de faire référence à Noël au moment d'adresser leurs vœux à la popula-tion, ou encore de la directive administrative du gouvernement fédéral décrétant que Noël serait désormais remplacé par la célé-bration d'un solstice d'hiver sans dénomination religieuse, iden-titaire ou historique particulière[7].

Et quel est évidemment, parmi tous les cadres de référence tra-ditionnels donnant un sens à la trajectoire historique d'une com-munauté, celui qui est le plus mis à mal par l'idéologie multicultu-raliste, celui que l'intelligentsia du pluralisme identitaire veut *déconstruire* avec le plus d'acharnement ? Celui, bien sûr, de l'État-nation traditionnel, puisqu'il est celui qui repose le plus explicite-ment sur l'existence, au cœur de la nation, d'un groupe majori-taire ayant des traits propres forgés par l'histoire. L'hostilité d'une bonne partie de l'intelligentsia multiculturaliste envers le nationa-lisme québécois n'est en effet même pas dissimulée, et ne trouvent grâce à ses yeux que ceux qui se réclament de cette mièvrerie insi-gnifiante qu'est ce pseudo-nationalisme intégralement *civique*.

Comprenons-nous : il y a certes des définitions du « nous » qui sont plus élastiques que d'autres. Mais on ne dira jamais assez à quel point la notion même d'un « nous » totalement inclusif pour désigner un peuple, donc un « nous » sans un « eux » quel-conque, est absurde. Elle ne peut, par définition, servir de premier critère de référence lorsqu'il s'agit de définir qui fait partie d'un peuple, puisque c'est l'identité qui distingue fondamentalement les peuples les uns des autres et qu'avoir une identité propre signi-fie forcément ne pas avoir celle de quelqu'un d'autre… à moins de vouloir être tout pour tous… et donc de n'être rien.

Dans la version la plus tranchée de cette volonté de miner le fait national et l'engagement nationaliste, surtout quand ce der-nier aspire à la pleine souveraineté politique comme le souhaitent beaucoup de Québécois, on laissera planer le lourd soupçon du totalitarisme[8]. Dans la version plus souple, chez Geneviève Nootens par exemple, on reprochera à l'État-nation de « ne pas rendre compte de ces autres communautés auxquelles nous appartenons[9] ». On veut ici dissoudre par élargissement.

Si le nationalisme canadien, lui, trouve si souvent grâce à leurs yeux, c'est parce qu'il est devenu consubstantiel au multiculturalisme. Mais quand ce nationalisme est celui d'une petite nation minoritaire comme le Québec, il ne saurait être rien d'autre, écrit par exemple Michael Ignatieff, qu'un « miroir déformant dans lequel les partisans voient leurs simples attributs ethniques, religieux ou territoriaux transformés en attributs et qualités chargés de gloire[10] ».

Le Canada est certainement l'un des pays occidentaux qui ont poussé le plus loin l'expérience multiculturelle de cohabitation de presque toutes les différences, avec les objectifs d'intégration les moins contraignants. Les idéologues du multiculturalisme canadien, surtout au Canada anglais, le proposent même en exemple moral pour l'humanité entière et le vantent avec une ferveur qui prend une tonalité presque messianique[11]. Et quand le peuple québécois rechigne à penser comme eux, on se désole, comme François Crépeau, de ce que nous (le Québec) ayons « trente ans de retard sur le reste du Canada dans notre réflexion collective sur l'immigration[12] ».

Ce messianisme canadien, cette conviction d'être un phare de vertu qui doit éclairer le monde entier en matière de gestion de la diversité ethnoculturelle, remonte évidemment à Pierre Elliott Trudeau[13]. On le retrouve dès ses premiers textes des années 1950 dans *Cité Libre*, mais il l'exprimera encore plus clairement par la suite.

Prenant la parole devant le Congrès américain quelques mois après la victoire électorale du Parti québécois en 1976, il affirme :

> J'ose dire que l'échec de l'expérience sociale canadienne, toujours variée, souvent admirable, répandrait la consternation

parmi tous ceux dans le monde qui font leur le sentiment qu'une des plus nobles entreprises de l'esprit, c'est la création de sociétés où des personnes d'origines diverses peuvent vivre, aimer et prospérer ensemble[14].

Puis, lors des célébrations entourant le rapatriement unilatéral de la Constitution en 1982, il ajoutera : « Ce Canada de la rencontre des ethnies, de la liberté des personnes et du partage économique est un véritable défi lancé à l'histoire de l'humanité. Il n'est donc pas étonnant qu'il se heurte en nous à de vieux réflexes de peur et de repli sur soi[15]. »

On le voit, toute la rhétorique multiculturaliste d'aujourd'hui est déjà là : l'utopisme grandiloquent, le moralisme très appuyé, la vocation universaliste du Canada, la peur et la frilosité comme seules explications possibles d'un désaccord et l'autoritarisme politico-juridique pour l'atteinte des fins visées.

On comprend dès lors l'origine de la collision philosophique et politique proprement frontale entre ce multiculturalisme canadien — qui légitime au passage le nationalisme pancanadien en lui attribuant, à lui aussi, une essence morale supérieure — et un nationalisme québécois ancré dans la culture et l'histoire de la majorité francophone du Québec, qui voudrait intégrer les immigrants à cette majorité, toujours suspectée par ce multiculturalisme d'être au bord de la dérive xénophobe et d'entretenir des rapports compliqués avec la démocratie.

Collision à double détente, pourrait-on dire.

En effet, d'une part, la politique fédérale sur le multiculturalisme encourage *explicitement* les immigrants à conserver et à valoriser leur culture d'origine. Cette préservation n'est plus une décision individuelle au sens strict du terme, mais elle est officialisée, institutionnalisée et financée par l'État canadien. La différence culturelle est posée comme quelque chose de *central* et de *permanent,* et non comme quelque chose qui tendra à s'estomper avec les années.

Logiquement, l'immigrant l'interprète donc comme un

encouragement à rester presque intégralement tel qu'il est à son arrivée. La législation canadienne distille en effet l'idée que chaque Canadien, *tel qu'il est,* a droit à ce que soit éliminé tout obstacle qui restreindrait sa participation à la vie publique *tel qu'il est.* D'où, par exemple, les revendications pour l'obtention d'un statut d'exception au nom d'une religion ou le combat contre l'obligation de fréquenter l'école française au Québec, perçue comme une entrave au désir, voire au « droit », d'être et de faire comme on veut.

En face de cela, le Québec, encastré dans ce système politico-juridique et lui-même englué dans une confusion intellectuelle considérable, s'échine à intégrer les immigrants au fait français au nom de la protection du patrimoine linguistique et culturel du groupe majoritaire au Québec, mais minoritaire au Canada, à qui l'ordre juridique québécois reconnaît des droits collectifs, mais dont l'ordre juridique canadien ne reconnaît même pas l'existence. Confondant, vous dites ?

Et, comme si ce n'était pas assez, le gouvernement du Québec dit au nouvel arrivant que la langue officielle ici est le français, alors que le gouvernement du Canada lui dit plutôt que le Canada est un pays bilingue. D'où cette désagréable impression ressentie par les immigrants d'être les otages d'un bras de fer entre Québec et Ottawa.

D'autre part, à partir du moment où l'adoption de la Loi sur le multiculturalisme canadien en 1971 a marqué la mise à mort législative et juridique du Canada comme entité biculturelle, la spécificité québécoise est devenue celle d'une minorité culturelle au même titre que celle des Italo-Canadiens de Toronto ou des Sino-Canadiens de Vancouver. Est-ce de la « fermeture » si un des deux peuples fondateurs du Canada y voit un déclassement collectif doublé d'une profonde injustice ?

Une pièce écrite d'avance

Je ne sais pas ce que l'histoire retiendra de la commission Bouchard-Taylor, mais l'épisode fut une si puissante illustration de
tout ce qui vient d'être dit qu'il mérite d'être revisité[16].

Il est vrai que la confusion s'était installée. On amalgamait à
tort certaines revendications complètement déraisonnables, auxquelles des dirigeants d'établissement déboussolés consentaient
sans y être obligés, et la notion juridique d'accommodement raisonnable, qui oblige une organisation à chercher un terrain d'entente dans les seuls cas où des droits fondamentaux sont compromis. Mais, très rapidement, une controverse que certains
croyaient pouvoir circonscrire déboucha sur les questions autrement plus lourdes de l'identité nationale et des fondements du
vivre-ensemble en cette ère de surenchère identitaire.

Avant et après le dépôt du rapport final, deux principales
réactions ont circulé dans les milieux favorablement disposés
envers l'idéologie multiculturaliste, à propos des controverses qui
conduisirent à la tenue même de cet exercice.

Pour les uns, il s'agissait d'une tempête dans un verre d'eau,
largement fabriquée autour d'événements isolés ayant été mon-
tés en épingle. Il n'y avait pas de vrai problème, ou si peu. Pour les
autres, la réaction des francophones de souche s'expliquait par
leur manque d'ouverture, leurs préjugés, leur ignorance. C'était
parfois dit plus subtilement, mais cela revenait à ça.

Quand le rapport voit finalement le jour, les seuls ou presque
qui le louangent d'entrée de jeu sont la formation d'extrême
gauche Québec solidaire, qui se dit féministe mais dont la codiri-
geante a déjà dit qu'elle accepterait qu'une enseignante soit voilée
devant nos enfants, quelques journalistes basés à Montréal qui
célèbrent déjà à temps plein le multiculturalisme à la canadienne
et des porte-parole de regroupements ethnoculturels. L'accueil
est infiniment plus froid de la part de cette majorité francophone
qui s'obstine à ne pas penser comme ses élites.

Si on fait un effort pour rescaper ce qui peut l'être de ce

rapport, on notera d'abord que les auteurs rappellent que le nombre d'immigrants que nous laissons entrer doit correspondre à notre capacité d'accueil et que le Québec est déjà, depuis les années 1940, l'une des sociétés au monde qui reçoivent le plus d'immigrants par habitant, ce qui n'est pas précisément un indice de fermeture.

Ensuite, expliquent-ils, on ne peut raisonnablement demander aux Québécois francophones de se comporter comme une majorité confiante, alors qu'ils sont, dans les faits, une minorité au Canada, dont l'histoire est jalonnée d'épisodes douloureux.

Enfin, les deux commissaires soulignent pourquoi le multiculturalisme à la canadienne est inadapté, selon eux, à la réalité québécoise : essentiellement, parce qu'on trouve ici, contrairement au reste du Canada, un groupe francophone très majoritaire qui se soucie légitimement de l'avenir de sa langue et de sa culture.

On cerne toutefois très rapidement les causes du profond malaise que l'on ressent à la lecture d'un document dont on sent pourtant que chaque ligne a été pesée.

D'abord, leur « explication » de la crise est essentiellement psychologique. La tourmente découle surtout d'un dérapage médiatique, disent-ils. Notre inquiétude n'est pas justifiée par les faits. Nous sommes tous des « malades imaginaires[17] ».

Ensuite, leur conception des responsabilités de chacun dans le processus d'intégration ne manque pas non plus d'étonner. L'immigrant arrive chez nous. Il veut se faire une place. La question est alors : qui doit changer le plus pour que son intégration se fasse bien ? Lui ou la société d'accueil ? C'est à la majorité qui le reçoit de faire le gros du chemin, nous dit le rapport, dans un renversement complet du devoir d'intégration tel qu'il est compris depuis des générations.

Plutôt que de poser d'entrée de jeu qu'il y a ici une majorité forgée par quatre cents ans d'histoire, qui doit être le tronc d'un arbre que les immigrants viennent irriguer et enrichir de leurs apports, le rapport soutient que c'est cette majorité, fautive d'être comme elle est, qui constitue le principal obstacle à l'intégration des immigrants. C'est donc sur ses épaules que doit reposer, pour l'essentiel, la responsabilité de réussir cette intégration. Combien, parmi les trente-sept recommandations concrètes, demandent quelque chose de plus à l'immigrant ? Aucune.

Il est vrai que, théoriquement, c'est la majorité qui fixe les règles de la vie collective. Mais il aurait fallu affirmer avec force que s'établir dans un nouveau pays, c'est accepter de laisser à l'entrée la partie de son bagage culturel la moins compatible avec les valeurs et les coutumes de la société d'accueil ou, à tout le moins, ne pas s'attendre à ce que cette dernière se décentre pour l'accommoder. L'affaire du kirpan et plusieurs autres ont aussi bien sûr montré les limites de la capacité de la majorité francophone du Québec à fixer des règles en droit canadien.

Bien sûr, il n'est pas faux de dire qu'une position qui consisterait à vouloir toujours opposer une fin de non-recevoir à toute demande de reconnaissance d'un particularisme religieux, en plus d'être juridiquement intenable, aurait pour conséquence de conduire la minorité concernée au repli sur elle-même, à un isolement accru et au braquage. Mais c'est l'extrême réticence des auteurs du rapport à affirmer qu'une culture commune digne de ce nom doit comporter des éléments non négociables, et que ceux-ci peuvent trouver leur légitimité dans l'histoire du groupe majoritaire, qui était frappante.

Dans ce rapport, la culture du groupe francophone majoritaire n'est certes pas niée, mais elle n'est jamais posée comme le creuset d'une convergence fondamentale qui doit advenir. Elle n'est jamais non plus explicitement rattachée à la tradition occidentale dont elle est issue et qui est systématiquement dénigrée depuis des décennies par de larges franges des milieux multiculturalistes. Les seuls points d'ancrage proposés sont les chartes des droits, la Charte de la langue française et les divers énoncés de principes contre le racisme et la discrimination adoptés depuis une trentaine d'années par l'Assemblée nationale du Québec, comme si des documents de nature exclusivement juridique pouvaient être les seules balises d'une intégration authentique.

Bref, pour le dire autrement, après avoir critiqué le multiculturalisme à la canadienne, les auteurs proposent de lui substituer un « interculturalisme » dont on saisit mal en quoi il est autre chose qu'une mouture un tantinet plus québécoise du multiculturalisme « trudeauiste », hormis pour le rappel que le français doit être la langue commune au Québec. Plusieurs observateurs notèrent alors qu'il n'y avait là rien d'étonnant, si l'on prenait la peine d'examiner la composition de l'équipe de soutien des deux coprésidents et de lire les écrits passés de pratiquement tous ses membres.

Quelques jours après le dépôt du rapport, alors que les critiques acerbes fusent de toutes parts, un des membres de ce comité-conseil de la commission, M. Daniel Weinstock, a la franchise et l'honnêteté de confirmer que, effectivement, cet « interculturalisme » n'est rien d'autre que le multiculturalisme canadien assorti de la loi 101. Les critiques adressées au rapport ne sont, dit-il, que les crispations identitaires de ceux dont la vision du multiculturalisme canadien est « caricaturale » et qui ne font « pas suffisamment confiance au pouvoir d'intégration » des institutions québécoises[18].

Comme le note fort justement Benoît Dubreuil, dans une telle perspective, « les critiques des politiques d'intégration ne sont jamais des critiques des politiques d'intégration, mais toujours l'expression d'une attitude de peur et de repli, elle-même enracinée dans une incapacité à saisir la vertu et l'utilité des principes d'ouverture et de métissage[19] ».

Du coup, ce procès d'intention que les multiculturalistes font à leurs critiques leur permet de se dispenser de répondre à la question qui vient spontanément à l'esprit : comment diable un modèle d'intégration si uniformément positif peut-il générer autant d'incompréhension et de mésentente ?

Plusieurs des remarques faites publiquement par Gérard Bouchard tout au long de l'exercice renforcent aussi cette désagréable impression de se trouver en face d'un rapport dont les conclusions semblent avoir été déterminées de longue date.

Dès le début de sa démarche, Gérard Bouchard avait en effet loué la « maturité » d'un groupe de jeunes réunis par l'Institut du Nouveau Monde, qui ne voyait aucun problème à « accommoder » n'importe qui et n'importe quoi[20]. Fallait-il comprendre que nous étions « immatures » si nous pensions autrement ? À cette époque, Gérard Bouchard se reprochait même de ne pas avoir assez contribué à « bâtir l'argumentaire[21] » destiné à vaincre les résistances de ces « gens qui ne sont pas des intellectuels mais qui regardent les nouvelles à TVA ou à TQS, dans le meilleur des cas au *Téléjournal*[22] ».

Plusieurs observateurs se chargèrent aussi de nous rappeler que, dans un précédent ouvrage, *Dialogue sur les pays neufs*, publié conjointement avec Michel Lacombe en 1999, Gérard Bouchard disait se représenter la « nation québécoise comme un assemblage de groupes ethniques : les Canadiens français ou Franco-Québécois, les Autochtones, les Anglo-Québécois, toutes les communautés culturelles[23] ». Autrement dit, il définissait la nation québécoise comme une mosaïque reposant sur l'ethnicité de chaque groupe en tant que pivot central, ce qui est l'essence même du multiculturalisme canadien.

Lors d'une des audiences publiques de la commission, devant un homme plaidant très raisonnablement pour que les immigrants adoptent à terme nos us et coutumes, Gérard Bouchard s'était d'ailleurs écrié : « S'adapter à nos us et coutumes, dites-vous. Qu'est-ce qui va leur rester à eux comme culture qui va les différencier de la société d'accueil[24] ? »

Dans *Le Devoir* du 10 juin 2008, alors que les coups pleuvaient sur son rapport, Gérard Bouchard voulut riposter à ses détracteurs :

En définitive, la question est la suivante : si on rejette l'interculturalisme comme modèle de gestion des rapports inter-ethniques au Québec, quelle formule démocratique reste-t-il pour assurer à la fois l'avenir de la francophonie québécoise et le respect de la diversité ? Où sont les contre-propositions réalistes et acceptables au regard du droit, de l'éthique publique et de nos traditions[25] ?

Faisant encore une fois passer pour une nécessité, voire une fatalité, ce clone du multiculturalisme canadien qu'est son interculturalisme, il soutenait, au fond, que la voie privilégiée spontanément par l'immense majorité de la population — c'est-à-dire l'affirmation décomplexée de sa culture à elle comme culture de convergence — était inacceptable et irréaliste. Il se refusait donc à faire le noble pari que cette culture était assez forte, assez belle et assez riche pour attirer et rassembler. La messe était dite.

Assurément, aucun peuple n'est parfait, et bien des choses au Québec pourraient certainement être faites mieux ou autrement. Mais toute l'odyssée Bouchard-Taylor, des audiences jusqu'au rapport final, véhicula cette idée, formulée plus ou moins ouvertement selon les circonstances, que la majorité francophone du Québec n'est pas assez ouverte. Ce qui est, à mon sens, injuste, faux et blessant. Il ne faut donc pas s'étonner ni surtout regretter que ce rapport ait été froidement accueilli.

Au fond, les deux seuls résultats positifs de la commission Bouchard-Taylor et de toute la discussion tenue avant, pendant et après ses travaux, furent, d'abord, de permettre à cette intelligentsia multiculturaliste de mesurer à quel point elle était totalement déconnectée d'un peuple qui ne pense pas du tout comme elle, et, ensuite, de nous faire voir l'ampleur du travail idéologique (et donc politique) auquel elle veut se livrer pour convertir le peuple à ses propres vues, qu'elle nous présente faussement comme un progrès doublé d'une fatalité.

De l'idéologie de A à Z

Introduit dans le cursus scolaire québécois à l'automne 2008, le nouveau programme Éthique et culture religieuse (ci-après ECR) illustre lui aussi parfaitement la manière de penser et le *modus operandi* des idéologues multiculturalistes. Il s'agit, à vrai dire, de l'une des pièces maîtresses du projet politique qu'ils déploient progressivement chez nous. Je rappelle que ce programme est maintenant obligatoire pour tous les élèves des niveaux primaire et secondaire, sauf ceux qui sont en troisième année du secondaire, tant dans le réseau public que dans le réseau privé.

Il mérite, vous allez voir, un temps d'arrêt. Tout y est : la certitude des idéologues multiculturalistes que leurs idées sont d'une essence morale supérieure, l'autoritarisme au nom du « progressisme », l'endoctrinement sous couvert d'« ouverture », la stigmatisation caricaturale des opposants et la fausse représentation.

Il faut dire que la conjoncture les a merveilleusement servis. La situation qui prévalait jusque-là en matière d'enseignement religieux et moral était effectivement insatisfaisante à bien des égards. De plus, le lobby ultracatholique qui s'est mobilisé contre le programme ECR, essentiellement parce qu'il acceptait mal que le Québec ne reviendrait plus jamais à ce que Mgr Ouellet souhaiterait, a contribué, involontairement sans doute, à miner par association les objections de ceux qui s'y opposaient pour de toutes autres raisons. Il est vrai aussi qu'on ne peut sérieusement s'opposer, en théorie, à ce que nos enfants connaissent mieux les différentes religions.

Quand on regarde la bête de plus près, on s'aperçoit cependant que le véritable objectif du programme ECR n'est pas du tout d'enseigner l'histoire et le contenu des principales religions. Mais une opinion publique à la fois distraite et dûment conditionnée en a seulement retenu qu'il s'agissait d'apprendre à nos enfants l'« ouverture » aux autres, comme s'ils n'étaient pas spontanément curieux et ouverts, comme s'ils ne s'ouvraient pas déjà à la réalité des autres cultures dans la cour de récréation.

Quand on lit le charabia qui tient lieu de langue française au ministère de l'Éducation, du Loisir et du Sport, on finit par comprendre que le programme ECR poursuit deux buts : « promouvoir un meilleur vivre-ensemble » et « favoriser la construction d'une véritable culture publique commune[26] ».

Passons rapidement sur le sous-entendu derrière le deuxième but : quoi, il n'y a pas *déjà* une culture publique québécoise forgée par quatre cents ans d'histoire et d'immigration, et en quoi celle-ci n'est-elle pas *véritable* ? Le Québec serait-il une sorte de terre vierge qui attendait qu'on vienne la doter *enfin* d'une *véritable* culture publique ?

La question vraiment importante est la suivante : quel est le contenu de cette nouvelle culture publique ? Le document gouvernemental est clair : ce sont les « règles de base de la sociabilité et de la vie en commun ainsi que les principes et valeurs inscrits dans la Charte des droits et libertés de la personne[27] ».

Nous y voilà donc : être québécois, c'est essentiellement respecter la Charte des droits et libertés. Rien de plus. Encore une fois, le Québec est défini comme une nation strictement civique, sans aucune référence à son histoire et à sa culture. La culture publique à laquelle on renvoie ici n'est pas, n'est jamais la culture de la majorité francophone du Québec, mais celle que l'intelligentsia multiculturaliste aura définie. La sienne. Voyons comment elle s'y prend.

Comme les idéologues multiculturalistes savent que le multiculturalisme à la canadienne a fort mauvaise presse au Québec, on commence par le rebaptiser : dorénavant, on ne parlera plus de multiculturalisme, mais de *pluralisme identitaire* ou encore de *laïcité ouverte*. Le chat est devenu un félin domestique.

Pour imposer ce pluralisme identitaire, il faut d'abord poser qu'il offre pratiquement la seule voie possible. Trois façons de s'y prendre sont mobilisées selon les circonstances et les personnes.

On rappellera d'abord les inconvénients réels de la situation qui prévalait avant l'introduction du cours ECR. Ce n'est pas très difficile : il est vrai que le maintien d'un cours d'éducation centré sur une seule foi religieuse, la catholique, était difficilement justifiable dans le Québec d'aujourd'hui.

Le deuxième procédé est de faire comme s'il n'existait guère d'autres voies possibles qui soient réalistes, en glissant discrètement sur le fait que des pays comme la France, les États-Unis, l'Allemagne, d'autres encore, ont des manières différentes de chercher à concilier la neutralité des institutions publiques et la liberté de religion. Autrement dit, par des pirouettes plus ou moins élégantes selon qui les exécute, on fait comme si le choix se réduisait presque exclusivement à conserver ce qui existait déjà ou à adopter ce qui est introduit maintenant.

Le troisième procédé consiste à s'empresser de discréditer tout particulièrement le modèle français de laïcité républicaine, qui, au Québec, compte nombre de partisans parmi ceux qui rejettent le multiculturalisme à la canadienne. J'entends par là, en bref, un modèle avec une finalité clairement assumée d'intégration à des valeurs communes et à une culture de convergence décomplexée, dans lequel l'État, les institutions publiques et les fonctionnaires au sens large du terme sont officiellement et strictement neutres par rapport à *toutes* les religions et non embrigadés dans la promotion de la diversité religieuse, et où la religion principale de la majorité est essentiellement posée comme un repère historique et culturel.

Les multiculturalistes affubleront par exemple le modèle français de qualificatifs péjoratifs comme laïcité « rigide[28] » et prendront un air préoccupé pour dire qu'il serait « très problématique dans les sociétés plurielles comme le Québec[29] »... comme si la France n'était pas une société plurielle !

Après avoir posé — faussement, bien sûr — que le pluralisme identitaire ou la laïcité ouverte est la seule voie réaliste, ils s'efforcent ensuite de nous convaincre de l'aimer.

Georges Leroux, professeur de philosophie à l'UQAM, est sans doute un des intellectuels publics qui ont le plus travaillé à la promotion du programme ECR. Il avance que l'école aura désormais pour responsabilité de « faire passer chaque jeune de la constatation du pluralisme de fait à la valorisation du pluralisme normatif[30] ». En langage clair, il ne s'agit donc pas pour l'enfant de simplement constater que ses petits amis viennent de toutes sortes de pays, mais de l'amener à trouver cela uniformément positif.

Qu'il faille montrer à l'enfant que la diversité culturelle est une réalité complexe, porteuse de richesses mais aussi de tensions potentielles, n'est pas envisagé. On fait ici comme si l'affaire des caricatures au Danemark ou l'opposition massive des parents québécois au port du kirpan à l'école, ou à des cas manifestes de subordination de la femme à l'homme, étaient survenues sur une autre planète.

Qu'il faille rendre l'enfant né ici de parents qui s'appellent Tremblay, Gagnon ou Roy conscient qu'il est lui-même porteur d'une riche tradition culturelle que le petit Tranh ou le petit Omar pourraient, eux aussi, finir par aimer et adopter, n'est pas non plus envisagé.

On se doute tout de même que la majorité n'adhérera pas spontanément à une si merveilleuse idéologie. Mais, comme il s'agit rien de moins que de « mettre en harmonie l'école avec la modernité politique[31] », on ne saurait s'en laisser détourner — nous sommes en démocratie, après tout — par les résistances de la majorité.

Et cela, d'autant plus que cette majorité, écrit Leroux sans sourciller, « qu'elle soit attestée ou imaginaire, ou simplement nostalgique d'un passé idéalisé, se trouve toujours prompte à évoquer le milieu métropolitain comme une entité tyrannique à l'endroit des régions et du vrai pays[32] ».

Cette majorité donne trop souvent, en effet, dans le « repli nostalgique[33] » ou le « repli identitaire et nationaliste[34] ». Décidément incorrigible, elle s'imagine peut-être même, l'outrecuidante, que les élites urbaines et multiculturalistes, qui ne veulent que son bien, la regardent de haut. Pour éviter d'autres crises comme celle des accommodements raisonnables, et comme il est sans doute trop tard pour convertir les adultes, il n'y a « qu'une thérapie possible[35] » : s'assurer que les enfants ne verront plus jamais le monde comme leurs parents l'ont vu.

J'exagère ? Revenant sur le jugement rendu en mars 2006 par la Cour suprême du Canada sur le port du kirpan à l'école, Georges Leroux dit vouloir une éducation dans laquelle les droits qui légitiment la décision de la Cour suprême, tout autant que la culture religieuse qui en exprime la requête, sont compris de tous et font partie de leur conception de la vie en commun. Car ces droits sont la base de notre démocratie, et l'enjeu actuel est d'en faire le fondement d'une éthique sociale fondée sur la reconnaissance et la mutualité[36].

On a bien lu : il ne s'agit pas seulement de connaître et de comprendre, mais il faut aussi accepter... au nom de la démocratie. Autrement dit, comprendre pour ensuite rejeter en toute connaissance de cause n'est pas concevable... si on est un vrai démocrate ! S'opposer au port du kirpan, c'est être contre la démocratie !

Que neuf Québécois sur dix aient été profondément heurtés par cette décision s'explique donc, de ce point de vue, par une déficience de leur éthique sociale et de leur culture démocratique. Que Claire L'Heureux-Dubé, ex-juge de la Cour suprême du Canada, ait aussi reconnu l'erreur du plus haut tribunal du pays dans cette affaire ne compte pour rien quand on est convaincu du juste et du vrai[37].

Georges Leroux ne craint pas d'ailleurs d'affirmer que ce qu'il appelle « le choix du Québec[38] » (en passant : qui a choisi ? Quand ? Une élection sur ce thème a-t-elle eu lieu ? Le peuple le réclamait-il ?) est « un choix radical et absolument inédit[39] ». Ce sont ses mots, pas les miens : « un choix radical et absolument inédit ».

Posons candidement une question : une nation jeune, culturellement minoritaire, qui doute souvent d'elle-même, confrontée à de graves difficultés démographiques, dont l'existence politique reste problématique, n'aurait-elle pas plutôt intérêt à être guidée par un principe de saine prudence en cette matière, plutôt que de laisser ses élites lui imposer — pour son plus grand bien, cela va de soi — « un choix radical et absolument inédit » ?

Les idéologues multiculturalistes se défendront sûrement en disant qu'ils sont aussi soucieux d'intégration que moi, et il est vrai que le mot revient souvent sous leur plume. Mais voyons comment M. Leroux lui-même définit l'intégration :

> Chacun entrera dans l'école comme dans une société où les identités sont à la fois communes et multiples : communes d'abord, dans la mesure où l'école assume le mandat collectif de l'éducation publique et a pour mission de transmettre les valeurs fondamentales de la démocratie, mais aussi différentes, puisque chacun appartient à un monde qui varie selon ses origines, ses croyances, sa culture[40].

Spectaculaire renversement, donc. Il ne revient plus à l'école d'intégrer à la culture québécoise l'enfant venu d'ailleurs. Il s'agira au contraire d'adapter l'école québécoise au multiculturalisme, comme si la finalité de l'immigrant n'était pas de cesser de l'être un jour. Et les seules valeurs que l'école doit impérativement transmettre sont, évidemment, celles de la démocratie chartiste, et surtout pas les valeurs et les sensibilités forgées par l'histoire et la culture d'ici.

Exactement comme dans le rapport Bouchard-Taylor, on prendra la précaution rhétorique de rebaptiser « interculturalisme » la philosophie prônée, mais c'est un interculturalisme tellement vidé de toute référence à la culture de la majorité qu'il devient un clone du multiculturalisme canadien.

Christian Rioux, chroniqueur du *Devoir* et l'un des plus fins observateurs du Québec d'aujourd'hui, me fit récemment la remarque suivante. On fait la promotion du programme ECR, me disait-il, en avançant que nos enfants doivent s'ouvrir aux autres cultures. Fort bien. Mais si on veut, par exemple, les initier sérieusement aux chefs-d'œuvre de la littérature arabe ou indienne, ne faudrait-il pas le faire dans un vrai cours de littérature donné par des gens spécialisés en la matière ? Si on veut les initier à la fascinante histoire de l'islam ou du catholicisme, ne faudrait-il pas le faire dans un vrai cours d'histoire ?

Autrement dit, notait Rioux, si on enlève du programme

ECR tout ce qu'une école digne de ce nom devrait normalement enseigner dans des cours de littérature ou d'histoire ou de géographie solidement conçus, que reste-t-il ?

Il reste une opération d'endoctrinement idéologique visant à imposer dès le jeune âge ce que Rioux appelle « la petite morale officielle du Québec d'aujourd'hui », c'est-à-dire un multiculturalisme canadien à peine mâtiné de loi 101, qui asperge d'eau bénite tout ce qui est « différent », comme si cela était d'une essence supérieure et parce qu'il faut bien être « moderne ».

L'ultime ligne de défense des idéologues multiculturalistes consistera évidemment à dire que nous voyons partout des complots et que l'unique but de ce programme est de former de « bons » citoyens. Qui pourrait bien s'opposer à cela ? Sauf que le « bon » citoyen sera cet enfant devenu adulte pour qui les droits individuels consignés dans la charte formeront le seul et unique horizon de référence et qui ne concevra même plus qu'il y a déjà ici une culture majoritaire forgée par l'histoire qu'on pourrait poser comme tronc central d'une culture publique d'intégration.

Comme le notait avec acidité Joëlle Quérin, après dix ans d'un tel matraquage idéologique, il y a fort à parier que nos enfants ne connaîtront pas grand-chose de l'histoire des religions, mais d'une chose nous pouvons être sûrs : il n'y aura pas un seul « accommodement » qu'ils ne trouveront pas « raisonnable[41] ». Dûment conditionnés, ils qualifieront aussi évidemment, de façon spontanée, toute critique de l'intégrisme islamique d'« islamophobie » et toute critique du chartisme juridique de « fermeture », d'« intolérance » ou de « refus de la modernité ».

Le droit de parler, le devoir de se taire

J'entends d'ici une autre objection. Est-ce que dénoncer les fantasmes idéologiques de l'intelligentsia multiculturaliste équivaut à dire que tout ce qui sort de la bouche du peuple en matière de diversité culturelle est forcément juste ? Bien sûr que non.

Revenons un court instant à la commission Bouchard-Taylor. Il est clair que des dérapages sont inévitables quand on donne la parole à quiconque veut la prendre. Mais, pendant les audiences publiques, les propos carrément racistes et totalement inacceptables y furent très minoritaires.

Cela n'empêcha pas les propagandistes du multiculturalisme à la canadienne de jouer les vierges offensées. Quelques propos déplacés firent dire à ces arbitres de la pensée correcte qu'il n'aurait pas fallu « ouvrir cette boîte de Pandore », qu'ils ne reconnaissent plus « leur » Québec, ou alors ils prenaient un air grave pour nous dire leur « inquiétude ».

On échappe difficilement à l'impression que ce qui les heurtait vraiment, ce n'était pas seulement que le peuple ne disait pas ce qu'ils voulaient entendre, même quand son propos n'avait rien de raciste. C'était le fait même que le peuple prenait la parole, même s'ils ne l'avoueront jamais.

C'est que le peuple, par définition, ne pouvait avoir à dire rien de vraiment intéressant sur ces questions qu'ils ne savaient déjà et que ces graves et délicates questions devaient être laissées aux sages qui s'y connaissent vraiment. Eux-mêmes. Eux seuls détiennent le monopole de la parole autorisée. Eux seuls peuvent vraiment parler.

Ce n'est donc pas seulement que le peuple a tort. C'est qu'il est futile, voire dangereux, de le laisser s'exprimer autrement qu'en votant aux quatre ans. Il devrait se taire ou ne parler que pour se dire d'accord avec eux.

L'épisode du « code de vie » d'Hérouxville, qui faisait effectivement sourire, fut fabuleusement révélateur à cet égard. Au fond, nos élites multiculturalistes furent à la fois confortées et choquées par Hérouxville. Confortées, parce qu'elles y virent un symbole de ce Québec « profond » qu'elles méprisaient d'avance, ce qui renforça davantage leurs convictions. Choquées, parce que le peuple refusait le rôle qu'on lui réserve habituellement : se taire ou ne parler que pour entériner. Impardonnable crime de lèse-majesté intellectuelle.

Il faut dire que, dans la réalité, ici comme ailleurs, le multiculturalisme se divise en deux univers qui ne se fréquentent pas.

D'un côté, le multiculturalisme des privilégiés : les restaurants ethniques, les beaux voyages dans des contrées exotiques et la fréquentation du distingué médecin libanais et de l'intéressant sociologue chilien. Bref, le multiculturalisme de ceux qui ont les moyens de n'en voir que les bons côtés.

D'un autre côté, le multiculturalisme des pauvres dans les centres urbains : ceux qui n'ont pas les moyens de choisir leur lieu de résidence, qui côtoient la violence, la misère, les horizons bouchés, et qui ont le sentiment d'être peu à peu dépossédés du quartier où ils ont grandi.

Un troisième univers social, un peu en retrait, est formé par la population habitant à l'extérieur de la région métropolitaine de Montréal, demeurée généralement plus homogène sur le plan culturel, qui sent bien qu'une bonne part de l'élite intellectuelle la regarde de haut parce qu'elle ne partage pas son enthousiasme devant des mutations auxquelles elle est censée obtempérer sans mot dire.

Devinez qui fait toujours la morale à qui ?

Affirmer notre culture nationale

Le Québec a un pressant besoin de regarder en face certaines réalités. Ce n'est pas diviser les immigrants en bons ou en mauvais que de dire que les immigrants issus jadis de l'Europe ou de l'Amérique latine provenaient de pays dont les us et coutumes avaient beaucoup en commun avec le Québec. Ces bassins de recrutement se sont taris depuis que ces pays offrent aux leurs des raisons de rester chez eux.

Le Québec reçoit aujourd'hui des immigrants qui viennent de pays où prévalent des croyances religieuses et des valeurs, notamment sur la place des femmes dans la société, qui sont très éloignées de celles des Québécois. Des politiques d'intégration qui fonctionnaient bien jadis pour certaines communautés fonctionnent aujourd'hui beaucoup moins bien pour d'autres, dont certaines sont d'ailleurs infiltrées par des intégristes qui misent sur notre tolérance naïve et nos propres lois pour faire avancer un programme politico-religieux qui, lui, n'a rien de tolérant.

Un épisode me revient en mémoire, à propos de la question précise de l'intégrisme religieux.

À l'été 2008, j'écrivis deux articles pour saluer la décision d'un tribunal français ayant refusé la citoyenneté française à une jeune Marocaine qui avait épousé au Maroc un Français d'origine maghrébine[42]. Une fois installée en France, à la demande de son mari, la jeune femme s'était mise à porter le voile intégral (burqa), en plus de vivre dans une réclusion à peu près complète. Comprenez bien : elle ne le faisait pas au Maroc.

Le jugement invoqua son mode de vie « incompatible avec les valeurs essentielles » de la France. La citoyenneté lui avait déjà été refusée en 2004 pour « défaut d'assimilation ». La gauche et la droite se dirent d'accord avec le jugement. Les musulmans modérés également. Affaire classée.

Une telle démonstration de lucidité et de respect de soi, notai-je, est impensable au Canada. Non seulement nos lois interdisent aux tribunaux d'aller dans cette direction, mais l'intelligentsia multiculturaliste se chargerait également de nous dire tout le mal qu'il faut penser des « frileux » qui oseraient suggérer une telle chose chez nous, ou alors elle plaiderait plus subtilement pour la « compréhension ». Et tous ceux qui, dans leur for intérieur, estimeraient cette même chose raisonnable se tairaient.

Dans une superbe illustration du mode de raisonnement de l'idéologie multiculturaliste, on me fit valoir qu'il était bon que le Canada n'emprunte pas cette voie, car une telle attitude des pouvoirs publics nuirait à l'intégration, au lieu de la favoriser. Or le port du voile est lui-même un message qui dit : *je refuse de me joindre à vous*. Il est une façon de nous dire que les valeurs pour lesquelles ont combattu ceux qui ont forgé nos sociétés occidentales sont mauvaises et que l'intégriste entend les combattre après que nous lui aurons ouvert notre porte.

Qu'est-ce que cela m'enlève à moi ? me demanda-t-on aussi. Justement la possibilité d'interagir avec cette femme et donc littéralement de faire société.

Voyez d'ailleurs la perversité de l'argument selon lequel une telle fermeté de la part du législateur maintiendrait cette femme dans l'isolement. La vérité est au contraire que plus nombreuses seront les femmes en burqa qui seront socialement « acceptées », plus fortes seront les pressions s'exerçant sur les femmes musulmanes qui le refusent pour qu'elles rentrent dans le rang. Dans le cas précis que j'évoque, la plus belle illustration des visées politiques derrière le port de la burqa est que la jeune femme ne s'est mise à la porter qu'une fois arrivée en France.

Au passage, on comprend aussi mieux l'hostilité avec laquelle furent accueillis à l'époque, dans le monde intellectuel, les travaux de Charles Tilly ou de Robert Putnam, qui mettaient en lumière le fait que la coopération sociale nécessite la confiance réciproque, et que celles-ci sont évidemment minées quand l'isolement et la non-intégration fragmentent l'espace public et judiciarisent la vie politique, comme c'est particulièrement le cas au Canada[43].

Une autre opinion fort répandue au sein de l'intelligentsia multiculturaliste prétend aussi que les identités nationales sont aujourd'hui en régression ou, si elles ne le sont pas, qu'il serait bon qu'elles le soient. La mondialisation, les progrès de l'éducation, une meilleure connaissance de ceux qui ne sont pas comme nous, le fait que chacun d'entre nous peut être porteur d'identités multiples, tout cela, dit-on, donne naissance à un monde constitué de grands ensembles régionaux et à des sociétés où l'on devra tabler, pour reprendre le cliché, « sur-ce-qui-nous-unit-et-non-ce-qui-nous-distingue ».

Ce n'est pas entièrement faux. Quand on regarde la planète, il est cependant difficile de conclure à un recul des identités nationales. Les forces qui valorisent ce qui distingue les peuples les uns des autres sont au moins aussi grandes que celles qui les poussent à la convergence.

Au lendemain de la Première Guerre mondiale, il y avait vingt-trois pays en Europe. Il y en a aujourd'hui cinquante. Et, après les Kosovars qui n'avaient aucune envie d'être serbes, voici que les Ossètes et les Abkhazes n'ont aucune envie de rester géorgiens. Les Basques, les Catalans, les Écossais, les Wallons, les Flamands et des dizaines d'autres dans l'ex-URSS, sur d'autres continents aussi, s'obstinent également à vouloir rester eux-mêmes, voire à penser qu'avoir leur propre État n'est peut-être pas une idée folle ou dépassée.

Le sentiment national demeure increvable, et il sera, à l'évidence, que cela plaise ou non, l'une des forces motrices du monde de demain. Et c'est quand on force la cohabitation de gens qui ne se sentent rien en commun qu'on court au-devant de graves troubles sociaux.

L'Union européenne, qui a du bon et du moins bon, est souvent citée à titre d'exemple le plus avancé de cette évolution vers un monde où les identités nationales seront moins importantes. Mais il est fascinant de voir à quel point elle est, pour l'essentiel, un dada des politiciens, des fonctionnaires, des journalistes et des intellectuels. Ceux-ci sont évidemment persuadés de savoir ce qui est bon pour le peuple, qui, lui, se sent plus profondément français, allemand ou italien que jamais.

Ce n'est pourtant pas faute d'efforts déployés pour le convertir : on me faisait remarquer que l'Europe est partout tapissée de drapeaux européens que personne ne salue et qu'elle s'est dotée d'un hymne que personne ne fredonne. Ironie suprême, la capitale européenne, Bruxelles, est en plein cœur d'un pays, la Belgique, au bord de l'éclatement.

Certes, le sentiment national évolue et se transforme. Une nation n'est jamais figée. Être québécois ne signifie pas la même chose aujourd'hui que jadis et signifiera autre chose dans le futur. Personne dans le Québec d'aujourd'hui ne propose sérieusement d'arrêter le temps ou de revenir à un Québec presque entièrement blanc, catholique et francophone. La vitalité d'une nation ne réside pas dans la protection d'une pureté originale qui n'a jamais vraiment existé de toute façon, mais dans sa capacité d'intégration autour de valeurs communes.

Mais, pour être fortes, ces valeurs doivent être ancrées dans l'histoire et la culture de la société d'accueil, dans son passé, dans son présent et dans l'avenir qu'elle souhaite se dessiner. Si on veut sérieusement faire ce pont entre la tradition et la modernité, il est parfaitement utopique de penser que des principes juridiques abstraits faisant la part belle aux droits individuels suffiront à cimenter un vivre-ensemble fraternel et une authentique communauté nationale.

Au Québec, toute la confusion actuelle est aussi en partie l'une des conséquences de l'ignorance abyssale de notre propre histoire dans laquelle s'enfonce peu à peu notre société. Non seulement alors nous nous enlevons notre principale raison d'être fiers de ce que nous sommes, mais nous nous privons aussi des seuls points de repère qui permettent à une société de déterminer à partir de quoi et jusqu'où elle peut s'ouvrir à la diversité. Les immigrants eux-mêmes ne savent plus dès lors à quoi ils sont invités à se joindre et ils restent repliés sur leurs droits individuels et leurs communautés d'origine.

La vérité est que, partout en Occident, le modèle multiculturaliste de gestion de la diversité est en crise. Les Québécois sont évidemment loin d'être parfaits mais, si on regarde les abominables dérapages survenus ailleurs, ils n'ont pas, globalement, à avoir honte d'eux-mêmes ni à recevoir de quiconque de continuelles leçons d'ouverture et de tolérance.

Il y a certes de la xénophobie et du racisme au Québec, mais j'attends encore qu'on me montre une société ouverte à l'immigration où il y en a moins qu'ici. Depuis quatre cents ans, les francophones du Québec accueillent avec une admirable générosité des étrangers et acceptent aussi que des communautés établies ici depuis longtemps, comme les juifs hassidiques, puissent préserver certaines coutumes ancestrales.

Ce n'est pas la diversité ethnique en soi qui est un problème dans le Québec d'aujourd'hui. C'est d'abord notre réticence à affirmer qu'il est parfaitement normal que la majorité francophone du Québec soit attachée à ses traditions et à ses valeurs et que les règles de notre vie collective en soient largement le reflet. Encore faut-il que cette majorité s'affranchisse d'un certain nombre d'équivoques, qu'elle affirme intégralement son identité nationale tout en tendant la main à quiconque s'en sentira solidaire et qu'elle se respecte elle-même si elle veut être respectée par autrui.

Et s'il ne faut pas inventer de toutes pièces une nouvelle culture publique, c'est parce que nous en avons déjà une, issue d'une communauté d'histoire et de mémoire, qu'elle vaut la peine d'être défendue, qu'elle n'est pas figée et se renouvelle d'elle-même continuellement, et que c'est plutôt aux nouveaux arrivants et aux nouvelles générations de s'y joindre, en nous assurant, pour notre part, qu'elle est connue, protégée et transmise correctement.

4

Vraiment maîtres chez nous

Nous ne nous sentons pas opprimés parce que nous ne nous sentons pas comme peuple.

FRANÇOIS-ALBERT ANGERS

Une réflexion sérieuse sur la condition québécoise actuelle ne peut faire fi de la question qui détermine le partage des eaux dans notre société depuis environ quarante ans : celle du statut politique du Québec.

C'est en fonction d'elle que se définissent d'abord et avant tout nos principaux partis politiques. C'est elle qui revient toujours hanter ceux qui voudraient pouvoir faire comme si elle n'existait pas. C'est elle encore qui permet le décodage des prises de position de tel ou tel acteur dans nombre de questions qui ne lui semblent pas directement liées.

Indiscutablement, le mouvement souverainiste fait du surplace depuis des années. Beaucoup de ses partisans se demandent si la souveraineté du Québec adviendra un jour. Certains se questionnent même à voix haute : est-ce que se cramponner à un idéal dont les chances d'aboutir, pensent-ils, vont en décroissant ne finit pas par devenir un déni du réel qui serait contreproductif[1] ? Les souverainistes qui pensent, ou font semblant de penser, que tout va bien passent pour des gens qui entretiennent un étrange rapport avec la réalité. Sentant cette situation, qui sert évidemment leur position, des fédéralistes y vont d'appels doucereux à déposer les armes[2].

Depuis le temps, on doit avoir compris où je loge. Je continue de penser que le mouvement souverainiste peut reprendre sa marche en avant et, peut-être, triompher un jour, à la triple condition de bien lire la situation, de faire les bons choix et de s'y tenir, et de savoir aussi saisir les occasions. On ne trouvera cependant pas ici de considérations d'ordre tactique, celles-ci devant toujours découler selon moi d'une appréciation de la conjoncture.

Commençons par quelques constats qui crèvent les yeux.

L'idée de la souveraineté reste puissante. Elle est appuyée *grosso modo* par quatre Québécois sur dix et par la moitié des francophones. Ce niveau d'appui varie évidemment de quelques points selon l'humeur du moment et selon que la question posée par le sondeur fait référence (ou non) à un éventuel partenariat avec le Canada.

L'essentiel, ici, est que cet appui ne progresse guère depuis 1995. Le niveau global du soutien donné à l'idée de la souveraineté masque aussi qu'il y a des souverainistes indéfectibles et d'autres plus volages, qui se contenteraient sans doute d'un statut particulier pour le Québec au sein du Canada.

L'actuelle direction du Parti québécois n'insiste pas sur la tenue à brève échéance d'un référendum sur la souveraineté. Cette inflexion fut d'ailleurs généralement bien accueillie quand elle fut annoncée.

Beaucoup de souverainistes, sans renier leur conviction, ne se sentent plus obligés de voter pour le parti politique qui, pour l'essentiel, porte ce projet depuis plus de quarante ans. Parvenu à maturité, le PQ est désormais largement perçu comme un parti « traditionnel », installé dans une dynamique presque institutionnalisée d'alternance au pouvoir avec le PLQ, que l'ADQ ne semble pas avoir réussi à rompre. Cette configuration est-elle temporaire ou permanente ? Nul ne le sait.

L'autre parti souverainiste, le Bloc québécois, engrange des succès électoraux répétés sur la scène fédérale. Il offre aussi d'intéressantes possibilités d'action pour les souverainistes et pour quiconque se soucie de l'affirmation politique du Québec. Mais cela n'a pas un effet d'entraînement direct et mesurable sur l'appui à la souveraineté.

La grande coalition construite par les leaders souverainistes au milieu des années 1990 s'est sérieusement effilochée. Le projet n'a plus beaucoup d'appuis déclarés hors des frontières du Québec. Les jeunes semblent majoritairement bien disposés à l'endroit de la souveraineté, mais ils militent assez peu en sa faveur. Dans les milieux universitaires, il y a longtemps que la question nationale du Québec a cessé d'inspirer de solides travaux : s'y consacrer, c'est se condamner à la marginalité académique.

La crise économique engendre aussi, naturellement, des préoccupations plus immédiates et n'offre pas un contexte très propice aux débats sur le statut politique du Québec. Ce piétinement du projet souverainiste est d'autant plus fâcheux qu'il survient à un moment où l'option rivale — le maintien du Québec au sein du Canada — n'a jamais été aussi piètrement présentée et défendue, autant à Québec qu'à Ottawa.

Tout cela est fort déplaisant pour un souverainiste, mais ce n'est pas non plus sérieusement contestable.

La souveraineté est-elle une idée en déclin ?

C'est évidemment la première question en importance. Les adversaires de la souveraineté prophétisent d'ailleurs son déclin irrémédiable à intervalles réguliers. On laisse souvent entendre que l'évolution démographique prévisible du Québec — vieillissement, dénatalité, immigration — joue contre la souveraineté. On peut conjecturer à l'infini. Mais que savons-nous d'absolument incontestable ?

Les sociologues Gilles Gagné et Simon Langlois ont établi sans l'ombre d'un doute les faits suivants :

• De 1995 à 2005, environ 600 000 personnes sont décédées au Québec, dont 85 % avaient plus de 60 ans, ce qui signifie que 500 000 électeurs âgés qui ont voté lors du référendum de 1995 ne voteront plus lors d'un éventuel nouveau référendum.
• En 2005, on a dénombré 912 000 nouveaux électeurs nés entre 1978 et 1987 qui auront le droit de voter lors d'un prochain référendum mais qui n'ont pas voté en 1995.
• En 2010, un autre groupe de 500 000 électeurs, nés entre 1988 et 1992, s'y ajoutera, pour un total d'un peu moins d'un million et demi de nouveaux électeurs (nouveaux par rapport au bassin électoral de 1995), en plus des immigrants qui auront acquis le droit de vote.

Bref, s'il est vrai que l'appui à la souveraineté reste à un niveau de force qui ne bouge guère, dans les faits, le bassin électoral n'est aujourd'hui pas du tout composé des mêmes électeurs qu'en 1995. La stabilité relative du niveau d'appui global donne une fausse impression de congélation : en réalité, l'électorat se renouvelle en profondeur. Un débat que les électeurs plus âgés peuvent trouver lassant et répétitif est donc un débat neuf pour les nouvelles cohortes d'électeurs : qui peut présumer de ce qu'ils décideront ?

Gagné et Langlois mettent aussi en relief quatre autres observations cruciales pour la suite des choses :

• Le score impressionnant du Oui au référendum de 1995 s'explique par la très puissante mobilisation en sa faveur de la classe moyenne francophone qui était active sur le marché du travail. Règle générale, le projet souverainiste était appuyé en 1995 par des gens autonomes, responsables d'eux-mêmes, confiants, donc capables de se projeter dans l'avenir.
• À l'inverse, les très riches ne veulent pas, en majorité, changer le statu quo et les très pauvres vivent dans une précarité si quotidienne qu'elle les empêche d'imaginer un autre futur.
• À la fin de la campagne référendaire de 1995, les femmes dans

ce groupe « porteur » de la souveraineté (les francophones actifs âgés de 18 à 54 ans) ont voté pour le Oui dans une proportion presque égale à celle des hommes.

• Les catégories démographiques qui « portent » le projet souverainiste sont cependant les plus « capricieuses », celles dont la mobilisation et la démobilisation montrent la plus grande amplitude : elles se mobilisent massivement quand elles y croient, mais elles « boudent » aussi massivement quand elles n'y croient pas ou qu'elles sont mécontentes[3].

Autrement dit, rien n'est joué. L'avenir reste ouvert. Il n'y a pas moyen de prédire avec assurance si le projet souverainiste triomphera un jour ou s'il échouera. Si la lassitude ou le découragement est certes compréhensible, ceux qui croient à ce projet n'ont cependant aucune raison logique d'y renoncer.

Pourquoi le projet souverainiste fait-il du surplace ?

C'est évidemment la deuxième question en importance. Logiquement, le mouvement souverainiste ne pourra en effet reprendre sa marche vers l'avant s'il ne comprend pas les causes de ses difficultés actuelles, à moins qu'un très improbable concours de circonstances ne vienne tout chambouler.

Toute une gamme d'explications peuvent ici être invoquées. On fait souvent grand cas de raisons réelles, mais largement conjoncturelles : erreurs stratégiques des souverainistes depuis le dernier référendum, mécontentement à l'endroit des décisions prises par les gouvernements péquistes, riposte efficace des forces fédéralistes depuis 1995, en particulier celle qu'a orchestrée le tandem Chrétien-Dion, désir de « passer à autre chose », etc.

Ces explications contiennent toutes leur part de vérité, mais d'autres raisons plus profondes, moins conjoncturelles, doivent aussi, selon moi, être prises en compte. J'en évoque rapidement quelques-unes.

Il y a d'abord le fait indéniable que le Québec a réussi à se moderniser et à prospérer à l'intérieur du système politique canadien. À mon avis, ce fut en dépit du régime plutôt que grâce à lui, même si, indiscutablement, nombre de Québécois travaillèrent de bonne foi à l'affirmation du Québec sur la scène fédérale. Mais le fait est là : en dépit de toutes ses tribulations, le Québec a progressé au sein du Canada. La conséquence en est que la souveraineté apparaît à beaucoup de Québécois comme possible, peut-être même souhaitable, mais pas absolument nécessaire. D'où une volonté, une mobilisation, un engagement insuffisants.

La deuxième raison du piétinement du projet souverainiste tient au calme plat qui règne sur le front constitutionnel. Il est en effet raisonnable de penser que, tant qu'il n'y aura pas un blocage du fédéralisme semblable à celui qui a eu lieu au début des années 1990, la souveraineté ne s'imposera pas comme une *nécessité* : elle restera une *option* parmi d'autres, traînant le handicap d'être la plus engageante et la plus exigeante de toutes. Les forces fédéralistes l'ont parfaitement compris, et c'est pour cela qu'il n'y aura aucun mouvement significatif sur le front constitutionnel. Du point de vue souverainiste, le problème est qu'on peut bien souffler sur les braises, fondamentalement, les crises ne se commandent pas.

Qu'un renouvellement en profondeur du fédéralisme canadien soit une impossibilité, ce que même des fédéralistes québécois reconnaissent, ne semble d'ailleurs pas troubler outre mesure la majorité de nos concitoyens. On peut certes estimer que le mouvement souverainiste devrait être plus actif, plus motivant, plus ceci ou plus cela, mais il faut aussi prendre acte des dispositions d'esprit actuelles de notre peuple.

Un troisième problème tient, à mon avis, à l'évolution du discours souverainiste depuis une quinzaine d'années. Le soir du référendum de 1995, on s'en rappelle, submergé par l'amertume, Jacques Parizeau échappa des mots malheureux que toute sa vie contredit. Il utilisa le mot « Nous » et les mots « des votes ethniques » d'une façon et dans un contexte qui donnaient à penser que les seuls bons Québécois étaient les souverainistes qui avaient voté pour le Oui. Et ce, même si absolument rien — j'insiste, pour une fois —, dans les quarante années de vie publique de cet homme exceptionnel, n'indiquait qu'il ait jamais été habité par la xénophobie.

Il demeure que les adversaires de la souveraineté s'emparèrent de ces mots et les exhibèrent devant le monde entier comme une preuve supposée du caractère xénophobe et cryptoraciste du mouvement souverainiste. Progressivement, ils réussirent à accréditer le sentiment qu'il serait un peu coupable, parce que suspect de dérapage ethnique, d'affirmer le caractère fondamentalement identitaire et culturel du combat souverainiste, ce que ses partisans assumaient pourtant sereinement (dans l'ensemble) depuis les débuts du mouvement souverainiste contemporain.

Désormais tétanisés par la crainte d'être taxés de racisme, les leaders souverainistes entreprirent alors d'aseptiser, de javelliser leur discours, de le « dénationaliser ». On ne disait plus que du bout des lèvres que l'idée de la souveraineté était portée, pour l'essentiel, par une nation francophone ouverte et accueillante, mais qui ne craignait pas d'affirmer fièrement son identité culturelle.

Les leaders souverainistes poussèrent tellement loin l'aseptisation de leur discours qu'ils s'enfoncèrent dans leur propre version du multiculturalisme à la canadienne. On vit alors apparaître cette étrange créature qu'était le nationalisme intégralement *civique,* dont le seul trait distinctif relié à l'histoire du Québec était la langue française, construction généreuse mais parfaitement désincarnée, donc incapable de mobiliser, où les bons sentiments et l'eau bénite de la rectitude politique prenaient toute la place.

La direction du Bloc québécois, par exemple, voulut gommer de son programme politique le fait que les Canadiens français avaient jadis été un des deux peuples fondateurs du Canada[4]. Les souverainistes devaient, nous expliquait-on, « s'ouvrir ». Sous-entendu : ils étaient « fermés ». L'admission venait d'en haut. Des

artistes prirent alors leurs distances : l'homme de théâtre Robert
Lepage, le dramaturge Michel Tremblay, entre autres, confièrent
qu'ils ne s'y retrouvaient plus.

Puis arriva la controverse sur les accommodements raisonnables. Lorsque Mario Dumont s'interrogea à voix haute
sur les droits de la majorité devant les revendications de certains groupes religieux, un souverainiste aussi indiscutable que
Michel Venne le somma de se taire[5]. Dumont, selon lui, attisait
les braises de l'intolérance. Il jouait un jeu dangereux. Il flirtait
avec l'indicible.

Le chef du PQ à ce moment-là, André Boisclair, affirma
même que le trouble provoqué chez la majorité par les revendications religieuses des groupes minoritaires n'avait « rien à voir »
avec l'identité québécoise. Sa position là-dessus, trancha-t-il, était
« solide comme le roc[6] ». Je pourrais multiplier les exemples,
mais on aura compris à quoi je fais référence.

Avec beaucoup de finesse, l'historien Éric Bédard a noté que
ce souverainisme postréférendaire, obsédé par le besoin d'être
« moderne », coupé de ses fondements historiques, n'évoquant
que du bout des lèvres le passé, la culture, les traits distinctifs des
francophones de souche, était le frère jumeau de l'idéologie trudeauiste.

Les deux conçoivent la société comme une somme de petits
contrats conclus entre nos institutions et des citoyens retranchés
derrière leurs droits individuels et protégés par leurs chartes. Les
deux considèrent toute référence aux combats du passé, à la
mémoire, à un héritage culturel à protéger, comme un repli sur
soi, une nostalgie, un tribalisme antimoderne et certainement
pas *branché*[7].

Coupé des moteurs qui lui avaient jusque-là donné sa charge
émotive, le projet souverainiste devint alors une sorte de conte-
nant sans contenu, une cause à la recherche de sa justification.
Autrement dit, son piétinement trouvait certes sa source première dans l'immense déception de 1995, mais son évolution
postréférendaire y était aussi pour beaucoup. Chose sûre, le sou-

verainisme se nourrissait désormais moins de son dynamisme propre que de la faiblesse ou des scandales du camp adverse.

Comprenons-nous bien : qu'il faille périodiquement rafraîchir l'argumentaire souverainiste va de soi. Mais cette opération a souvent pris l'allure, ces dernières années, d'ajouts successifs qui, comme des couches de peinture superposées, finissent par faire perdre de vue les raisons fortes du projet original. Toujours, bien sûr, afin de le mettre à l'abri des accusations de fermeture et d'intolérance.

Il faudrait dorénavant, a-t-on entendu, faire la souveraineté pour des raisons fiscales, administratives ou même écologiques. Ce n'est certes pas entièrement faux. Petit problème, cependant : ailleurs dans le monde, ce n'est jamais pour ce genre de raisons secondaires que les peuples acceptent de prendre ce risque calculé qu'est l'accession à l'indépendance.

Une quatrième explication plausible du piétinement actuel du mouvement souverainiste réside dans la thèse dite de « la république des satisfaits ». On la doit, encore une fois, à Gagné et Langlois. Je vous préviens : elle ne fait pas plaisir à entendre[8].

Le mouvement souverainiste moderne et son principal véhicule politique, le Parti québécois, disent-ils, ont été mis au monde par une génération de leaders nés, pour la plupart, avant la Seconde Guerre mondiale : René Lévesque, Jacques Parizeau, Bernard Landry. Lucien Bouchard, qui s'y est joint plus tard, appartient aussi à cette génération.

Une autre génération, celle des baby-boomers nés dans l'immédiate après-guerre, a aussi puissamment contribué à donner au Parti québécois sa personnalité et sa culture. Tous les chefs de ce parti, sauf André Boisclair, sont issus de ces deux premières générations.

La troisième génération péquiste, celle qui a moins de cinquante ans, et encore plus cette quatrième vague de jeunes qui sont aujourd'hui dans la trentaine ou la vingtaine, n'ont pas joué un grand rôle dans la construction de l'identité de ce parti.

La génération fondatrice quitte peu à peu le devant de la

scène. La colonne vertébrale de ce parti, notent Gagné et Langlois, est désormais constituée par la deuxième génération, celle des gens nés entre 1945 et, disons, le début des années 1960.

Or, cette génération née après 1945, qui est démographiquement dominante dans la société québécoise, est aussi celle qui a le plus profité de la construction de l'État québécois moderne et du modèle québécois. L'élite de cette génération de baby-boomers est aujourd'hui solidement installée dans des positions sociales relativement enviables : syndiqués du secteur public jouissant de la sécurité d'emploi, fonctionnaires ou dirigeants de sociétés d'État, cadres dans les entreprises du *Québec inc.,* cadres dans le réseau de la santé ou de l'éducation, professeurs d'université ou de cégep, etc.

Ce n'est évidemment pas un reproche, s'empressent d'ajouter Gagné et Langlois. On ne les blâmera certainement pas, bien au contraire, d'avoir réussi personnellement, ni même d'avoir contribué puissamment à faire du Québec ce qu'il est aujourd'hui.

Gagné et Langlois ont tout de même l'outrecuidance de poser la question suivante : se pourrait-il, quand on a soi-même « réussi » et qu'on tient très légitimement à protéger ce que l'on a, qu'on se soucie beaucoup de ses acquis, de sa sécurité… et qu'on ressente alors un peu moins l'urgence, la fébrilité, le goût de se battre pour une cause aussi engageante que celle de faire l'indépendance ?

Ce n'est pas du tout que ces gens n'y croient plus, précisent Gagné et Langlois, ou qu'ils n'estiment plus la souveraineté désirable. C'est simplement qu'ils n'ont plus envie de consacrer des milliers d'heures à un engagement bénévole souvent pénible. On ne renie rien, mais on s'assagit. Le mouvement manque alors de combustible et la flamme brûle moins fort.

J'ouvre ici une parenthèse personnelle : dans cette cohorte d'âge, une minorité de souverainistes, angoissés à l'idée de ne pas voir leur rêve aboutir de leur vivant, veulent au contraire hâter les choses et versent souvent dans un radicalisme déconnecté du réel. Le camp souverainiste se trouve alors doublement perdant : beaucoup y croient, mais n'y travaillent plus concrètement, et d'autres y croient et y travaillent, mais d'une façon qui ne convainc pas du tout ceux qu'il faut absolument rallier à la cause et même qui les éloigne.

Revenons à Gagné et Langlois. Si on accepte un instant de considérer leur insolente hypothèse, celle-ci aide certainement à éclairer des phénomènes que nul ne peut nier : comme l'ardeur et le goût de se battre seraient moindres, on comprend mieux, par exemple, pourquoi les souverainistes se parlent surtout entre eux, au lieu d'aller combattre les fédéralistes ou convaincre les indécis, ce qui est évidemment beaucoup plus exigeant.

Par ailleurs, comme ces souverainistes, tout en ne voulant plus consacrer autant d'efforts que jadis au militantisme, désirent et espèrent encore autant la souveraineté, ils font dès lors tout reposer sur le chef, qui, du coup, « ne-parle-pas-assez-de-souveraineté ». Et quand l'appui à la souveraineté piétine, les militants s'en prennent souvent à leurs propres dirigeants, puisqu'ils ont mis sur les seules épaules de ces derniers la charge de faire advenir la souveraineté. D'où les turbulences internes qui secouent périodiquement la famille souverainiste.

Bref, pour reprendre une expression connue, beaucoup de souverainistes ne seraient-ils pas désormais souverainistes comme ils se disent catholiques ? Ils croient mais ne pratiquent plus, dans le sens qu'ils ne consacrent plus le gros de leur énergie à convaincre. Tout mouvement carbure à l'énergie. Or cette énergie est certes renouvelable, mais elle n'est pas nécessairement inépuisable.

Le mouvement souverainiste serait donc en quelque sorte, selon Langlois et Gagné, victime des succès collectifs du Québec moderne et des succès individuels de ceux qui l'ont porté depuis le début. C'est en ce sens qu'il aurait accouché de ce qu'ils appellent très durement une « république des satisfaits » : *si la souveraineté se fait, tant mieux, sinon, nous aurons quand même vécu une belle vie.*

Il y a plus encore. Le mouvement souverainiste fait aussi du surplace parce qu'il est touché par la désaffection qui plombe aujourd'hui tous les projets politiques collectifs dans les sociétés modernes.

Pour être réalisée, la souveraineté nécessite en effet une fabuleuse mobilisation collective. Il faut que des millions d'individus croient qu'il existe quelque chose de plus grand qu'eux-mêmes, qui mérite des efforts, un don de soi, des sacrifices, un pari collectif, un saut dans un avenir qui n'est pas écrit d'avance. Il faut croire au politique comme tel, croire à l'engagement dans l'espace public, croire à un destin collectif.

Tout l'Occident est cependant traversé par une montée de l'individualisme, des corporatismes identitaires et par une dévalorisation de la politique, qui minent les mobilisations collectives durables. Cette dévalorisation affecte évidemment beaucoup plus les mouvements porteurs d'un désir de faire des changements profonds, comme celui de construire un nouveau pays, que les partis politiques qui ont pour vocation essentielle de seulement conquérir le pouvoir et s'y maintenir, comme le PLQ.

Ceux qui ont gardé le goût de l'engagement préféreront alors se mobiliser pour des causes qui sont davantage dans l'air du temps, comme l'altermondialisme ou l'écologisme, ou pour des causes plus locales, qui leur donnent une plus grande prise sur leur déroulement — siéger au conseil d'administration d'un CPE ou au conseil d'établissement d'une école — et où le risque de déception est moindre.

Ce déclin du goût de l'engagement militant pour une cause comme la question nationale est-il passager ou durable ? Impossible de répondre avec certitude.

Je risque enfin une dernière explication des difficultés du mouvement souverainiste, qui s'ajoute aux explications précédentes et que j'ai déjà évoquée dans un autre ouvrage[9].

Dans l'histoire de l'humanité, des centaines de peuples ont lutté pour leur souveraineté politique. Beaucoup ont triomphé, beaucoup ont échoué. Des millions d'êtres humains ont accepté de mourir pour cette idée. La peur, les persécutions, le chantage, la remise en cause de leurs capacités, tout cela leur fut servi. Et pourtant, nombre d'entre eux ont persévéré et fini par prévaloir.

Nous sommes cependant un cas tout à fait unique. J'avoue ne pas connaître d'autre exemple d'un peuple qui aurait pu librement, pacifiquement, sans verser une goutte de sang, devenir souverain et qui, non pas une, mais deux fois, a choisi de rester une minorité entretenue et dépendante et de continuer à obéir aux lois votées par un autre peuple qui s'impose à lui par la force du nombre. Nous sommes passés d'une dépendance qui nous fut jadis imposée par les armes à une dépendance à laquelle nous consentons volontairement nous-mêmes, à une subordination auto-imposée.

Or, quand on observe attentivement le parcours de beaucoup de ces peuples parvenus à l'indépendance politique, on remarque qu'ils avaient été libres avant d'être conquis. Avant leur subordination, ils avaient goûté à la liberté. Ils savaient ce que c'était. Les Irlandais, par exemple, pendant qu'ils luttaient pour reconquérir cette liberté volée, ont toujours gardé vivant le douloureux souvenir de ce qu'on leur avait enlevé.

Les Québécois, eux, ont toujours vu leur destin contrôlé de l'extérieur par d'autres : colonie française gouvernée à partir de la métropole française, puis colonie britannique gouvernée à partir de Londres et aujourd'hui minorité culturelle au sein du Canada. Au fond, les francophones d'ici ne se sont jamais pleinement gouvernés eux-mêmes. Un Canadien français pouvait certes devenir premier ministre du Canada s'il faisait l'affaire de la majorité anglaise, mais la collectivité nationale canadienne-française ou québécoise, elle, n'a jamais connu l'autodétermination. Nous n'avons jamais vraiment été totalement *maîtres chez nous*.

D'où mon hypothèse en forme de question : peut-on pleinement apprécier la vraie valeur de ce que l'on n'a jamais expérimenté ? Comment désirer passionnément la liberté si on ne sait pas *vraiment* ce que c'est parce qu'on ne l'a jamais *vraiment* connue ?

Quel avenir pour le Parti québécois ?

Une réflexion sérieuse sur l'avenir du projet souverainiste ne peut non plus faire l'économie d'un examen du principal véhicule que les souverainistes se sont donné pour y parvenir, qui est le Parti québécois. Il se trouve que celui-ci fait face à un insidieux problème, bien vu par le politologue Denis Monière[10].

Depuis que le Parti québécois existe, il a toujours essayé de concilier deux dimensions. D'une part, il s'est toujours voulu le fer de lance d'un mouvement social, avec des relais puissants dans la société civile, qui voulait sortir le Québec du Canada. D'autre part, il se voyait aussi comme un parti politique qui visait à prendre le pouvoir pour gouverner une province, l'administrer correctement et utiliser les leviers de l'État pour faire advenir la souveraineté.

Il est devenu aujourd'hui extrêmement difficile, explique Monière, de continuer à concilier ces deux dimensions.

Le Parti québécois a gouverné pendant dix-huit des trente-quatre dernières années. Il a indiscutablement fait la preuve que des souverainistes étaient capables de gouverner un État avec compétence et pouvaient donc, très raisonnablement, se faire confier les destinées d'un pays complet et reconnu. Le PQ doit aussi, bien sûr, prendre le pouvoir afin de tenir un référendum, étape absolument incontournable pour espérer faire la souveraineté.

Mais il est établi maintenant que s'installer durablement au pouvoir ne fait pas grimper l'appui à la souveraineté. Plus il s'active à promouvoir la souveraineté après son accession au pouvoir, plus chaque décision gouvernementale est perçue comme une « astuce » visant à faire mousser l'appui à la souveraineté et à mettre la table pour un référendum. Pire, plus le PQ gouverne, plus il mécontente inévitablement des gens dont l'appui lui est nécessaire pour faire la souveraineté.

Plus pervers encore, plus il gouverne convenablement à l'intérieur du Canada, plus le PQ fait la « démonstration », aux yeux de bien des Québécois, que la souveraineté est peut-être souhaitable, mais pas absolument nécessaire, et que le cadre fédéral, pour encombrant qu'il puisse être parfois, n'est pas un obstacle au développement du Québec. Chaque avancée qu'un gouvernement souverainiste fait faire au Québec à l'intérieur du Canada est récupérée par les fédéralistes pour illustrer la supposée « souplesse » du fédéralisme canadien. Stéphane Dion lui-même n'a-t-il pas souvent dit que la loi 101 était une « grande loi canadienne » ?

Paradoxe suprême, donc : chaque grande réforme faite par les souverainistes aux commandes d'un gouvernement provincial et chaque séjour au pouvoir avec un bilan relativement positif deviennent autant d'arguments fédéralistes qui illustrent les merveilleuses possibilités du Québec au sein du Canada… alors que chaque encoche mal taillée des souverainistes au gouvernement — l'affaire de la Gaspésia, les fusions municipales, les départs à la retraite dans le secteur de la santé — est retournée contre eux pour mettre en doute leur compétence ou leur bonne foi. Pile, les fédéralistes gagnent, face, les souverainistes perdent.

Bref, plus de trente ans après l'introduction de la stratégie dite du « bon gouvernement », qui consistait à poser que la gouvernance compétente d'un État provincial par des souverainistes donnerait au peuple davantage le goût de la souveraineté, il est devenu indéniable que cette démarche est beaucoup moins féconde qu'auparavant.

Il est cependant difficile, avouons-le, de concevoir une solution réellement satisfaisante à ce dilemme : d'une part, parce qu'il faut obligatoirement qu'un parti souverainiste gagne une élection pour pouvoir organiser un référendum et, d'autre part, parce qu'il est difficile d'imaginer que les Québécois voteraient en grand nombre pour un PQ qui annoncerait à l'avance que, en cas de victoire électorale, il refuserait de gouverner une province.

De toute façon, j'en suis persuadé, les Québécois ont compris depuis longtemps qu'on ne fera pas l'indépendance sans un effort collectif herculéen, sans une puissante envie de nous dépasser collectivement, sans courage ni abnégation, sans en appeler aux raisons authentiquement fortes que sont le sentiment national, la volonté de durer, le désir de s'émanciper, la fierté et le respect de soi.

Face à un peuple beaucoup plus futé que ne le pense une bonne partie de l'élite souverainiste, la minimisation de l'ampleur de la tâche, le réflexe de séduire plutôt que de convaincre, la peur, au fond, de placer le peuple devant ses responsabilités, les publicités *cute* et les slogans de marketing pendant les cinq semaines d'une campagne référendaire ne suffiront jamais, jamais, jamais.

Il faut aussi regarder froidement les résultats électoraux du PQ depuis 1994. Ceux-ci s'inscrivent dans une tendance marquée vers le bas : 44,75 % en 1994, 42,87 % en 1998, 33,24 % en 2003, 28,35 % en 2007.

La glissade fut certes stoppée lors des élections du 8 décembre 2008. Mais on notera que le PQ n'y récolta que 16 205 votes de plus qu'aux élections de 2007, où il avait obtenu son pire résultat en plus de trente ans, et que la remontée du vote de 28,35 % à 35,17 % tient largement à la distorsion introduite par l'effondrement historique du taux de participation à 57,43 %. On peut désormais être un souverainiste non péquiste sans que cela semble incongru, en logeant à l'ADQ ou chez Québec solidaire ou tout simplement en s'abstenant.

Comment expliquer cette érosion progressive de l'appui populaire au PQ ? Je risque une explication.

Le PQ s'est voulu, dès ses débuts, une coalition d'électeurs et de militants très large, donc très hétérogène. Pour dire les choses rapidement, cette coalition a été d'autant plus large que tous ceux qui la composaient trouvaient que les progrès rapides du projet souverainiste justifiaient (et facilitaient) les compromis que chacun devait faire sur les autres enjeux, comme les questions économiques et sociales. Désormais, comme la souveraineté ne semble pas se rapprocher rapidement, plusieurs électeurs souverainistes décrochent du jeu politique ou préfèrent soutenir des petits partis qui sont plus près de leurs vues sur ces autres enjeux.

Bien sûr, s'il y avait un référendum, ces souverainistes qui ont pris leurs distances du PQ voteraient sans doute pour le Oui. Dans la conjoncture actuelle, il n'est cependant pas évident du tout que le PQ pourrait prendre le pouvoir avec un score suffisamment robuste pour espérer raisonnablement tenir un référendum peu de temps après son élection. On se rappellera que, même après la victoire remportée en 1994 avec un impressionnant score de 44,75 %, peu de gens, y compris parmi ses plus fidèles compagnons, croyaient que Jacques Parizeau oserait tenir un référendum douze mois plus tard.

De plus, parmi ceux qui demeurent au PQ, beaucoup ont la manie contre-productive, parce qu'ils cherchent désespérément des façons de relancer la marche en avant, de s'égarer dans de byzantines discussions sur la mécanique de l'accession à la souveraineté, qui n'intéressent qu'eux-mêmes. Cela finit par projeter l'image d'une formation en proie à une sorte d'autisme politique.

D'autres encore persistent à vouloir définir dans les moindres détails ou à vouloir ancrer *a priori* à gauche un futur pays du Québec, ce qui est évidemment une négation de la démocratie. Un Québec souverain sera tout simplement ce qu'en décidera la démocratie québécoise en action, une fois réglée la question nationale.

La conclusion me semble incontournable : si le PQ aspire sérieusement à autre chose qu'à prendre le pouvoir pour les mauvaises raisons, c'est-à-dire pour exercer un pouvoir provincial de plus en plus évanescent, il doit absolument redevenir une large coalition rassemblant des gens de gauche et de droite. Cela implique forcément qu'il fasse de l'*intérêt national* du Québec, et non de l'axe gauche-droite, sa grille d'analyse primordiale.

Évidence, me dira-t-on. Pas du tout, répondrai-je, si on examine plusieurs de ses prises de position sur les enjeux qui opposaient « lucides » et « solidaires », la hausse des seuils d'immigration alors qu'il déplore du même coup la non-intégration de beaucoup d'immigrants déjà parmi nous, le cours Éthique et culture religieuse, qui n'est pas du tout ce qu'il prétend être, la funeste réforme de l'éducation qui se déploie depuis des années ou encore l'appui donné au Bloc québécois lorsque celui-ci envisagea de faire accéder Stéphane Dion (Stéphane Dion !) à la fonction de premier ministre du Canada.

Mettre au-dessus de tout l'intérêt national, c'est aussi, par exemple, agir *maintenant* afin de préserver, voire d'élargir, les espaces d'autonomie que le Québec possède *déjà*.

Pourquoi vouloir encore la souveraineté ?

C'est la troisième et dernière question fondamentale : pourquoi *exactement*, en 2009, persister à vouloir que le Québec devienne un pays ? Quelles sont, au juste, les raisons fortes qui justifieraient encore ce projet ?

Auparavant, une petite mise en perspective. Pendant les années 1960 et 1970, le mouvement souverainiste fut d'une extraordinaire vitalité intellectuelle : la grande majorité des artistes et des intellectuels se reconnaissaient en lui, l'animaient, lui donnaient une armature d'arguments extrêmement puissante et une charge émotive qui semblait irrésistible. Pendant la première moitié des années 1990, il continua encore à progresser à la suite du rejet par le Canada de propositions québécoises d'une grande retenue.

Pour progresser ainsi pendant près de quarante ans, il fallait bien que le projet de faire du Québec un pays réponde à une aspiration profondément enracinée dans notre peuple.

Or, pendant toutes ces années, les souverainistes ne firent pas mystère du fait que la raison centrale pour vouloir sortir du Canada était de permettre aux francophones — de souche ou d'adoption — de cesser d'être une minorité soumise au bon vouloir de la majorité.

C'était le statut minoritaire des francophones dans le régime fédéral canadien, disaient les souverainistes, qui les contraignait à adopter des postures de résistance peu propices à la confiance en soi et à l'audace.

Pourtant, que, contre vents et marées, perdurent encore en Amérique, après quatre cents ans, une langue, une culture et un peuple francophones remplis de vitalité était une sorte de miracle. Pour se donner toutes les possibilités de préserver cela, il fallait, disait-on, être indépendant. En même temps, devenir un pays, ajoutait-on, donnait davantage d'outils pour affronter l'avenir. Le mouvement souverainiste était donc une synthèse de tradition et de modernité.

Cette argumentation — reformulée évidemment dans les termes d'aujourd'hui — garde selon moi toute sa force justement parce qu'elle est actuelle en même temps qu'éternelle. Éternelle, parce qu'elle est celle qu'ont invoquée depuis des siècles tous les peuples qui ont accédé à l'indépendance politique. C'est elle qu'il faut remettre à l'avant-plan. Les souverainistes doivent cesser de surcharger leur discours de justifications secondaires et souvent faibles et revenir aux raisons premières de vouloir être vraiment maîtres chez nous.

Voici selon moi, par ordre d'importance, les cinq raisons fondamentales de vouloir encore la souveraineté du Québec. Chacune de ces raisons peut ensuite se décliner de multiples façons et être illustrée à l'aide de mille et un exemples, ce que je ne ferai pas.

La raison première de vouloir l'indépendance du Québec est qu'il s'agit du seul moyen de faire en sorte que les francophones ne soient plus une minorité subordonnée au bon vouloir de la majorité anglophone qui, très naturellement, songera toujours en premier à ses propres intérêts.

Dans l'état actuel des choses, les francophones du Québec ne peuvent en effet espérer, au sein du régime politique canadien, un statut autre que celui d'une minorité ethnique. Or, le destin d'une minorité ethnique dépend toujours du bon vouloir de la majorité. Se contenter du statut de minorité ethnique, ce serait donc, pour les francophones, par définition, renoncer à l'égalité avec la majorité anglophone du Canada et donc accepter un statut de subordination. Dès lors, cette minorité ne maîtriserait jamais son destin national autant que le lui permettraient les pouvoirs accompagnant le statut de majorité au sein d'un État souverain, qui ne seraient pas absolus, bien sûr, mais très supérieurs.

On peut en effet, sans difficulté, dresser une très longue liste de domaines vitaux dans lesquels le Québec n'a présentement rien à dire : les banques, la défense, les relations internationales hors Francophonie, la protection de la concurrence et la lutte contre les monopoles, le transport aérien, maritime et ferroviaire, les Autochtones, les pêcheries, les télécommunications, les armes à feu, le suicide assisté, d'autres encore, et, bien sûr, aucune emprise sur la moitié des impôts versés par nos concitoyens. Dans d'autres domaines, les pouvoirs du Québec, comme ceux liés à la langue, sont simultanément grugés et maintenus sous haute surveillance par les tribunaux fédéraux.

Par définition, le minoritaire — même quand il prospère — doit accepter sa condition, ne pas demander plus que ce qu'il peut espérer obtenir, s'accommoder devant l'adversité, espérer que le majoritaire « comprendra », attendre le jour où « le fruit sera mûr », éviter les affrontements avec le majoritaire pour ne pas perdre ni reculer encore et, bien sûr, fuir comme la peste la « chicane » à l'intérieur de sa communauté pour ne pas la fragiliser davantage.

Certes, il n'est pas dit que cette minorité franco-québécoise ne trouvera que des inconforts dans sa situation. La majorité anglophone peut fort bien ne pas être malveillante… si elle y trouve son intérêt. Là n'est pas tellement la question. Le fond de l'affaire est que tout l'horizon politique du groupe minoritaire est borné par les seules possibilités qu'offre la condition de minoritaire, qui est, ultimement, une subordination à une volonté autre que la sienne.

Est-ce à dire que tous les peuples minoritaires à travers le monde devraient devenir souverains ? Non, bien sûr, mais on notera que tous, sans exception, se sont posé et se posent la question et que ceux qui ne deviennent pas souverains sont généralement ceux qui ne le *peuvent* pas pour diverses raisons.

Ce n'est évidemment pas notre cas. Avec un niveau de vie qui le classerait parmi les vingt premiers du monde, une population plus nombreuse que celle de plus de la moitié des pays existants, un territoire trois fois grand comme celui de la France, stratégiquement situé et abondamment pourvu en ressources naturelles, la viabilité d'un Québec souverain n'est plus sérieusement remise en cause par quiconque de nos jours, comme Jean Charest l'a candidement avoué, il y a quelques années, lors d'une visite officielle à Paris.

De plus, comme le poids des francophones à l'intérieur du Canada baisse inexorablement, l'influence politique future du Québec s'amoindrira en conséquence. On peut désormais, et on pourra de plus en plus, gouverner le Canada sans tenir compte du Québec. Nous serons un wagon qui ira là où le décidera la locomotive de tête. Cela ne veut pas dire que le Québec n'obtiendra jamais rien, mais plutôt qu'il n'obtiendra que ce que la majorité canadienne daignera lui consentir.

Il ne faut pas confondre les causes et les conséquences. Depuis des décennies, les souverainistes dénoncent les conflits de juridiction, les empiètements fédéraux sur les champs de compétence du gouvernement du Québec, les tendances centralisatrices et uniformisantes, et ainsi de suite. Toutes ces doléances sont souvent fondées, et il faut les rappeler.

Mais elles sont toutes des conséquences du rapport de force entre une minorité et une majorité : un Québec surtout francophone et un Canada surtout anglophone se servent tous deux du gouvernement que chacun contrôle pour essayer de construire une société conforme à leur image et à leur goût respectifs. Quand leurs intérêts et leurs aspirations ne coïncident pas, il y a conflit. Il n'y a là, généralement, aucune méchanceté, mais simplement la conséquence logique et inévitable du fait que l'une des nations est majoritaire et que l'autre est minoritaire.

On rétorque souvent à cela que le Canada n'est pas uniforme

et que les autres provinces expriment aussi des récriminations à l'endroit du gouvernement central. Vrai, mais on ne peut évidemment pas ranger dans la même catégorie les affrontements entre le Québec et le Canada, qui sont beaucoup plus globaux et ont souvent une tonalité proprement existentielle justement parce qu'ils opposent deux nations, et ceux entre Ottawa et les provinces anglophones. Après tout, s'il arrive certainement aux Ontariens ou aux Manitobains d'être très fâchés contre le gouvernement central, on ne sache pas qu'ils envisagent sérieusement de devenir souverains.

Il est vrai par ailleurs que la situation actuelle ne devrait pas dispenser le Québec de mieux utiliser les pouvoirs dont il dispose déjà. Mais si l'indépendance était une récompense réservée aux peuples parfaits, combien d'entre eux la mériteraient ?

La seconde raison de vouloir encore l'indépendance du Québec est que devenir majoritaires dans leur propre pays est le meilleur moyen pour les francophones d'assurer la protection et l'épanouissement de leur identité culturelle propre.

Chaque peuple possède une histoire particulière qui lui permet de donner un sens à sa trajectoire passée et à sa raison d'être présente et future. Cette histoire forge la principale caractéristique qui distingue les nations les unes des autres, c'est-à-dire l'identité culturelle de chacune : la langue, les valeurs, les traditions, les institutions, les façons de vivre et de faire, tout ce qui compose les diverses façons d'aménager une existence collective.

En Amérique du Nord et au Canada, quatre siècles de présence française, de plus en plus concentrée sur le territoire clairement délimité du Québec, ont progressivement forgé une nation québécoise au sein de laquelle la majorité francophone a toujours eu le sentiment d'avoir un parcours historique d'exception sur ce continent. À l'évidence, c'est cette majorité francophone — qui englobe autant les gens de souche française que ceux, venus d'ailleurs comme moi, qu'elle a intégrés — qui a donné à la nation québécoise ses principaux traits distinctifs.

La question devient alors : quel est le statut politique qui per-

met le mieux l'aménagement et l'épanouissement de cette identité culturelle particulière dans le monde d'aujourd'hui et de
demain ? Tous les peuples dans le monde, sans exception, se
posent la question.

Dans le cas de la majorité francophone du Québec, trois possibilités s'offrent à elle : un statut de minorité comme les autres au
sein de ce Canada qu'elle a jadis fondé, un statut particulier ou le
statut de peuple souverain.

Pour des raisons principalement démographiques, le premier
statut place inévitablement les francophones du Québec dans
une dynamique de marginalisation progressive, dont le sort des
francophones hors Québec est la préfiguration à très long terme.

Le second statut est devenu irréalisable en raison de l'évolution du régime politique canadien ces dernières années. Dans de
larges segments du Canada anglais d'aujourd'hui, le Québec est
vu comme un éternel enfant gâté, comme une sorte de maître
chanteur, mais qui n'a pas le courage d'aller jusqu'au bout de sa
démarche : il suffit donc de lui dire fermement non. On ne refera
pas ici l'interminable liste de tous les pourparlers constitutionnels visant à régler la question du Québec qui ont échoué.

En fait, plus le pourcentage des Canadiens nés à l'étranger
augmente, plus l'idée d'accorder un statut particulier à une communauté dite fondatrice sur la base de ses traits culturels devient
difficile à justifier. Beaucoup de ces nouveaux Canadiens ont dû
renoncer à leur langue comme premier outil de communication
en arrivant ici. Pourquoi donc, se disent-ils, un traitement de
faveur pour les francophones du Québec ?

Pour le dire autrement, la reconnaissance exclusivement
symbolique et sans portée concrète de la spécificité du Québec
prive les francophones de la maîtrise politique exclusive des
leviers collectifs qui permettent le mieux d'assurer l'épanouissement de leur identité. Le rapport de force démographique et
politique permet en effet à la majorité anglophone du Canada
de conserver son emprise sur des institutions fédérales dont
l'idéologie officielle — bilinguisme et multiculturalisme —

porte en elle la négation de l'affirmation politico-identitaire du Québec français.

Ne reste donc que la troisième option. La défense de l'identité francophone est une responsabilité à la fois collective, donc assumée par l'État, et individuelle, assumée (théoriquement) par chacun d'entre nous. Si le Québec était un pays, son État assumerait cette responsabilité collective sans devoir subir la concurrence et la domination de l'État fédéral.

Tant que cette rivalité persistera, tant que les francophones ne maîtriseront pas totalement les leviers politiques qui protègent leur identité collective, la préservation de celle-ci demeurera largement la responsabilité individuelle de chaque francophone. D'où ces fréquentes postures défensives, ces récriminations envers « le-Canada-qui-ne-nous-comprendra-jamais » et cette fatigue chronique qui résulte du sentiment de devoir toujours recommencer les mêmes batailles.

Pour le dire autrement, seule la souveraineté amoindrira, voire mettra fin, progressivement bien sûr, à cette ambivalence identitaire toxique qui place toujours le minoritaire devant un dilemme existentiel : s'assimiler ou jouer double jeu, ce qui érige l'ambiguïté et l'inconfort existentiel — et même la duplicité, chez certains — en mode de comportement permanent. Il suffit d'avoir fréquenté un peu les communautés francophones hors Québec pour y noter ces traits de comportement caractéristiques, grossis évidemment par la précarité dramatique de leur situation.

Le troisième argument fondamental en faveur de la souveraineté du Québec est celui de la liberté des peuples. Je ne prétends pas ici que le Québec est *opprimé* dans le Canada d'aujourd'hui. Personne ne nous persécute. Deux fois, les Québécois ont, en dépit des tricheries des forces fédéralistes, exercé leur droit à l'autodétermination lors d'un référendum. S'ils avaient voulu la souveraineté, personne n'aurait pu l'empêcher.

Mais on peut certainement avancer que le Québec vit dans un système non pas d'oppression, mais de *domination*. Je soutiens que, dans le Canada d'aujourd'hui, le Québec n'est pas libre dans un sens très précis : il n'est pas libre parce qu'il est inséré dans une structure de domination politique qu'il lui est virtuellement impossible de changer de l'intérieur.

Raisonnons un peu. Si le Québec est une nation, le Canada est donc une fédération binationale, ou multinationale si on intègre les nations autochtones dans l'équation. Dans une société qui se dit multinationale, peut-on parler de liberté politique lorsque l'une des nations constitutives peut se faire imposer par les autres des amendements constitutionnels sans son consentement, comme ce fut le cas en 1982 ? Ou lorsque les autres partenaires peuvent arbitrairement, si ça leur chante, se soustraire à des négociations constitutionnelles visant la reconnaissance de ce statut national, ou même simplement du caractère distinct du Québec ?

Le Québec n'a pas signé l'Acte constitutionnel de 1982, mais la Cour suprême a quand même statué que celui-ci liait le Québec et que ce dernier devait se plier à sa formule d'amendement pour obtenir des changements constitutionnels. Même si, en théorie, le Québec a le droit d'amorcer des changements constitutionnels afin d'être reconnu comme nation, ce droit est bloqué dans les faits en raison des exigences mêmes de la formule d'amendement.

Pour dire les choses autrement, si, pour espérer obtenir des changements constitutionnels, le Québec est obligé de suivre une règle qu'il ne reconnaît pas, qui lui fut imposée sans son consentement et dont la teneur même garantit d'avance le blocage, on lui nie donc *de facto* son droit d'obtenir ces changements, ce qui est une contrainte fondamentale entravant l'exercice de sa liberté politique.

De plus, depuis 1982, de nouveaux obstacles juridiques sont apparus qui rendent absolument impensable une réforme constitutionnelle qui donnerait satisfaction au Québec. Le juriste Patrick Taillon a beaucoup fait pour les mettre en lumière[11].

Il n'y a pas, en effet, que le degré d'« ouverture » politique du

Canada anglais qui est en cause ici. L'essentiel des demandes constitutionnelles traditionnelles du Québec exige, on le sait, le consentement unanime des autres provinces, ou le consentement d'un minimum de sept provinces représentant au moins la moitié de la population canadienne. Nous allons attendre longtemps.

Mais il y a plus. Les changements législatifs introduits depuis 1982 *interdisent* désormais au gouvernement fédéral de présenter une résolution demandant à la Chambre des communes d'adopter des modifications constitutionnelles, si cette résolution n'a pas reçu *préalablement* le consentement de l'Ontario, du Québec, de la Colombie-Britannique, d'au moins deux provinces des Prairies représentant la moitié de leur population et de deux provinces maritimes englobant minimalement la moitié de leur population. Dans les faits, explique Taillon, il faut obtenir l'assentiment de sept provinces représentant… 90 % de la population canadienne.

De surcroît, deux provinces — l'Alberta et la Colombie-Britannique — ont maintenant des lois *obligeant* la tenue de référendums provinciaux sur ces questions. D'autres provinces, comme Terre-Neuve et la Saskatchewan, sans y être obligées, ont aussi organisé ces dernières années des référendums au sujet de modifications constitutionnelles, qui font en sorte qu'il leur serait difficile de ne pas le refaire à l'avenir. Tout cela pour dire que la porte de la réforme constitutionnelle est verrouillée à triple tour.

Les fédéralistes québécois et canadiens essaient souvent de minimiser cette impasse en la réduisant à quelques petits mots dans des textes juridiques sans grandes répercussions quotidiennes. Mais si ces mots ont si peu d'importance, pourquoi le Canada les refuse-t-il si obstinément ?

Parce que, justement, ils sont tout sauf anodins. Ils sont les courroies de la camisole de force. Quand une nation est insérée dans un système qui lui fait subir des contraintes imposées unilatéralement par d'autres et qu'elle n'a pas le pouvoir de les faire enlever, sa liberté politique est fondamentalement entravée, même si elle est par ailleurs libre de se plaindre autant qu'elle le veut.

Le quatrième argument fondamental en faveur de la souveraineté du Québec est qu'elle permettrait non seulement d'organiser notre vie collective plus simplement et plus rationnellement en éliminant nombre d'irritants, mais aussi d'approfondir la démocratie au Québec.

J'entends par là que les débats sains et normaux entre la gauche et la droite sont, chez nous, « écrasés » par la question nationale depuis trop longtemps. C'est la situation problématique du Québec au sein du fédéralisme canadien qui, en bonne partie, empêche ou déforme ces débats. Et quand on essaie de mettre de côté la question nationale, elle revient toujours, tôt ou tard, parfois brutalement, même lorsque le gouvernement du Québec est fédéraliste.

Ce conflit non résolu entre deux nations, dont l'une est subordonnée à l'autre, pèse de tout son poids sur nombre d'enjeux aujourd'hui vitaux : le partage de la fiscalité, la décision d'aller en guerre ou non, les protocoles internationaux en matière d'environnement, l'immigration, la langue, les relations internationales et tant d'autres.

Faire un pays, ce serait donc se donner une arène démocratique débarrassée de ce gigantesque éléphant qui occupe toute la place dans le salon. Nous aurions un nouvel espace pour mener ces autres débats. Pour reprendre les mots de Jacques Beauchemin, c'est en faisant nation que nous pourrions le plus pleinement faire démocratie.

Les adversaires de la souveraineté objectent souvent qu'un Québec souverain ferait probablement des choix collectifs très semblables à ceux du Canada. Ce serait souvent le cas, en effet, mais pas toujours. Quand on y pense, cet argument fédéraliste est rigoureusement identique au vieil argument des opposants de jadis à l'attribution du droit de vote aux femmes, qui soutenaient que les intérêts de celles-ci se confondaient de toute façon avec ceux de leurs maris. Être libre, c'est justement pouvoir choisir de faire comme les autres quand on le veut ou différemment si c'est ce que l'on préfère.

Le cinquième argument fondamental est que la souveraineté est un projet qui, loin d'être dépassé, va au contraire tout à fait dans le sens de l'évolution en cours dans le monde d'aujourd'hui.

La mondialisation rend en effet vital d'être présent dans les forums internationaux où se négocient les nouvelles règles du jeu planétaire. À l'encontre des inepties couramment entendues, les dernières années ont aussi vu augmenter le nombre des pays indépendants, en plus de n'offrir aucun exemple d'un peuple souverain ayant renoncé à sa souveraineté politique sous prétexte qu'il se joignait à un ensemble supraétatique.

Un Québec qui ferait le choix de la souveraineté pourrait même, parce qu'il serait un mélange, absolument unique dans le monde, d'américanité et de tradition européenne, se poser en trait d'union, en passerelle stratégique entre le Nouveau Monde et l'Ancien, à un moment où la montée de l'Asie forcera Américains et Européens à se rapprocher. Il y aurait là, pour nous, une fabuleuse possibilité d'apporter une contribution originale et féconde au monde de demain.

Il n'est pas non plus déraisonnable de soutenir que ce sont les États plurinationaux, comme le Canada, qui pourraient avoir les plus grandes difficultés à surmonter les défis posés par la mondialisation.

Les États multinationaux ne survivent en effet que parce que les nations qui les composent y trouvent leur intérêt ou parce qu'elles sont contraintes par la force. Ces États sont le résultat d'une sorte de contrat, plus ou moins forcé, par lequel la petite nation troque une partie de son autonomie contre la sécurité et l'accès à un plus vaste marché encadré que lui permet son association avec l'autre.

Or, dans le sillage de la mondialisation, la sécurité et l'établissement de grands espaces économiques sont de plus en plus pris en charge par des organisations internationales comme l'ONU, l'OMC, l'OTAN ou le FMI. La contrepartie offerte jadis par le gouvernement central de l'État plurinational, qui justifiait pour la petite nation sa renonciation à une partie de son autonomie, se rétrécit comme peau de chagrin.

Cela rend le contrat originel beaucoup moins intéressant pour la petite nation, qui en ressort doublement perdante car non seulement est-elle privée de son autonomie sans contrepartie, mais, en plus, comme on lui interdit l'accès aux forums internationaux, les nouveaux centres de décision sont plus éloignés d'elle que jamais.

Les Ontariens ou les Manitobains n'ont pas ce problème, car leur gouvernement national, qui est le gouvernement fédéral, parle pour eux sur la scène mondiale. La nation québécoise, elle, aurait tout intérêt à se reposer la question : pourquoi laisser un gouvernement central contrôlé par la majorité canadienne parler à sa place sur la scène internationale, alors qu'elle pourrait parler de sa propre voix au reste du monde ?

On aura donc compris où je loge : pour espérer triompher, les souverainistes doivent absolument revenir à l'essence des choses et s'y tenir.

Revenir à l'essence des choses, c'est poser que nous sommes une nation francophone qui n'a pas à s'excuser d'être ce qu'elle est, qui n'a pas à se laisser culpabiliser quand elle veut s'affirmer, qui doit être le sujet de sa propre histoire, qui doit accéder à l'universel de manière digne et responsable, qui ne doit pas perdurer sur le mode d'une curiosité folklorique pour touristes en mal d'exotisme et qui ne doit plus être une société entretenue, adolescente, velléitaire, condamnée à des postures trop souvent défensives.

Je ne sous-estime certes pas les difficultés de la mise en œuvre de la souveraineté du Québec. Elle imposerait un surcroît de travail, des responsabilités accrues, et ne réglerait pas tous nos problèmes par enchantement.

Mais elle donnerait aux francophones du Québec un statut, des pouvoirs, des perspectives élargies d'action collective, ouvertes à quiconque voudrait s'y joindre, incontestablement plus avantageuses qu'une condition de peuple de plus en plus impuissant parce que de plus en plus minoritaire dans le système politique actuel.

Elle nous donnerait aussi les moyens non seulement de réparer les torts passés, mais aussi de dépasser pour de bon l'horizon de l'ethnicité, de régler progressivement les comportements pathologiques que la condition de minoritaire engendre et de consacrer l'essentiel de notre énergie aux autres questions pressantes que pose le monde d'aujourd'hui et de demain.

Elle permettrait enfin au Québec, seul lieu dans lequel les francophones contrôlent un État et un territoire où ils sont majoritaires, d'assumer pleinement son rôle de foyer de la civilisation française en Amérique, de gardien de la mémoire de toutes les communautés françaises du continent et d'être, en ce sens, le dépositaire d'un héritage encore plus grand que lui.

SECONDE PARTIE

D'aujourd'hui à demain

5

Le Québec dans un monde nouveau

Mais aujourd'hui, l'homme échoue parce qu'il ne peut rester au niveau des progrès de sa civilisation.

José Ortega y Gasset

Quand on prend la mesure de l'adversité à laquelle il a fait face depuis ses débuts, le peuple québécois n'a pas à rougir, loin de là, de son parcours jusqu'ici. Il est donc justifié que nous célébrions nos réussites.

Cependant, lorsqu'une telle célébration sert de paravent pour s'éviter d'évoquer nos zones d'ombre, il en résulte un grave inconvénient. Nombre de gens se disent alors spontanément : mais pourquoi changer si tout va si bien ? Et dans les cas où l'on réussit à les convaincre qu'il faut s'attaquer résolument à tel ou tel problème, ils ne voient pas ensuite pourquoi il faudrait tourner le dos à des façons de faire qui nous ont bien servis dans le passé.

La réponse à cela est, d'abord, comme on l'a vu, que tout ne va pas si bien et, ensuite, que plusieurs des recettes du passé sont inadaptées au monde qui se déploie sous nos yeux, voire désormais impossibles, quand elles ne sont pas carrément porteuses d'effets pervers qui aggraveraient les maux qu'elles sont censées guérir.

Un véritable redressement national doit s'appuyer sur une

juste lecture de la réalité telle qu'elle est. Or, nous avons de la difficulté, je crois, à bien cerner les mutations fondamentales que traversent en ce moment le Québec et toutes les autres sociétés occidentales, et ce qu'elles impliquent.

Mutations de société et crises de l'État

Cinq grandes mutations, me semble-t-il, caractérisent notre époque.

La première est évidemment la mondialisation. On peut la définir comme l'accroissement et l'accélération de la circulation des capitaux, des marchandises et des personnes, par suite des progrès technologiques et de la concurrence accrue. Le phénomène n'a rien de nouveau, mais nous assistons à son intensification.

Ses conséquences sont nombreuses et profondes[1]. La mondialisation nous rend à la fois plus conscients et plus dépendants de ce qui se passe ailleurs dans le monde. Elle exerce des pressions pour aligner davantage nos politiques sur celles des autres pays, rendant plus problématique le recours à certains instruments traditionnels de politique économique comme les barrières tarifaires, les hausses d'impôt ou la relance par l'endettement. De ce point de vue, elle enlève du pouvoir aux politiciens locaux et donne une importance beaucoup plus grande que jadis à des organisations internationales au sein desquelles le Québec ne parle pas de sa propre voix.

Ce ne sont pas seulement les nations mais aussi la démocratie qui sont remises en question ici. Comme les États sont représentés dans ces instances internationales par leurs exécutifs respectifs, l'élaboration et la discussion de politiques publiques cruciales échappent de plus en plus aux parlements nationaux, c'est-à-dire au pouvoir législatif élu démocratiquement.

Ce sont donc, à la fois, la souveraineté des assemblées législatives élues au suffrage universel et la souveraineté nationale des pays démocratiques qui sont affectées par cette dimension de la mondialisation. Si on ne lui oppose pas des contrepoids politiques appropriés, la mondialisation entraîne un indéniable déficit démocratique, en rétrécissant la capacité des citoyens de participer aux décisions qui les touchent.

La mondialisation accroît aussi la fracture entre ceux qui, dans l'économie du savoir, ont les qualifications requises et ceux qui ne les ont pas. Par le fait même, elle suscite simultanément des demandes de protection accrues de la part de ceux qui sont menacés par elle et des demandes de nouvelles possibilités de la part de ceux qui pensent pouvoir en tirer profit.

Enfin, si la mondialisation est porteuse de forces qui font pression pour une uniformisation des valeurs et des pratiques, elle a aussi pour effet de réveiller les identités particulières des individus et des peuples — identités nationales, religieuses, linguistiques ou autres —, de même qu'elle suscite de nouvelles formes d'engagement local autour d'enjeux sur lesquels les gens ont davantage le sentiment d'avoir une emprise.

La deuxième grande mutation de notre époque est l'impact croissant, sur notre vie, de la science et de la technologie, qui comporte évidemment des dimensions positives et négatives.

Le progrès scientifique nous permet de vivre plus longtemps et accroît notre qualité de vie, mais il entraîne aussi des dilemmes moraux et financiers fondamentaux : explosion des dépenses publiques de santé aux dépens des autres missions de l'État, manipulations génétiques, acharnement thérapeutique, besoin de nouveaux arbitrages entre le curatif et le préventif, ou au sujet de l'accessibilité aux nouveaux médicaments, et ainsi de suite. La réflexion éthique peine à suivre le rythme des avancées scientifiques.

Quand la puissance de la science, combinée à cette interdépendance accrue déjà évoquée, est peu ou pas maîtrisée, elle nous rend aussi plus vulnérables, où que nous soyons sur la planète, à ses effets négatifs. Pensons à la propagation de la maladie de la vache folle ou de la grippe A (H1N1), à la déforestation, à l'exploitation trop intensive de certaines ressources naturelles, mais aussi aux secousses financières venues d'ailleurs, notamment en raison de la fluidité de la circulation des capitaux.

Internet est évidemment la manifestation la plus spectaculaire de cette évolution qui comporte du bon et du mauvais. Il modifie notre rapport au temps et à l'espace, fragmente encore plus l'organisation du travail, ébranle les bureaucraties rigides et nous rend plus individualistes et mieux informés de ce qui se passe ailleurs sur la planète.

Internet liquide aussi pour de bon le quasi-monopole des gouvernements et des médias traditionnels sur le contrôle de l'information. Une sorte de cyberdémocratie planétaire informelle, pouvant relier entre eux des individus du monde entier autour de causes communes, se constitue rapidement. Un de ses immenses inconvénients est cependant de gommer en partie la distinction entre les contributions intellectuelles rigoureuses et les élucubrations de n'importe quel hurluberlu.

Une chose est sûre : l'innovation technologique est, plus que jamais auparavant, au cœur de la productivité économique et donc de la prospérité. Fulgurant paradoxe, donc : la science et la technique nous rendent plus autonomes, mais aussi de plus en plus dépendants d'elles. Voyez notre impuissance quand ces grands systèmes techniques tombent en panne.

La troisième mutation fondamentale est la mise en cause désormais permanente — mise en procès, a-t-on presque envie de dire — des institutions qui, pendant des siècles, ont incarné l'autorité traditionnelle : l'Église, la magistrature, la police, l'armée. La famille « traditionnelle » — un homme, une femme et les enfants issus de leur union — coexiste aujourd'hui avec des définitions « élargies » de celle-ci. Les coutumes ancestrales, les traditions, les codes moraux hérités du passé sont en déclin et cèdent du terrain à un individualisme relativiste qui fait de chacun l'arbitre ultime, ou presque, du goût et de la morale.

En même temps, ce déclin des institutions qui incarnaient l'autorité traditionnelle et ses certitudes fait se répandre un sentiment de vide éthique, de perte de repères, d'assèchement spirituel. D'où un désir chez beaucoup de gens, exprimé de façon parfois nostalgique, de retrouver des cadres de référence qui proposent un horizon plus large que l'individu, ou alors une quête de sens se traduisant souvent par des incursions dans les croyances ésotériques.

La quatrième mutation fondamentale de notre époque est le profond bouleversement de la structure démographique de notre planète. La pauvreté persistante et la natalité élevée dans les pays en voie de développement, combinées aux pénuries de main-d'œuvre et à la natalité anémique dans les pays développés, feront de toutes les questions liées à l'intégration des immigrants — volumes à accueillir, langue, religion, droits collectifs *versus* droits individuels, définition du « nous », etc. — des questions de plus en plus centrales. Et comme l'immigration ne peut d'aucune manière suffire à renverser le vieillissement de nos sociétés, toutes les autres questions liées à cette dernière deviendront de plus en plus cruciales : croissance économique, fiscalité, âge de la retraite, financement des régimes de retraite, hébergement des aînés, politique du médicament, etc.

Enfin, la cinquième mutation fondamentale de notre époque est assurément la montée en force de la question écologique. Elle comprend certes sa large part d'effet de mode et de battage médiatique. Elle prend aussi parfois les allures d'une nouvelle religion séculière. La tonalité parfois apocalyptique du discours de certains militants écologistes et leur fréquent manque de rigueur scientifique ne lui rendent pas service. L'importance qu'on lui accorde tendra également à baisser quand des soucis plus tangibles comme l'emploi feront irruption dans notre vie. Jusqu'ici, elle nous a fait modifier peu à peu quelques-unes de nos habitudes, mais il est tout aussi évident que nos populations sont également très attachées à un mode de vie qui exige une exploitation intensive des ressources naturelles.

Combinée aux autres forces déjà évoquées, la question écologique contribue puissamment à faire en sorte que la conscience des individus est de plus en plus planétaire. Chez bien des jeunes

Québécois, ce sentiment noble et foncièrement positif a cependant pour effet pervers d'en faire parfois des espèces d'apatrides vertueux : la cause du Québec leur semble bien petite, presque mesquine, quand les « citoyens-du-monde » qu'ils disent être veulent sauver la planète[2].

Mais, au-delà de ces considérations, ce qui s'impose tout de même par son caractère incontournable est l'irréversible prise de conscience de la fragilité de notre planète, des effets pervers de la recherche de la croissance, quand elle n'est pas tempérée par la prudence, et du caractère non renouvelable de certaines ressources naturelles.

Tous les individus, toutes les institutions, toutes les sociétés sont affectés, à des degrés divers, par ces cinq mutations. Examinons un instant leurs impacts sur cette institution centrale dans nos sociétés qu'est l'État. J'entends ici par « État » l'ensemble des institutions dans lesquelles s'incarnent le pouvoir politique et l'administration publique.

Dans les sociétés occidentales les plus avancées, l'État-providence vit une véritable crise. Au Québec, il la subit avec les handicaps supplémentaires d'être un État seulement provincial, donc privé d'importants leviers, et d'être encastré dans une société culturellement minoritaire et dont le statut politique reste problématique. Je donne au mot « crise », qui peut avoir de multiples sens, un sens proche de celui du mot grec *krisis,* qui signifie « décision ». Je désigne donc ici une situation problématique parvenue à un moment crucial, voire critique, qui exige que l'on y réagisse.

Cette crise de l'État est en fait une crise à quatre dimensions : crise *financière,* crise de *légitimité,* crise de *rigidité* et crise de *représentation*[3].

Il y a d'abord une crise financière parce que les besoins sociaux que l'on demande à l'État, donc aux contribuables, de satisfaire sont en théorie illimités, alors que les ressources, elles, ne le sont pas. Dans un contexte où le financement de la solidarité passe presque exclusivement par l'État, l'allongement de l'espérance de vie, combiné à la faiblesse de la natalité, mettra une pression toujours plus considérable sur les finances publiques.

De cette crise d'abord budgétaire découle une crise de légitimité. La croissance exponentielle et théoriquement illimitée des besoins conduit beaucoup de gens à remettre en question une redistribution de la richesse dont on perd parfois de vue la finalité parce qu'elle est devenue mécanique. L'idée d'une sorte de contrat moral implicite liant les droits de chacun et ses devoirs vis-à-vis des autres s'est estompée.

D'où l'émergence de questions de société vitales. Jusqu'où faut-il lutter contre les inégalités ? À partir de quel moment des problèmes individuels doivent-ils devenir des problématiques collectives ? Au fond, jusqu'à quel point chacun est-il responsable de sa propre condition ? Autant de questions qu'il est difficile d'aborder froidement, car elles mettent en cause nos valeurs personnelles les plus chères.

L'État-providence vit aussi une crise de rigidité. Il repose depuis sa création sur une planification centralisée des services publics, alors que les nouvelles technologies, la diversification des statuts sur le marché du travail, les exigences accrues de populations de plus en plus instruites, l'accélération des changements sociaux, la complexité sans cesse croissante de nos sociétés requièrent au contraire davantage de souplesse et de sur-mesure.

Enfin, la combinaison de ces facteurs accentue un désenchantement croissant à l'endroit de la démocratie représentative traditionnelle — celle qui nous fait élire des représentants à intervalles réguliers que nous mandatons pour prendre des décisions à notre place. Deux des manifestations de cela résident dans la baisse presque généralisée des taux de participation aux élections et dans la difficulté croissante à convaincre des individus de valeur de se lancer dans l'arène politique. La politique devient de plus en plus un métier comme les autres, où l'on cherche à durer plutôt qu'à agir. Ce scepticisme de nos concitoyens alimente des revendications pour des formes de démocratie plus participatives, c'est-à-dire des revendications venues d'en bas pour que le pouvoir réel revienne vers le peuple.

Au fond, la question centrale que pose cet ébranlement de l'État-providence, au Québec comme ailleurs, est de savoir où doit se situer le point d'équilibre entre les deux grandes valeurs fondatrices de la démocratie libérale : la liberté et l'égalité, ou, si l'on préfère, le pôle individuel et le pôle collectif. Trop d'égalité finit par tuer la liberté, mais trop de liberté creuse les inégalités au point de priver de liberté les plus faibles.

Évidemment, toutes sortes d'autres facteurs, dont je ne ferai pas le tour ici, expliquent aussi ce désenchantement croissant vis-à-vis de l'arène politique.

Prenez n'importe quel journal : mariage de conjoints de même sexe, droit ou non de mettre fin à sa propre vie ou à celle d'un proche, place de la religion dans la sphère publique, autant de questions vitales dont on a l'impression qu'elles sont bien davantage, de nos jours, définies et tranchées par les tribunaux que par les élus du peuple.

Indéniablement, la reconnaissance de nouveaux droits individuels au cours des dernières décennies, l'adoption par de nombreux pays de chartes des droits qui balisent encore davantage la constitutionnalité de la législation, les avantages aussi à court terme pour les élus de pouvoir s'épargner d'avoir à trancher d'épineuses questions, tout cela a concouru à renforcer progressivement le pouvoir des tribunaux, au détriment du pouvoir des parlements démocratiques.

Du point de vue de la démocratie, on peut effectivement, à bon droit, s'inquiéter de ce que des juges non élus sont de plus en plus appelés à trancher de délicates questions de société. Mais à ceux qui s'alarment de ce « gouvernement par les juges », la magistrature répond qu'elle n'a pas demandé ces nouveaux pouvoirs et qu'elle assume seulement les responsabilités que le pouvoir politique lui a confiées.

Une autre cause de notre désenchantement politique tient à la nature même de plusieurs questions de société cruciales. Voyez par exemple la complexité, et donc l'opacité, des discussions autour des organismes génétiquement modifiés, de la recherche sur les cellules souches ou du réchauffement climatique.

Pour s'y retrouver, le pouvoir politique a de plus en plus recours à des experts auréolés du prestige de la science. Si cette tendance est largement inévitable et comporte aussi du bon, il en découle un indéniable affaiblissement des parlements comme lieu central des délibérations, au profit d'instances — commissions d'enquête, comités, agences — dépourvues de la légitimité démocratique que confère une élection.

Il s'ensuit une « technocratisation » croissante des termes dans lesquels sont conduits nos débats de société, qui les rend souvent moins intelligibles pour les citoyens. Or, du point de vue du citoyen, moins il comprend non seulement les enjeux mais aussi les termes mêmes du débat, plus il devient difficile pour lui de participer de façon constructive à la discussion démocratique.

Malaise dans la modernité québécoise ?

Ce qui vient d'être dit s'applique, à peu de choses près, à toutes les sociétés modernes. Mais on échappe difficilement à l'impression que, au sein de ce peloton, le Québec est une des sociétés les plus furieusement ballottées par les forces de la modernité, au point de faire penser à une bouteille lancée à la mer[4], qui va là où la mènent des flots contre lesquels elle ne peut pas grand-chose.

Les chiffres ne disent pas tout, en effet. Le Québec reste évidemment une société où il fait bon vivre. Mais, tout en prenant garde de ne pas idéaliser le passé, on sent que cette société peine en ce moment à se trouver un sens, qu'elle manque d'élan, qu'elle se cherche comme un second souffle. On pourra certes nuancer, préciser, relativiser, mais qui va sérieusement soutenir que l'histoire est en marche dans le Québec d'aujourd'hui ? Qui va nier qu'on n'y sent pas une certaine morosité, une lassitude, une fatigue politique, une impression de tourner en rond ?

Cela ne signifie pas, j'insiste, qu'il ne se passe rien de formidable chez nous, ni que nous soyons les seuls à ressentir cela. Le Québec fourmille de projets et de créateurs, mais ce sont des projets individuels ou portés par de petits groupes. Quiconque utilise aujourd'hui l'expression *projet de société* provoque surtout ricanements ou haussements d'épaules.

Si le Québec actuel « piétine d'impuissance », pour reprendre une expression de Fernand Dumont, c'est bien sûr parce qu'une partie des objectifs collectifs de jadis ont été atteints, très imparfaitement certes, parce que notre société vieillit, ce qui lui enlève une part de son dynamisme, parce que ses finances publiques ne lui permettent plus de vivre à bar ouvert et parce que les deux défaites référendaires des souverainistes et la lassitude engendrée par la question nationale ont eu d'indéniables effets démobilisateurs.

Il y a cependant plus que cela. Plusieurs avant moi ont détecté un malaise dans la façon dont le Québec d'aujourd'hui vit son rapport à la modernité. Mais le climat social actuel impose presque de revisiter un instant cette question.

Partout en Occident, l'idéologie dominante de notre époque est la quête du *progrès,* dont se réclament presque toutes les familles politiques. C'est sur la définition du progrès et les moyens d'y parvenir que portent les débats.

Notre époque confond cependant progrès et changement, progrès et nouveauté, progrès et mouvement. Notre époque a la bougeotte.

Nous nous sommes aussi imaginé que, pour accéder à la liberté et à l'épanouissement que cette modernité promettait, nous devions rompre avec le passé, avec ses traditions, avec l'héritage qu'il nous a légué, plutôt que de nous hisser sur ses épaules pour faire fructifier encore davantage ce capital de civilisation. Nous avons cru que, pour progresser, il fallait prendre nos distances, voire renier les sources historiques, culturelles, philosophiques, éthiques de la tradition occidentale, ou encore choisir de n'en voir que la face sombre.

Sans entrer dans les nuances, j'inclus dans cette tradition occidentale les manières de voir l'être humain et la réalité issues de la philosophie grecque et latine, les règles de morale universelles héritées de la tradition juive, diffusées ensuite par le christianisme et intériorisées aujourd'hui dans une éthique laïcisée, la valorisation de la curiosité intellectuelle, de l'esprit critique, de la discussion rationnelle, l'idée de l'égale dignité de tous les êtres humains héritée des Lumières et bien sûr les avancées de civilisation qui en résultèrent : les chefs-d'œuvre artistiques, le progrès scientifique et technique, la démocratie libérale, l'économie de marché et l'État-providence.

Regardons un instant autour de nous. On exagère à peine en disant que, pour la plupart des gens, y compris ceux qui ont de l'instruction, seul compte le présent, le court terme, l'immédiat. Le passé leur importe peu, parce qu'il ne reviendra pas ou qu'ils n'en savent pas grand-chose, et l'avenir ne compte pas vraiment, puisque, par définition, il n'est que virtuel et arrivera bien tout seul.

On doit d'abord se demander si cette disposition d'esprit — vivre presque exclusivement en fonction du moment présent, mais dans la frénésie du changement et l'idolâtrie du nouveau — nous rend vraiment plus libres, plus autonomes, plus heureux. On doit aussi s'interroger sur les conséquences de la perte de points de repère historiques et culturels, donc éthiques, qui en découle.

Dans les sociétés modernes, on note indiscutablement un relâchement, un affaiblissement, certains diraient une désintégration, des balises qui assurent la cohésion sociale des communautés et leur mémoire historique. Il en résulte une extrême difficulté, voire une incapacité, pour les peuples à se projeter collectivement dans l'avenir sur un mode autre que celui de la fuite en avant. D'où ce sentiment, pas seulement au Québec, d'indécision, de morosité, de tourner en rond, ce scepticisme à l'endroit de l'engagement politique. Les insuffisances de la classe politique sont loin d'être seules en cause ici.

Pour qu'une société soit plus qu'un agrégat d'individus, pour qu'une solidarité authentique y règne, pour que la majorité puisse choisir en connaissance de cause une direction et la suivre ensuite, pour qu'elle puisse faire face aux problèmes qui se dressent périodiquement sur son chemin, il faut en effet que certaines valeurs y soient largement partagées, au point de donner aux gens le sentiment qu'ils font partie d'une même collectivité qui a ces valeurs en partage.

Qu'on ne me comprenne pas de travers : nous avons tous des valeurs. Je ne dis pas le contraire. Je dis en fait deux choses.

D'abord, plusieurs de ces présumées nouvelles « valeurs » de notre époque contiennent une part d'effet de mode : il ne faut pas gratter bien fort pour s'apercevoir que l'adhésion de bien des gens, par exemple, à l'écologisme, à l'antiracisme ou au *droits-de-l'hommisme,* toutes nobles choses auxquelles je souscris, doivent au moins autant à l'air du temps et à la rectitude politique qu'à une réflexion vraiment maîtrisée.

Ensuite, il faut que ces valeurs soient vraiment *communes,* donc largement *partagées* et *authentiquement* intériorisées, pas seulement écrites dans des chartes de droits ou des documents gouvernementaux, pour que les peuples se reconnaissent en elles, se regroupent autour d'elles et se donnent ainsi au moins une chance de se redresser collectivement. Moins il y a de croyances fondamentales partagées par un grand nombre de gens, plus il devient difficile de mobiliser ceux-ci autour de grands défis collectifs comme la démographie, l'éducation, la lutte contre la pauvreté ou l'indépendance nationale.

C'est la capacité d'agir ensemble qui est alors carrément compromise. Pour que la vie politique soit autre chose qu'une routinière alternance d'équipes qui gèrent l'intendance, il faut en effet qu'un peuple ait ce que Max Weber appelait *le goût de l'avenir.* Difficile cependant de construire un avenir *commun* si on n'a pas de valeurs *communes* et si on ne vit que dans le présent.

Si les individus ne se soucient pas, ou si peu, de ce qui était *avant* eux ou de ce qui viendra *après* eux, ils ne savent plus leur place dans l'ordre des choses. Ils ne se voient plus comme un maillon dans une chaîne de civilisation. Ils perdent jusqu'à l'idée même de travailler pour un avenir plus large que leur propre personne. Ils se jettent alors à corps perdu dans la facilité, le ludisme, le culte du soi, l'hédonisme, la (sur)consommation, l'ésotérisme, le prêt-à-penser, les réflexes au lieu de la réflexion et le jeu de l'étiquetage idéologique au lieu de la pensée exigeante.

Plusieurs sentent cependant au fond d'eux-mêmes ce que tout cela a d'artificiel. Voyez alors leurs sarcasmes fréquents, leurs railleries, leur hargne aigrie à l'endroit de ceux qui leur font remarquer la vacuité de tout cela et qui s'obstinent à penser haut et loin.

Charles Péguy, qui avait vu monter cela dans la France d'il y a un siècle (!), disait que ces dissimulateurs de leur propre vide s'esquivaient « en faisant les malins ». L'immense philosophe espagnol José Ortega y Gasset les appelait « *los señoritos satisfechos* », les petits messieurs satisfaits, fiers et prétentieux de leur ignorance plutôt que tristes de sentir qu'ils passent à côté des trésors de la culture classique et de l'éthique authentique. Dans la langue de chez nous, on dirait qu'ils font les « smattes ». Confondant morale et moralisme, culture et prétention, ils diront de vous, si vous osez piper mot, que vous êtes nostalgique, réactionnaire, arrogant, snob et définitivement pas *cool*.

Parlant de la société américaine, mais cela vaut aussi pour nous, Christopher Lasch écrivait : « Toute évocation du passé est systématiquement accueillie, aujourd'hui, par un ricanement de rigueur qui fait appel aux préjugés d'une société d'autant plus pseudo-progressiste qu'elle veut justifier le statu quo[5]. »

Évidemment, tous ne sont pas ainsi. Toutefois, parmi ceux qui ont encore le goût de quelque chose qui dépasse leur personne, mais qui ont renoncé à entraîner tout un peuple, nombreux sont ceux qui se replieront alors sur un groupe plus restreint, comme leur communauté ethnique, leur communauté sexuelle, leur communauté religieuse ou que sais-je. Et leurs replis sur ces communautés deviendront souvent d'autant plus dogmatiques, voire intolérants, qu'ils font figure de refuge : qui n'a pas noté la rigidité, la hargne particulières, pour rester poli, de plusieurs militants de ces causes ?

Bref, partout en Occident, cette dislocation des références communes, ce *présentisme*, ces replis sur soi font perdre de vue le bien commun, l'intérêt général, ce qu'on appelait jadis « les intérêts supérieurs de la nation », ou, en tout cas, rendent de plus en plus difficile de s'entendre sur ce qu'ils sont. Nos gouvernements, qui le constatent, négocient donc à la pièce, cas par cas, un groupe d'intérêt après l'autre, en accordant la priorité à ceux qui crient le plus fort, et ne se risquent même plus à définir des visions d'avenir un peu robustes.

Il existe bien sûr en sociologie une notion classique pour désigner ce dont je parle ici : l'*anomie*. Sans entrer dans les détails, il y a anomie quand il y a effritement des valeurs communes ou que les grandes institutions n'éveillent plus une légitimité forte et durable. Plus une société devient complexe, disait Durkheim[6], plus les gens deviennent individualistes et moins il est possible de les rassembler autour de valeurs fortes et mobilisatrices, d'où des dérèglements sociaux d'autant plus difficiles à surmonter qu'il y a, justement, peu de bases sur lesquelles rassembler.

Cette évolution ne s'explique pas seulement par notre frénésie de consommation, la vitesse des changements sociaux et la complexité croissante de nos sociétés. On ne refera pas ici toute l'histoire des idées du dernier demi-siècle — plus encore si on remonte à Nietzsche et à Freud. Posons seulement que cette montée de l'anomie dans les sociétés modernes est aussi le résultat de divers courants d'idées contemporains : le « déconstructionnisme » philosophique, le mouvement contre-culturel des années 1960, le dynamitage de l'esthétique classique par l'art contemporain, la mise en procès perpétuelle de l'Occident, le multiculturalisme relativiste, la reconversion marxiste de la critique économique du capitalisme en critique culturelle du libéralisme, et d'autres encore.

Tout n'était sans doute pas entièrement mauvais là-dedans,

mais leur principal effet combiné fut — au nom de la liberté, de l'émancipation, du refus de juger, de la mise au jour des rapports de domination, etc. — d'affaiblir nos points de repère historiques, culturels et moraux, de pratiquement liquider l'idée même de transcendance et donc de compliquer radicalement la capacité d'agir collectivement.

Pour dire les choses carrément, la tradition peut certes être pesante et aliénante. Mais la liquidation de la tradition classique mène logiquement à la liquidation de la culture classique, ce qui conduit au relativisme éthique et culturel et débouche sur un nihilisme *soft* et largement inconscient.

Qu'on ne me comprenne pas de travers. Le problème n'est évidemment pas que les gens n'ont plus de valeurs : les jeunes auxquels j'enseigne, par exemple, sont animés par une admirable soif de faire le bien autour d'eux. Le problème est que chacun se fait son propre code moral et qu'on ne considère plus, ou si peu, que nos institutions publiques incarnent des valeurs communes et sont des sources d'autorité légitimes. On peut à la fois se réjouir de ce progrès de la liberté et de la conscience individuelles et constater que cela complique singulièrement la vie en société.

Nous en sommes donc réduits à demander au droit de produire des règles qui tiendront lieu de nouvelle morale publique. Mais c'est un droit qui, comme l'a bien vu Jacques Grand'Maison, produit des jugements qui sont « purs décalques des mœurs ambiantes sans distance anthropologique, philosophique, éthique ou autre[7] », précisément parce que ce droit est lui-même issu d'une société qui s'est éloignée de ses racines historiques et de ses sources intellectuelles. Indépendamment de ce que l'on peut en penser sur le fond, les débats autour du port du kirpan ou du mariage gai, pour ne prendre que deux exemples entre mille, furent menés presque exclusivement sur le registre des droits individuels, sans référence ou si peu à la culture historique, au sens large du terme, de notre société.

Joseph-Yvon Thériault attira le premier mon attention

sur l'hypothèse que cette anomie propre à toutes les sociétés modernes était peut-être plus prononcée au Québec qu'ailleurs.

Une chose est sûre, c'est que les manifestations d'anomie abondent dans le Québec d'aujourd'hui. Notre taux de natalité est un des plus bas au monde. Notre taux de suicide est un des plus élevés, mais c'est sa banalisation qui est encore plus troublante : tous les jours, trois personnes s'ôtent la vie au Québec, ce qui est plus que le nombre de gens qui périssent dans des accidents de la route. Nous trouvons normal que l'État lance une vigoureuse contre-offensive en faveur de la sécurité routière, mais pas sur la question du suicide.

L'abandon scolaire prend des dimensions tragiques, mais il ne suscite pas une réelle mobilisation. La décriminalisation de l'avortement est une immense conquête qui ne devrait ni être remise en question ni limitée, mais on ne s'interroge guère sur le fait qu'une grossesse sur trois est ainsi interrompue — ici encore, un des taux les plus élevés au monde —, sans doute par crainte d'être entraîné dans l'habituelle guerre de tranchées[8].

Ne sont-ce pas là comme des symptômes d'une crise de l'idée même de transmission d'un héritage, d'une sorte de panne motivationnelle du désir de prolonger la société ?

Dans la vie publique québécoise, notamment dans les milieux de l'art, de l'humour, des médias en général, « l'exaltation effrénée de la nouveauté[9] », la volonté plus ou moins consciente de briser rageusement toutes les traditions sont aussi présentes avec une frappante intensité. Dans le monde intellectuel québécois également, la liste de tous ceux pour qui le souci d'un *réenracinement* québécois, d'une réconciliation sereine avec notre passé, ne peut procéder que d'une tournure d'esprit mélancolique, voire réactionnaire, est infiniment plus imposante que celle du camp contraire[10]. D'où cela vient-il ?

Une des idées reçues les plus profondément ancrées au Québec — dans les milieux politiques et intellectuels et dans l'imaginaire populaire — est bien sûr que 1960 marque une cassure radicale et libératrice, uniformément positive, entre le Québec traditionnel, celui de l'obscurité et de la médiocrité, et le Québec moderne. Or qui dit cassure dit forcément refus plus ou moins avoué d'assumer une continuité.

Parlant des élites qui firent la Révolution tranquille, Fernand Dumont a écrit : « Il a paru à nos élites que, pour concevoir des projets d'avenir, il ne suffisait pas d'un recommencement ; il a semblé qu'on devait apprivoiser l'avenir par le déni du passé[11]. » Il a aussi ajouté : « À peu près tous nos gestes d'avant (avant 1960) ont été récusés[12]. »

Marcel Rioux, un de ceux qui contribuèrent pourtant le plus à couper les fils nous reliant au passé, a pour sa part noté ceci : « La modernisation a triomphé au-delà de tout ce qui pouvait être attendu et même désiré par ses partisans[13]. » Voyez aussi, a remarqué Ronald Rudin, comment on a aboli presque tous les cours d'histoire politique et nationale du Québec dans nos universités et collèges, pour les remplacer par des cours visant à montrer que le parcours québécois était un parcours normal, comme les autres, ou par des cours portant sur tel ou tel groupe social[14].

Bref, pour justifier l'entreprise de modernisation des années 1960, globalement salutaire en elle-même, on a pensé qu'il fallait rompre radicalement avec le passé, qu'on a donc exagérément noirci. De plus, cette rancœur contre le passé était en même temps une rancœur contre nous-mêmes. La Révolution tranquille, en effet, ne fut pas un soulèvement contre une puissance étrangère ou contre les élites (ou si peu), mais contre notre propre façon d'être, de faire, de vivre.

On peut penser que cela a entraîné des conséquences qui nous rattrapent aujourd'hui : un peuple sans mémoire, parce qu'on lui a trop dit que son passé ne valait pas la peine d'être conservé, qui vit dans un *présentisme* forcené et qui s'imagine que changement et progrès sont des synonymes, finit par ne plus trop savoir qui il est, puisqu'il ne sait pas d'où il vient.

Dès lors, comme il ne sait pas qui il est, il a toutes les peines du monde à se dessiner un avenir. Il ne sait pas comment intégrer les immigrés puisqu'il ne sait pas *à quoi, à qui* les intégrer. Il ne sait plus trop s'il a raison ou non de vouloir défendre sa langue. Il ne comprend plus pourquoi il pourrait valoir la peine de faire l'indépendance. Il ne sait plus trop s'il doit trouver étrange ou non qu'on lui propose de faire un *party* et un bal costumé pour célébrer la pire défaite de son histoire.

Sur le plan individuel, chacun vit cette ambivalence à sa manière. Les uns n'auront d'autre horizon que des visées strictement personnelles. D'autres, voire les mêmes, développeront plusieurs de ces attitudes pathologiques si notables dans notre peuple : l'autodénigrement, le repli sur soi, le manque de confiance, l'insécurité, le réflexe de blâmer les autres, le renoncement à affirmer sa culture sous couvert de gentillesse et d'ouverture « à la différence » et, bien sûr, la fuite en avant déguisée en modernisme de pacotille.

Revenant sur la terrible phrase de Lord Durham au sujet de ce peuple « sans histoire » que nous étions, Dumont, notant que notre passé n'avait pas, dans le Québec d'aujourd'hui, été élevé au rang de conscience historique agissante, lâcha cette phrase encore plus terrible : « Nous sommes donc redevenus, d'une certaine façon, "un peuple sans histoire"[15]. »

Il faut bien comprendre ce que Fernand Dumont et d'autres essaient de nous dire : ce n'est pas que nous n'avons pas de passé, c'est que notre rapport problématique à celui-ci nous empêche de le constituer en mémoire pleinement assumée et porteuse de sens pour le présent et l'avenir. Les exemples concrets de cela sont nombreux, allant de la situation scandaleuse de l'enseignement de l'histoire chez nous à la gestion — en fait, la non-gestion — de notre patrimoine architectural, en passant par le refus ou l'oubli de commémorer comme il se doit nos grandes figures historiques et par l'indifférence envers le révisionnisme historique téléguidé par des intérêts politiques.

On rapportait aussi récemment qu'une vaste enquête scientifique aurait établi que, de tous les Canadiens, les Québécois francophones étaient les moins intéressés par leur propre histoire, si on mesurait cet intérêt par des indicateurs concrets comme la visite des musées, les recherches à caractère historique dans Internet ou l'établissement de leur propre arbre généalogique[16].

Les souverainistes, en raison de la nature même de leur projet, devraient être les plus inquiets. Thériault écrit :

> Comment légitimer un projet de souveraineté nationale si, après tout, le Québec est une invention neuve, sans profondeur historique, un autre Wisconsin, une région de l'Amérique comme les autres ? Nous sommes redevenus un peuple sans histoire et par cela sans projets, ou encore, ce qui revient au même, où tous les projets politiques imaginables sont possibles et d'égales valeurs[17].

Cette amnésie et ce *présentisme* qui paralysent presque l'action collective, il convient d'insister, ne sont pas propres au Québec. Le paradoxe québécois, a noté Thériault, « c'est qu'une telle attitude soit présente avec une telle force dans une société où l'idée moderne de faire sa propre histoire, d'être le sujet du monde est une idée récente, une idée d'après-guerre[18] ».

Si on juge recevable cette idée d'une modernité plus radicale au Québec qu'ailleurs, ou plutôt, pour être plus juste, d'un attrait singulier d'une bonne partie de nos élites pour celle-ci, encore faut-il l'expliquer. Plusieurs pistes, on le sait, ont été proposées par divers penseurs d'ici, chacune avec ses variantes. Elles ne s'excluent évidemment pas[19].

La Révolution tranquille, selon l'une d'entre elles, a été conduite par une technocratie qui, pour se légitimer, a exagérément noirci le Québec traditionnel afin de nous convaincre qu'il fallait lui tourner le dos pour de bon[20]. L'État québécois a ensuite, tout au long des années 1970, accentué sa dimension technocratique et thérapeutique, infantilisant des citoyens devenus des *bénéficiaires,* minant le tonus collectif et national, en même temps qu'il est devenu l'otage des corporatismes.

Une autre explication classique est que la religion catholique fournissait aux Québécois une manière de voir le monde et leur place dans celui-ci. Bonne ou mauvaise, c'est selon. La sécularisation rapide de notre société laissa un grand vide éthique que ni l'État technocratique ni la laïcité ne surent combler[21]. D'où une modernité elle-même vécue comme une nouvelle religion, c'est-à-dire embrassée avec ferveur et sans beaucoup de recul critique.

Une variante particulière de cette explication avance que la modernisation du Québec fut d'autant plus subite et brutale qu'elle survint plus tard qu'ailleurs et fut plus concentrée dans le temps. C'est la thèse de la bande élastique : plus elle est tendue, plus elle accumule d'énergie potentielle et plus le projectile va loin[22].

Une quatrième piste est évoquée par François Ricard au sujet de la trajectoire sociale des gens nés dans les années qui suivirent 1945. Les baby-boomers, dit-il, ne firent pas la Révolution tranquille, mais ils furent les premiers à en savourer les fruits. Comme ils ont sincèrement cru que les années 1960 et 1970 allaient enchanter de nouveau le monde, la perte progressive de leurs illusions pendant les années 1980 — échec du premier référendum, divorces nombreux, etc. — les conduisit à chercher consolation dans la consommation, le nombrilisme et le cynisme, traits les plus distinctifs de la modernité radicale. On brûle avec un enthousiasme particulier ce qui nous a le plus cruellement déçus[23].

Enfin, cinquième piste, déjà évoquée, les nationalistes québécois ont, surtout depuis la soirée référendaire du 30 octobre 1995, une telle peur d'être taxés de xénophobie ou de racisme qu'ils veulent laver plus blanc que blanc. Pour s'éloigner le plus possible de ces accusations, ils ont surenchéri dans l'ouverture « à l'Autre », le progressisme bien-pensant, le modernisme branché, le nationalisme civique et ainsi de suite. Plusieurs d'entre eux sont donc devenus parmi les liquidateurs les plus zélés de tout ce qui ressemble à une évocation positive de la vieille identité *canadienne-française*[24].

On le voit, les explications peuvent varier, mais elles partent toutes d'un constat de base si répandu parmi plusieurs de nos meilleurs penseurs — les effets pervers d'un rapport malsain à notre passé — qu'on ne saurait l'écarter du revers de la main simplement parce qu'il nous déplaît de l'entendre.

Essoufflement idéologique et confusion intellectuelle

Quand un peuple cherche sa voie, il se tourne tout naturellement vers ses élites politiques. Mais on sent bien que les familles politiques traditionnelles, ici comme ailleurs, tâtonnent quand vient le temps de répondre concrètement aux mutations des sociétés contemporaines. Les grands récits idéologiques de jadis ne parviennent plus à rendre compte de pans importants de la réalité sociale d'aujourd'hui. Les partis politiques ont de la peine à mobiliser au-delà de leurs militants les plus convaincus.

Certains en concluent que les notions de gauche et de droite ne signifient plus rien. C'est évidemment absurde. Il est vrai cependant que le panorama idéologique semble plus complexe et plus embrouillé que jadis.

D'abord, chez tous ceux qui se classent eux-mêmes à gauche, plusieurs sensibilités se côtoient et parfois se chevauchent : gauche socialiste, gauche sociale-démocrate, gauche identitaire et multiculturelle, altermondialisme, écologisme et d'autres encore. Même diversité à droite : néolibéraux économiques, conservateurs culturels, nationalistes traditionalistes, droite religieuse, libertariens et ainsi de suite.

Pour aller à l'essentiel, la droite économique a traditionnellement valorisé davantage la liberté que l'égalité, et la création de la richesse plus que sa redistribution. La droite culturelle est attachée aux traditions et n'embrasse pas spontanément le changement social. Les deux se rejoignent dans un commun scepticisme à l'endroit de l'État et dans leur hostilité à toute volonté de refaçonner autoritairement la société à partir du haut pour la faire correspondre à une vision prédéterminée.

La gauche, dans ses diverses déclinaisons, valorise davantage l'égalité que la liberté individuelle et croit qu'il revient à l'État de redistribuer la richesse afin que les gens aient les moyens matériels d'être autonomes. La gauche identitaire et multiculturelle, elle, croit que des groupes sociaux minoritaires — minorités sexuelles, religieuses ou ethniques — sont victimes d'iniquités, ce qui justifie réparation et traitement différencié, et elle milite habituellement pour la déconstruction des récits et des symboles collectifs fondés sur l'histoire du groupe majoritaire.

Ces distinctions sont évidemment fort discutables. Ces dernières années, par exemple, c'est une bonne partie de la gauche qui s'est opposée au changement, au nom de la protection des « acquis sociaux ». Un gouvernement de droite pourra être aussi interventionniste et aussi dépensier qu'un gouvernement de gauche, mais à des fins et dans des domaines différents. Une idée pourra être considérée à gauche à une certaine époque, puis être perçue différemment à un autre moment : la croyance dans les vertus du libre marché, par exemple, était une idée de gauche au XIXe siècle, mais elle est plutôt classée à droite aujourd'hui. Une valeur chère à l'homme de gauche, l'égalité, peut être entendue de diverses manières : égalité de droits, égalité des chances ou égalité de résultats ?

On voit aussi que des pans importants de la gauche d'aujourd'hui se réconcilient progressivement avec des préoccupations comme la sécurité, l'autorité ou la discipline, qui sont des valeurs généralement associées à l'univers intellectuel de la droite, tandis qu'à droite des questions comme l'homosexualité ou le rôle des femmes ne sont plus toujours abordées comme elles l'étaient jadis. Des thèmes comme l'environnement, l'immigration, la décentralisation et les changements technologiques continuent bien sûr d'interpeller les valeurs fondamentales de la liberté, de l'égalité, de la responsabilité individuelle ou collective, mais ils mettent bien en lumière les limites des représentations idéologiques conçues à d'autres époques.

La plupart d'entre nous ont d'ailleurs des positions habituellement classées à gauche sur certains sujets et des positions habituellement classées à droite sur d'autres : une même personne peut fort bien être *pour* la décriminalisation des drogues douces et *pour* des peines plus sévères pour certains autres crimes, ou *pour* de généreux programmes de redistribution de la richesse et *contre* la possibilité pour quelqu'un de passer une vie entière à dépendre de l'aide sociale.

De toute façon, même s'il est très difficile de fixer rigoureusement ce qui distingue la gauche et la droite, il suffit que des gens croient en ces distinctions et fondent leurs choix politiques en fonction d'elles pour qu'il en résulte une polarisation qui structure le débat politique.

Chose certaine, les mutations déjà évoquées mettent sous tension tous les courants politiques établis et les sensibilités qu'ils traduisent.

Le socialisme traditionnel est définitivement enterré et on ne le pleurera pas. Il a entraîné pauvreté matérielle et recul des libertés partout où il s'est implanté durablement.

La social-démocratie classique, elle, est mise à mal par des transformations qui minent les forces sociales sur lesquelles elle a historiquement reposé. Le progrès technologique a réduit l'importance et l'homogénéité de la classe ouvrière. Le travail autonome se répand et les changements d'emploi sont fréquents, ce qui fragmente l'univers du travail. L'uniformité de l'offre de services publics est inadaptée à cette multiplication des statuts particuliers et à l'individualisme moderne. Le syndicalisme décline presque partout. La circulation des capitaux et des marchandises fait que les politiques économiques peuvent de moins en moins se concevoir en vase clos.

L'État-providence, qui demeure l'incarnation historique concrète du projet social-démocrate, avait des visées nobles et légitimes — approfondissement de l'égalité des chances, collectivisation de la gestion des risques — qu'il a d'ailleurs en bonne partie atteintes. Mais il a aussi entraîné son lot d'effets pervers, comme la déresponsabilisation individuelle et la dépendance envers l'État.

À gauche, la confusion dans les esprits est aussi considérable. Quand l'honnête homme de gauche dénonce ce qu'il appelle le « néolibéralisme » ou la « mondialisation libérale », tout en prônant l'élargissement pour tous des droits et des libertés, il se contredit.

En effet, le libéralisme économique s'incarne concrètement dans la liberté d'entreprendre, la liberté de posséder et la liberté de jouir des récompenses issues de la prise de risques. Se dire amoureux de la liberté tout en s'opposant à l'exercice de cette liberté dans la sphère économique, c'est adhérer à une conception étriquée de la liberté, qui fait terminer celle-ci là où la plupart des gens la situent le plus concrètement : dans la possibilité pour chacun d'utiliser librement ses talents pour améliorer sa situation personnelle. Voilà pourquoi les détracteurs sophistiqués du libéralisme prennent souvent la précaution rhétorique de dire que ce n'est pas le libéralisme en soi qu'ils dénoncent, mais plutôt ses excès, comme s'il était simple de déterminer le seuil au-delà duquel on verse dans l'excès.

Quant à la dénonciation de la mondialisation « libérale », nous nageons ici en plein sophisme. Qu'on me comprenne bien : il faut évidemment réguler la mondialisation. Mais, pour qu'il y ait expansion du commerce et ouverture des marchés, donc mondialisation, il fallait obligatoirement que les acteurs sociaux s'inscrivent, à tout le moins durant la phase initiale, dans une logique économique libérale, c'est-à-dire qu'ils adhèrent à l'idée que l'exercice de la liberté dans la sphère économique est *fondamentalement* une bonne chose, même si elle comporte des effets pervers.

Autrement dit, d'un point de vue économique, une mondialisation non libérale est une impossibilité. La mondialisation est *forcément* libérale, et la vraie question est de savoir *jusqu'à quel point* elle doit l'être. On peut à bon droit débattre des bienfaits ou non de la mondialisation ou discuter des manières de l'encadrer, mais on ne peut se dire foncièrement *pour* l'ouverture des frontières et la circulation accrue des personnes et des marchandises et se dire *contre* le libéralisme économique en même temps.

Une chose est sûre : il s'agit aujourd'hui de savoir comment il faut *aménager* le capitalisme pour en maximiser les bienfaits et en minimiser les méfaits, plutôt que de chercher à en sortir. Mais l'indignation morale et les slogans font de la si bonne politique que la logique leur résiste bien mal.

La droite, aussi, vit ses problèmes. D'abord, bien sûr, le libéralisme intégral n'a jamais été qu'une vue de l'esprit qui ne s'est nulle part incarnée concrètement : les plus ardents détracteurs de l'État finissent invariablement par devoir reconnaître que seul ce dernier peut assumer certaines responsabilités.

L'actuelle crise économique place aussi au banc des accusés le libéralisme économique peu ou mal réglementé.

Prenez un des ouvrages les plus célèbres de la sociologie : *L'Éthique protestante et l'esprit du capitalisme* (1904), de Max Weber. La figure exemplaire des premiers capitalistes que dépeint Weber, avant même la Révolution industrielle du XVIIIe siècle, est celle d'hommes ascétiques, austères, frugaux, disciplinés, qui voient loin, qui épargnent et réinvestissent en vue du futur, qui veulent léguer un patrimoine à leurs enfants, qui pensent ainsi faire avancer l'aventure humaine.

Rien à voir, ou si peu, avec ce que nous avons si souvent eu sous les yeux ces dernières années : la jouissance décadente, la cupidité insolente, la fixation sur le court terme, les spéculations prédatrices, les opérations sur papier qui ne sont adossées à aucun actif tangible ou presque.

Le conservatisme culturel, lui, tel que défini à l'origine par Edmund Burke pendant la Révolution française, a toujours plus ou moins reposé sur une attitude de prudence, voire de méfiance, à l'endroit du changement social (surtout quand celui-ci se donne des visées messianiques), sur un attachement à la tradition, vue comme l'incarnation de la sagesse pratique accumulée au fil des générations, et sur une valorisation des traits qui distinguent les peuples les uns des autres et qui contribuent ainsi à la diversité du genre humain.

Or, il se trouve que nombre de personnes qui se classent elles-mêmes *à droite* se réclament instinctivement de ces deux dimensions : libéralisme économique et conservatisme culturel. Elles ne sont alors pas loin de devenir de véritables contradictions ambulantes.

Pensons-y : on peut difficilement, d'un côté, déplorer « la crise des valeurs » du temps présent, condamner l'inculture ou le manque de civisme supposés des jeunes, regretter le déclin de la famille traditionnelle et autres lieux communs plus ou moins fondés, et, de l'autre côté, soutenir inconditionnellement une dynamique de la consommation effrénée, de l'assouvissement immédiat du désir, de la performance tous azimuts, qui dissout justement ces institutions et valeurs traditionnelles dont on déplore l'érosion.

La recherche de ce chaînon manquant qui permettrait de réconcilier de façon cohérente le libéralisme économique et le conservatisme culturel s'est d'ailleurs révélée être une véritable quête du Graal pour les intellectuels de droite du dernier demi-siècle[25].

Bref, la lutte idéologique est une dimension normale et saine de la vie en société, mais elle aveugle souvent ses protagonistes. À gauche, on a encore de la peine à reconnaître les vertus évidentes de l'économie de marché. On admet aussi difficilement que l'État peut faire autant de mal que de bien ou que les différences de talent et d'énergie créeront inévitablement des inégalités. À droite, on se ferme trop souvent les yeux devant les dégâts de la cupidité et le creusement des inégalités, ou encore on espère un très improbable retour collectif aux certitudes morales d'antan.

Six principes de gouvernance prudente

Où tout cela nous laisse-t-il ?

Au-delà des droits et libertés déjà reconnus, sur quelles bases peut-on construire désormais un vivre-ensemble le moins anomique possible dans ce supermarché bruyant de modes, de slogans, de sophismes et de prêt-à-penser que sont devenues nos sociétés contemporaines, où tout doit toujours être drôle et léger ?

Si on croit encore que les collectivités humaines ne doivent pas faire leur deuil d'un goût de l'avenir largement partagé, sur quoi peut-on le faire reposer dans nos royaumes modernes de l'humoriste roi, des sondages, des cotes d'écoute, du verbiage insignifiant, des *clips* de huit secondes et de la télé-réalité ?

Il ne faut pas pleurer un passé qui ne doit pas davantage être enjolivé que noirci exagérément. Le retour à la transcendance n'est ni possible ni même souhaitable. La sécularisation est irréversible. Les ancrages ontologiques de jadis et leurs certitudes ne reviendront pas. Les seules formes d'autorité légitime qui auront quelque avenir dans les sociétés modernes seront celles qui tireront leur légitimité de leurs assises démocratiques, de leur expertise reconnue ou de leur probité exemplaire. Quant aux utopies politiques, elles ont tourné au tragique partout où elles sont parvenues au pouvoir. Il nous faudra donc vivre avec un certain degré de désenchantement politique.

Deux affrontements idéologiques principaux ont cours dans le monde d'aujourd'hui.

Le premier est la guerre livrée contre l'Occident par l'islamisme radical. Je demeure convaincu que ce dernier ne pourra pas ultimement triompher, malgré les souffrances qu'il répandra, parce qu'il n'a guère d'attrait pour l'immense majorité d'entre nous, qui le voit très justement comme un saut vers l'arrière de quelques siècles. Le second affrontement découle de cette contestation menée de l'intérieur même de nos sociétés occidentales par les tenants de la fragmentation identitaire et du multiculturalisme radical, à laquelle résistent le sentiment populaire majoritaire et une frange minoritaire des milieux intellectuels.

Je ne vois cependant pas de dépassement possible, ni de l'économie de marché, ni de ce jeu de balancier entre le libéralisme et la social-démocratie, qui puisse déboucher sur d'autres grands principes autour desquels on pourrait organiser globalement nos sociétés.

Beaucoup ont déjà fait leur lit. Au Québec, certains proposent de perpétuer, voire d'approfondir, la logique étatiste héritée de la Révolution tranquille : interventionnisme lourd de l'État dans le développement économique et maintien du quasi-monopole du financement étatique des services publics par le biais de la fiscalité. J'ai expliqué plus tôt et reviendrai dans un instant sur le fait que cette avenue débouche sur une impasse.

D'autres proposent de rompre, plus ou moins nettement, avec l'étatisme et de faire une plus large place au secteur privé et à la régulation par les mécanismes de marché. La crise économique a cependant illustré à la fois les conséquences de l'abdication par l'État de ses responsabilités et le fait que lui seul peut assumer certaines tâches.

D'autres, enfin, cherchent à faire émerger un nouveau modèle québécois assis sur un État qui essaie surtout de faire mieux plutôt que plus ou moins, sur la décentralisation vers les collectivités locales, sur des partenariats nouveaux avec le milieu communautaire et sur le développement de formes nouvelles de démocratie participative[26]. Mais les questions plus lourdes, comme la démographie, le financement des dépenses de santé, l'endettement public ou l'impératif d'une productivité accrue, les placent, eux aussi, dans un embarras considérable.

Je ne me lancerai pas ici dans la construction d'une nouvelle cathédrale idéologique ou d'une énième liste de réformes à amorcer. J'énonce simplement ce que je qualifie de *principes de gouvernance prudente,* en phase avec la lecture que je fais de notre situation : il y en a six.

Ils ne satisferont évidemment pas les amateurs d'absolu et de formules chimiquement pures. Ceux qui aiment mieux classer que réfléchir s'empresseront de leur apposer une étiquette : social-démocratie libérale, libéralisme social, économie sociale de marché, centrisme, troisième voie ou que sais-je. Qu'ils s'amusent.

La célèbre formule des sociaux-démocrates allemands, née au congrès de Bad Godesberg en 1959, m'a toujours plu : autant de marché que possible, autant d'État que nécessaire. Ce n'est qu'une formule, bien sûr, mais elle traduit un souci d'équilibre, de réalisme et de pragmatisme, un rejet de l'extrémisme, sans exclure pour autant l'idéalisme, qui me semble bien traduire les exigences du temps présent.

Nous devons d'abord réhabiliter l'idée d'un *héritage* historique et culturel qui nous a été légué et un souci de *transmission* de cet héritage à ceux qui nous suivront. L'aventure québécoise n'est ni meilleure ni moins bonne qu'une autre, mais elle est unique et, de ce point de vue, elle est irremplaçable. Sa poursuite n'a donc un sens, me semble-t-il, que dans la mesure où cette spécificité est préservée. Pour deux raisons : afin qu'elle maintienne la diversité culturelle du monde et pour que les combats livrés avant nous pour la défendre ne l'aient pas été en vain. Notre planète n'a sûrement pas besoin d'un deuxième Nouveau-Brunswick, d'un autre Ontario, d'un Delaware de plus.

Pour dire les choses autrement, nous devons œuvrer à un *réenracinement* de la nation québécoise dans son expérience historique propre : concrètement, cela signifie faire découvrir ou redécouvrir à notre peuple les cultures qui l'ont forgé, les événements historiques qui l'ont façonné, les sources intellectuelles des valeurs qu'il chérit, afin qu'il voit plus clairement à la fois ce qu'il a d'unique et ce qu'il a de commun avec les autres peuples.

Rien là-dedans n'implique une fermeture ou un repli. Bien au contraire : c'est la connaissance de soi qui donne la confiance en soi et c'est cette dernière qui permet ensuite une ouverture aux autres qui ne soit pas un effacement de soi.

Vaste et difficile tâche que cette lutte contre l'oubli, l'ignorance ou le dénigrement du passé, contre le *présentisme* forcené, contre le reniement de soi sous prétexte d'ouverture à la différence, contre les procès d'intention et la culpabilisation collective, et dont on voit les chantiers qu'elle implique : enseignement de l'histoire nationale, défense de la langue française, protection du patrimoine historique, soutien accru à l'art et à la culture, refonte des politiques d'intégration des immigrants et entretien d'une fierté nationale qui n'a pas à être chauvine pour s'affirmer d'une manière décomplexée.

Le deuxième principe de gouvernance que nous devons garder en tête est le souci de l'*équilibre*. Évidemment, la notion d'équilibre est relative et subjective : une situation pourra être jugée équilibrée par une personne et déséquilibrée par une autre. Mais c'est le souci de l'équilibre, même si chacun le définira à sa façon, qui est encore la plus sûre garantie de ne pas verser dans les extrêmes.

J'entends ici *équilibre* dans un double sens. Équilibre, d'abord, entre l'État et le marché. L'économie de marché reste, quoi qu'on en dise, la meilleure façon d'assurer la croissance, l'efficacité, l'innovation, l'échange d'information et la satisfaction des besoins matériels, si la concurrence y est relativement équitable. Mais sa surveillance par un État fort, ce qui ne veut pas dire lourd ou gros, est nécessaire, et tout ne doit pas devenir marchandise.

Le rôle de l'État ne devrait pas non plus être de déterminer des gagnants et des perdants pour des raisons d'idéologie ou de nous soustraire aux rigueurs de la concurrence, sauf dans des cas particuliers, mais d'offrir à chaque individu l'occasion de s'équiper au mieux pour cette concurrence et de veiller ensuite au respect des règles du jeu. Les aptitudes individuelles feront le reste.

Équilibre, également, entre le capital et le travail, entre les employeurs et leurs employés, qui doivent chacun reconnaître, et pas seulement du bout des lèvres, la légitimité des intérêts de l'autre. Or, qui dit reconnaissance authentique de la légitimité de l'autre dit forcément acceptation de la négociation comme mode privilégié de résolution des différends. Ici encore, c'est le souci constant de l'équilibre — donc l'attitude de modération et le refus des extrêmes qu'il implique — qui compte, bien plus qu'un point d'équilibre précis qui variera de toute façon selon la conjoncture.

Un troisième principe fondamental à réaffirmer est celui de l'*égalité des chances*. Rien ne justifie que les circonstances de sa naissance, que l'on ne choisit pas, empêchent quelqu'un de développer le potentiel qui est le sien. La stricte égalité des droits ne suffit pas. Le vieil argument de la gauche selon lequel la liberté authentique n'est possible que si chacun a les moyens d'exercer concrètement cette liberté est parfaitement fondé : on ne peut pas être vraiment libre quand on ne sait pas de quoi demain sera fait. La difficulté est de ne pas verser, au nom de l'égalité des chances, dans une poursuite de l'égalité des résultats qui nivelle par le bas et démotive les plus talentueux sans vraiment rehausser les autres.

Travailler pour une égalité des chances aussi raisonnable que possible n'est d'ailleurs pas qu'une question de justice sociale, c'est une question d'intérêt général bien compris. Les sociétés les plus prospères et les plus harmonieuses du monde sont aussi celles, et cela n'a rien d'un hasard, où les inégalités sociales sont les moindres, bien qu'elles puissent être substantielles. Là où les inégalités restent contenues dans les limites du raisonnable, on trouve aussi de meilleurs bilans de santé, de plus longues espérances de vie, moins de grossesses précoces et moins de criminalité. Les plus récentes recherches l'établissent maintenant de manière indiscutable[27].

Que des transferts fiscaux allant des plus fortunés vers les moins nantis servent à cela devrait être réaffirmé et pleinement assumé, pour autant qu'un compromis raisonnable soit établi entre l'équité et l'efficacité et que cela n'engendre ni une frustration excessive chez les premiers, ni une dépendance démoralisante et une faible estime de soi chez les seconds.

Ce qui vient d'être dit annonce en quelque sorte un quatrième principe à réhabiliter de toute urgence : la *responsabilité individuelle*. Qu'on me permette d'être franc : elle n'a jamais vraiment disparu, mais elle pourrait et devrait se porter nettement mieux dans le Québec d'aujourd'hui.

Il faut réactiver l'idée d'un contrat social et moral liant la reconnaissance de droits individuels à la conscience d'avoir en contrepartie des responsabilités individuelles. J'irais même jusqu'à dire qu'il ne faut plus accorder de nouveaux droits s'ils ne sont pas accompagnés de nouvelles responsabilités.

Cette réactivation de la notion de responsabilité individuelle doit s'étendre bien au-delà des sphères traditionnelles de l'aide sociale et de la jeune délinquance, car elle nous concerne tous sans exception : responsabilité comme parent, comme patron, comme voisin, comme contribuable, comme collègue de travail. Cela portait un nom jadis : le *civisme*. Aristote l'appelait *vertu*. Si nous souhaitons que la collectivité nous reconnaisse la liberté de mener notre vie comme bon nous semble ou presque, nous devons en retour assumer la responsabilité des conséquences que nos choix de vie entraînent pour nous-mêmes et pour les autres.

Évident, dites-vous ? En théorie, peut-être, mais cela s'est fort peu traduit dans la réalité. Dans les faits, qui niera sérieusement que nous avons, ces dernières décennies, mis un accent beaucoup plus prononcé sur l'extension des droits que sur la définition des responsabilités individuelles qui devraient les accompagner ?

Dans le cas plus précis de nos mécanismes de solidarité collective, nous avons, animés de nobles intentions, perdu de vue que, si la collectivité accepte que l'État soutienne ceux d'entre nous qui éprouvent des difficultés, il est raisonnable que chaque individu se reconnaisse aussi une dette en forme de responsabilité envers ceux qui l'aident.

Il est vrai que la droite populiste sous-estime gravement la complexité réelle de la réinsertion sociale d'exclus qui ont perdu, voire n'ont jamais eu, les compétences et les attitudes requises pour pouvoir mener une vie productive. Mais il est tout aussi vrai qu'une partie de la gauche persiste à voir certains de nos concitoyens comme des victimes passives et à se fermer les yeux sur la culture de la dépendance et du fatalisme que reproduit l'aide sociale quand elle ne lie pas suffisamment l'octroi d'une aide à des exigences de prise en charge de soi-même.

Le cinquième principe auquel il faut s'attacher est celui de *la vitalité de la société civile,* dont il faut souhaiter une dynamisation et une densification encore accrues. Je m'empresse de préciser ma pensée, car la notion de société civile est utilisée à toutes les sauces et provoque souvent un agacement justifié.

La pensée libérale orthodoxe dépeint souvent un individu abstrait et sans ancrages. La gauche, elle, le voit fréquemment comme une sorte d'automate programmé par ses origines sociales. Les deux simplifient à outrance.

La vie quotidienne de chacun d'entre nous se déroule au sein d'une myriade d'institutions et de réseaux sociaux. Entre l'État et l'individu, toutes sortes d'entités — familles, écoles, lieux de travail, associations de quartier, organismes communautaires, regroupements professionnels, clubs de ceci ou de cela — constituent le tissu social concret de notre vie. C'est là que se vivent concrètement le civisme et nos responsabilités à l'égard d'autrui.

Il est vrai que cette notion de *société civile* chapeaute indistinctement des institutions très diverses. Elle est aussi fréquemment invoquée par des regroupements qui, derrière une proclamation comme « nous, la société civile… », avancent des intérêts particuliers — légitimes par ailleurs — sous couvert d'intérêt général. Plusieurs d'entre eux vont jusqu'à vouloir se poser en interlocuteurs à hauteur égale de nos gouvernements et de nos élus, sans avoir la légitimité démocratique que seule une élection confère. Il faut évidemment leur tracer une ligne dans le sable.

Mais pensons-y un instant. On ne peut, d'un côté, déplorer l'anomie de nos sociétés, le repli sur soi de nombre d'individus, le désintérêt pour la vie politique, et, du même souffle, refuser de voir le potentiel de régénération de la sphère publique et de l'engagement social dont est porteur ce bouillonnement. On ne peut non plus se dire attaché à des idéaux de fraternité authentique, de mémoire historique, de valeurs communes, et ne pas au moins essayer de miser sur ce qui peut leur servir de supports concrets, de courroies de transmission.

La gauche traditionnelle a longtemps pensé que les bureaucraties étatiques pouvaient assurer la cohésion et l'harmonie sociales. On connaît les résultats. La droite économique, elle, s'est imaginé que la main invisible du marché y parviendrait si seulement l'État se mettait moins souvent en travers de son chemin. On a vu également les résultats.

Bref, aux côtés de l'État, du marché, des grandes institutions, de l'individu seul, il faudra assurément, et de plus en plus, faire une place conceptuelle et opérationnelle à cette autre dimension de la vie sociale que nous nommons *société civile*.

De toute façon, l'émergence de cette notion, ces dernières années, est la conséquence d'une évolution largement irréversible. Des populations plus instruites seront forcément plus autonomes et plus désireuses de se réapproprier localement un certain pouvoir. Le désenchantement à l'endroit de la démocratie représentative sera au mieux amoindri, mais sûrement pas renversé, et une éventuelle réforme du mode de scrutin ne réenchanterait pas miraculeusement notre vie politique. Nos parlements, nos députés ne redeviendront pas des institutions et des acteurs aussi centraux que jadis. L'« offre » politique traditionnelle continuera à mal répondre à la « demande » citoyenne.

Dans nos sociétés modernes, on sent cependant que le cynisme à l'endroit de la politique partisane traditionnelle se double, souvent chez les mêmes personnes, d'une authentique volonté de trouver d'autres lieux d'expression que les parlements, de donner à nos concitoyens d'autres moments qu'une élection aux quatre ans pour parler. Comme cet activisme citoyen est là pour rester, n'est-il pas plus sensé de miser sur lui ?

Pour dire les choses brutalement, on ne redonnera aux gens de l'intérêt pour la politique qu'en rapprochant la politique d'eux, et pour rapprocher la politique d'eux il faut forcément élargir notre conception de ce que sont la participation et la représentation démocratiques.

Concrètement, tout ce qui permettrait d'augmenter et de renforcer la capacité de consulter nos concitoyens, de les faire s'exprimer, de les faire délibérer et participer — comme on le voit déjà dans les comités de parents de nos écoles, dans les conseils d'administration des garderies, lors des audiences publiques tenues avant les réaménagements urbains — doit être envisagé avec ouverture et bienveillance. Dans bien des domaines, des partenariats féconds entre l'État et tout ce secteur baptisé *économie sociale* au Québec pourraient aussi être élargis.

L'essentiel est de ne jamais perdre de vue que l'autorité ultime doit évidemment demeurer celle des gouvernements élus démocratiquement. Et, bien sûr, éviter deux écueils : le noyautage par des groupes d'intérêts étroits et la paralysie par excès de délibérations.

Je plaide enfin, sixième principe, pour une approche plus *pragmatique dans le choix des moyens* en vue d'atteindre les fins poursuivies par nos politiques publiques.

Qu'on ne me comprenne pas de travers : le pragmatisme ne peut tenir lieu de philosophie politique. Quand un homme politique se réclame du pragmatisme intégral ou du sens commun, c'est généralement parce qu'il dissimule une idéologie qui ne veut pas dire son nom ou parce qu'il n'est pas conscient d'en avoir une.

Je parle plutôt ici de la distinction classique entre les fins et les moyens et je plaide pour une décrispation idéologique dans le choix des moyens. Les fins sont affaire de valeurs et d'idéologie : on pourra, par exemple, choisir de viser davantage d'égalité ou de liberté, donner une priorité accrue à l'éducation ou à la santé, ou que sais-je encore. Mais quand il s'agit ensuite de déterminer les moyens d'y parvenir, les oppositions entre public et privé, entre État et marché, deviennent inutilement contraignantes quand elles sont dogmatiques et trop tranchées.

La question de savoir *qui* doit livrer un service à la collectivité doit être envisagée, me semble-t-il, avec moins de ferveur idéologique et davantage à la lumière d'un souci d'efficacité. Les protagonistes de la lutte idéologique en viennent trop souvent à prêter des vertus proprement ontologiques aux secteurs privé ou public. Il n'y a pourtant aucun fondement scientifique à l'idée reçue que le secteur privé est *forcément* plus efficace que le secteur public ou que ce dernier est *forcément* plus vertueux que le premier.

Dans la réalité, on retrouve tous les cas de figure possibles, et un exemple de succès ou d'échec ne « prouvera » jamais rien, car on pourra toujours trouver un autre exemple qui illustrera l'inverse. Le débat sur les partenariats privé-public au Québec est la parfaite illustration de cette crispation idéologique que je déplore.

Je ne m'appesantis pas davantage sur cet effort de synthèse que j'esquisse à peine. Notre époque, me semble-t-il, exigera de plus en plus que nous cherchions, sans aspirer à la reconstitution des grands systèmes idéologiques de jadis, des façons de concilier prospérité économique et justice sociale, efficacité et équité, droits et responsabilités, fidélité à des valeurs et ajustement aux circonstances.

Dans le cas précis du Québec, entre le démantèlement injustifié de tout ce qui a été bâti et le repli crispé mais sans avenir sur des positions devenues intenables, entre le dénigrement systématique et la contemplation complaisante du nombril du modèle québécois, il faudra bien se décider à emprunter un passage praticable.

6

Famille, école, humanisme

Partager avec les meilleurs esprits ces vérités magnifiques et éternelles.

SÉNÈQUE

Les individus autonomes et responsables, les peuples libres et forts, les sociétés justes et prospères se construisent du bas vers le haut, plutôt qu'en sens inverse.

J'entends par là que c'est surtout au sein de la famille et à l'école que l'être humain développe ses traits de caractère propres, qu'il acquiert non seulement les connaissances de base mais aussi son attitude générale envers le savoir, et qu'il forge son esprit civique. Notre trajectoire individuelle ultérieure et tout l'édifice social reposent largement sur ces fondations.

Il me paraît rigoureusement impossible qu'une société soit prospère, que sa culture soit forte et vibrante, que sa vie publique soit dense et dynamique si la famille et l'école ne remplissent pas adéquatement leurs fonctions, vacillent ou dépérissent. Elles sont donc, de ce point de vue, les deux institutions les plus importantes de la société.

Ce que nous avons fait de mieux

Rien n'est parfait, mais, à mon humble avis, nos efforts collectifs déployés ces dernières années pour soutenir la famille québécoise ont sans doute été, malgré les encoches mal taillées, ce que nous avons fait de mieux. Pour une fois, la rhétorique s'est traduite dans des gestes concrets, cohérents et visionnaires. Il faut réaffirmer ce choix, corriger ce qui doit l'être et ne pas relâcher l'effort.

Reconnaissons d'abord les mérites qui nous reviennent. De 2000 à 2008, la famille québécoise avec enfants de la classe moyenne, c'est-à-dire celle qui a un revenu familial moyen de 75 000 $, a vu le soutien financier qu'elle reçoit des gouvernements (fédéral et provincial) doubler en dollars constants. Pour les familles québécoises à faible revenu, le soutien financier offert représente aujourd'hui jusqu'à 85 % du coût moyen des enfants, de leur naissance à l'atteinte de la majorité[1].

Dans tout le Canada, c'est au Québec que les familles avec enfants qui fréquentent les garderies, malgré qu'elles paient plus d'impôts que dans les autres provinces, conservent dans leurs poches le revenu disponible le plus élevé *après* le paiement des impôts, des autres cotisations sociales et des frais de garde *et* la prise en compte des diverses prestations qu'elles reçoivent. On a bien lu : *le revenu disponible le plus élevé au Canada*. À ce chapitre, le Québec continue même à figurer parmi les premiers de classe quand on élargit la comparaison aux pays du G7 et aux pays scandinaves[2].

Cela n'empêche évidemment pas la famille québécoise d'aujourd'hui de subir d'immenses pressions.

On nous demande d'être à la fois des parents présents et engagés auprès de notre progéniture et d'être des travailleurs de plus en plus performants. Les couples sont de moins en moins durables. De plus en plus d'enfants grandissent dans un foyer monoparental. L'éclatement du couple fait souvent basculer dans la pauvreté celui des deux adultes, habituellement la femme, qui garde la charge des enfants, surtout lorsque son niveau de scolarité est faible. « Famille », le mot désigne d'ailleurs aujourd'hui toutes sortes de nouveaux arrangements.

Cela fait se répandre deux attitudes parfaitement improductives : la nostalgie et le fatalisme.

Nostalgie, d'abord, pour la famille dite *traditionnelle.* De nombreux historiens ont pourtant montré que nous avons tort d'idéaliser le passé à ce chapitre[3]. On divorçait peut-être moins jadis, mais les familles brisées par la mort, la violence, le jeu ou l'alcool étaient monnaie courante. La subordination des femmes allait de soi. La violence à leur endroit et contre les enfants était très répandue, et l'appareil juridique offrait fort peu de protection à cet égard. On se mariait moins par amour que par conformisme social et intérêt économique. Dans les hautes sphères de la société, le mariage servait souvent aussi à sceller des alliances politiques.

Les familles étaient nombreuses pour des raisons qui n'étaient en rien altruistes : méconnaissance de la contraception, obédience religieuse, et aussi parce que les enfants fournissaient une main-d'œuvre bon marché. Aujourd'hui, au contraire, en cette ère de l'enfant unique ou presque, il est certes cajolé et gâté comme jamais, si les parents le peuvent, mais également vu comme un poste de dépense considérable.

Très finement, Luc Ferry décèle un formidable paradoxe dans la famille moderne. Elle éclate, se recompose, se redéfinit, vit toutes sortes de tensions, mais, en même temps, le lien entre les générations au sein de la famille est peut-être, dit-il, le seul lien social à s'enrichir, à se densifier, à devenir plus sincère et moins hypocrite que jamais auparavant. Dans une société dominée plus que jamais par la compétition et le corporatisme, c'est peut-être même au sein de la famille que se déploient les formes de solidarité les plus authentiques et les plus profondes de toutes[4].

Et ces ruptures, ces divorces devenus si communs, objectera-t-on ? Un divorce représente certes un échec et entraîne souvent nombre d'impacts négatifs pour les ex-conjoints et leurs enfants. Historiquement, la montée du divorce est cependant directement liée à la montée du mariage par amour. À partir du moment où l'on se marie essentiellement par amour et non plus *parce qu'il le faut bien,* pourquoi rester ensemble si l'amour n'y est plus, si le couple perd sa principale raison d'être objective ? La fréquence de la rupture maritale est donc aussi la résultante d'une évolution historique fondamentalement positive : les unions sont désormais librement fondées sur le sentiment et non plus sur la contrainte ou le conformisme[5].

Est-ce à dire pour autant que la multiplication des ruptures ou la prolifération d'arrangements familiaux de toutes sortes, présentés comme autant de « choix de vie », ne sont pas problématiques ? Non. Terrain glissant, évidemment, mais la science a encore ses droits.

On trouve certes des familles monoparentales parfaitement viables et des familles biparentales totalement dysfonctionnelles au sein desquelles les enfants souffrent. Anthony Giddens note que l'effet d'un divorce sur un enfant est difficile à mesurer puisque, par définition, on ne saura jamais comment aurait évolué l'enfant si ses parents ne s'étaient pas séparés[6].

Des exceptions ne suffisent toutefois pas à infirmer des tendances. La recherche scientifique disponible établit clairement, toutes choses étant égales par ailleurs, qu'il est erroné de croire que les enfants élevés par un adulte seul ne feront pas face à des obstacles particuliers et qu'ils feront, règle générale, aussi bien que ceux ayant connu un foyer à deux parents.

Il est également illusoire de croire que les familles monoparentales peuvent aisément compter sur des réseaux sociaux élargis pour les soutenir. Ce n'est pas seulement la baisse subite du revenu familial lors de la rupture qui est ici en cause, mais aussi le temps moindre désormais consacré à l'enfant, ainsi que l'absence, le plus souvent, d'un modèle masculin à temps plein[7].

Si la nostalgie n'a pas de justification rationnelle, ai-je dit, le fatalisme non plus.

J'entends ici par fatalisme cette attitude qui consiste à mettre la chute des naissances sur le compte d'une mystérieuse *post-*

modernité qu'on ne définit jamais précisément. La montée inexorable de l'individualisme, de l'égoïsme, du désir de s'épanouir sans entraves freinerait, laisse-t-on souvent entendre, la parentalité.

Ce n'est pas entièrement faux. Mais si cela était entièrement vrai, objecte le sociologue suédois Esping-Andersen, comment expliquer alors que le taux de fécondité en Suède a régulièrement baissé, puis a nettement remonté dans les années 1980, avant de rebaisser et de se stabiliser à la fin des années 1990 ? La post-modernité affectionnerait-elle les montagnes russes[8] ? Comment expliquer aussi que le taux de fécondité est tellement plus élevé en France qu'en Italie (2 contre 1,2), pays voisin et de culture similaire ? Les Italiens seraient-ils, demande Esping-Andersen, presque deux fois plus *postmodernes* que les Français[9] ?

L'erreur à ne pas commettre, explique-t-il, c'est d'interpréter la basse fécondité comme un signal que les gens ne veulent pas d'enfants. D'un bout à l'autre de l'Europe occidentale, quand on demande aux gens de dire combien d'enfants ils *voudraient* avoir, la moyenne globale tourne autour de 2,3, ce qui est considérablement plus élevé que les taux de fécondité réels. La clé de l'affaire semble donc résider dans une compréhension fine des obstacles qui empêchent les gens de réaliser leur désir d'avoir des enfants.

Nous ne reviendrons évidemment plus aux familles très nombreuses de jadis. Mais la recherche scientifique établit maintenant avec un degré de certitude raisonnable que là où la fécondité est très basse, c'est parce que les contraintes qui pèsent sur ceux qui *voudraient* avoir des enfants sont fortes[10]. Le taux de fécondité au Danemark, par exemple, est deux fois plus élevé qu'en Italie, fort probablement parce que les obstacles économiques liés à la parentalité y sont beaucoup plus bas.

L'air du temps rend aussi presque gênant de rappeler une autre vérité confirmée par les données existantes. Règle générale, les gens engagés dans un couple durable et solide sont plus heureux, sont en meilleure santé, ont des revenus plus élevés, ont des réseaux d'amis plus denses et plus étendus, toutes choses qui, sans les garantir, favorisent grandement à la fois une vie familiale épanouie et la réussite sociale[11].

Tout cela pointe vers la voie à suivre pour le Québec, et c'est déjà celle sur laquelle nous sommes engagés. Deux objectifs doivent être poursuivis de front : accroître la fécondité en enlevant le maximum d'obstacles sur le chemin de ceux qui veulent des enfants et encourager la stabilité du couple. Plusieurs mesures aident simultanément à l'atteinte de ces deux objectifs.

Prenons le deuxième point. Faire la morale aux gens et idéaliser les longues unions de nos grands-parents est d'une efficacité très relative. Plus concrètement, l'accès à des garderies abordables, des congés parentaux généreux et souples, des politiques de conciliation famille-travail ingénieuses et flexibles, une fiscalité délibérément orientée en faveur des familles avec enfants, tout cela facilite grandement la vie familiale et aide donc à sa stabilité.

C'est ce que nous faisons au Québec depuis des années, avec un double problème toutefois : d'une part, ces mesures sont extraordinairement coûteuses et nos moyens ne sont pas à la hauteur de nos ambitions, d'autre part, nous avons inutilement et bêtement érigé en symbole presque intouchable le tarif exigé des parents qui utilisent les garderies publiques.

Investir dans la petite enfance contribue aussi, à plus long terme, à prévenir les problèmes scolaires ultérieurs, la délinquance juvénile, les horizons bouchés sur le plan professionnel, tous des facteurs qui ne facilitent pas, au contraire, l'engagement ultérieur de cet enfant devenu adulte dans une union stable.

Dans les quartiers pauvres, là où la famille à deux parents est le plus exposée à l'éclatement, des mesures de réinsertion dans le marché du travail très individualisées sont également plus susceptibles que des programmes uniformes et mal adaptés d'offrir cette stabilité économique si cruciale pour la vie familiale. La revalorisation particulière du rôle du père semble aussi fondamentale à cet égard.

Pour ce qui est de stimuler le taux de fécondité, nous savons maintenant assez bien ce qui fonctionne et ce qui ne fonctionne pas.

Des gens mal informés établissent souvent un lien sans fondement entre la baisse du taux de fécondité et la montée du travail rémunéré chez les femmes. Le second serait, dit-on, un obstacle au premier.

D'un point de vue historique, à long terme, ce n'est pas entièrement faux. La baisse du nombre de naissances s'explique par une myriade de facteurs, mais l'apparition progressive de rapports plus égalitaires entre les hommes et les femmes en est un. Or, la plus grande autonomie financière des femmes, largement liée à l'emploi, a été et demeure un des principaux moteurs de cette marche vers l'égalité.

Si on regarde les choses de plus près, on s'aperçoit toutefois que, dans les sociétés développées, les taux de fécondité les plus élevés se trouvent là où les femmes sont les plus nombreuses sur le marché du travail, comme en France et dans les pays scandinaves[12]. Cela peut sembler contre-intuitif, mais c'est comme ça. De toute façon, les femmes choisiront peut-être à l'avenir de concilier autrement emploi et maternité, mais elles ne retourneront pas massivement à la maison.

On doit certes concevoir des politiques publiques qui pénaliseront moins les couples dont l'un des deux conjoints choisit de rester à la maison à temps plein pendant que les enfants sont en bas âge. Mais une philosophie de la natalité qui ne prendrait pas acte de cette mutation irréversible qu'est la présence massive des femmes sur le marché du travail serait franchement réactionnaire et ne mènerait à rien.

Décourager les femmes de rechercher un travail rémunéré, c'est aussi leur faire courir un plus grand risque de connaître la pauvreté, dont on a déjà évoqué les impacts négatifs sur les enfants et la vie de couple.

Il est vrai par ailleurs que, dans la plupart des pays, le taux de fécondité est généralement plus élevé chez les femmes qui ont un faible niveau de qualification et un emploi peu rémunéré. Mais ce n'est plus aussi uniformément vrai qu'auparavant. Dans les pays scandinaves, la fécondité est maintenant plus élevée chez les femmes qui ont une scolarité de niveau universitaire[13]. Chaque pays a ses particularités, mais la leçon est claire : faire carrière et avoir des enfants ne sont pas incompatibles.

Évidemment, les liens de causalité sont toujours difficiles à établir en cette matière. On ne choisit pas de faire ou non des enfants *strictement* parce que tel ou tel programme gouvernemental existe. Mais il est frappant de voir que la modeste mais réjouissante remontée des naissances au Québec, ces dernières années, coïncide avec l'adoption de nos politiques de soutien à la famille. On observe la même chose dans les pays scandinaves, qui ont connu une recrudescence notable des naissances à partir des années 1980, quand furent mis en œuvre de généreux congés parentaux et une flexibilité dans les milieux de travail qui ont permis de mieux concilier emploi et famille.

On objecte souvent que les États-Unis ont un fort taux de fécondité et peu de politiques familiales avant-gardistes. Mais cela s'explique par la fécondité élevée au sein de groupes ethnoculturels précis et par l'intensité particulière du sentiment religieux dans la société américaine. Règle générale, et sans rêver en couleurs, là où les obstacles au désir d'avoir des enfants sont amoindris, les résultats sont au rendez-vous.

La politique familiale est d'ailleurs un domaine où, indiscutablement, ces dernières années, les sociaux-démocrates responsables ont fait concrètement plus et mieux que la droite libérale ou la droite culturelle, tout en évitant le double piège du moralisme culpabilisant et de la nostalgie.

Comme l'a noté Helen Wilkinson, en reconnaissant l'importance de renforcer concrètement la famille traditionnelle, cette gauche a été « conservatrice » dans le meilleur sens du terme — la défense de la plus vieille institution qui soit — alors que la droite religieuse ne proposait guère de mesures réalistes à l'appui de sa rhétorique et que la droite économique peine à voir

que de toujours donner la priorité aux impératifs de la compétitivité est une des sources majeures des tensions qu'éprouve la
famille moderne[14].

La tolérance de l'ignorance

Chose certaine, nombre de familles modernes n'arrivent plus,
pour toutes sortes de raisons, à jouer ce rôle d'incubateur fondamental duquel émergent des êtres humains autonomes et responsables. D'où le rôle crucial de l'école primaire et secondaire. Il
l'a toujours été, mais jamais plus qu'en cette époque qui ébranle
nos repères traditionnels, creuse dramatiquement les écarts entre
ceux qui auront de l'instruction et ceux qui n'en auront pas et fait
disparaître à toute vitesse les emplois n'exigeant pas de grandes
qualifications.

Un système scolaire est évidemment une pyramide à plusieurs étages. Par exemple, comme les travailleurs de demain
changeront beaucoup plus fréquemment d'emploi, des enjeux
comme la formation continue et l'éducation des adultes deviendront de plus en plus cruciaux. Nous avons pris à cet égard un
retard considérable par rapport aux sociétés européennes.

Notre peuple entretient aussi, on l'a évoqué, des rapports
compliqués avec la modernité et avec sa propre identité. D'où
l'importance pour lui de pouvoir s'appuyer sur une culture
humaniste robuste. Sur le plan économique, nous n'avons pas
non plus ces atouts que sont la grande taille ou les bas salaires :
l'innovation scientifique et technologique sera donc, de plus en
plus, la clé de notre prospérité économique future.

Interpellée simultanément sur ces trois fronts, l'université
québécoise devra forcément viser beaucoup plus haut qu'à
l'heure actuelle, ce qui n'est pas la même chose que d'imiter ser-
vilement les universités américaines de pointe. Si elle montre un
panorama trop contrasté pour se prêter aux jugements lapi-
daires, il crève les yeux qu'elle manque cruellement de ressources

et qu'elle est prisonnière d'un mode de financement qui favorise l'admission de milliers de jeunes qui ne devraient pas y être. Mais la recherche qui s'y fait soutient globalement la comparaison, je crois, avec ce qui se fait ailleurs.

Je m'en tiendrai cependant ici aux premiers étages de la pyramide, et voici pourquoi : parce que je ne vois pas de chantier plus urgent, plus important, plus impérieux pour l'avenir de notre peuple que le redressement de l'école publique québécoise.

Car l'école québécoise, malgré de nombreuses exceptions, ne va pas bien, pas bien du tout, nonobstant la trajectoire en apparence sans problèmes majeurs de la majorité des enfants et le dévouement des dizaines de milliers de personnes qui œuvrent en son sein. Ce n'est pas seulement une question d'intérêt bien compris que d'y voir, mais aussi d'authentique justice sociale, la vraie, celle qui refuse que les circonstances de la naissance ou la médiocrité érigée en système empêchent le développement des talents de chacun.

La plupart des enfants obtiendront certes leur diplôme d'études secondaires. Mais on peut se demander s'il est normal, comme le notait la journaliste Michèle Ouimet,

> qu'à peine arrivés au cégep, des milliers de cégépiens doivent s'inscrire à des cours de rattrapage en français et en mathématiques afin d'apprendre ce qu'ils devraient pourtant savoir : les rudiments de l'algèbre et de la géométrie, les règles de grammaire, la syntaxe et l'orthographe. Même si ces étudiants détiennent un diplôme d'études secondaires, ils sont incapables d'additionner deux fractions et d'accorder les participes passés[15].

Ce qui donne envie de hurler est qu'elle a écrit cela... en 1992, *avant* qu'on ne livre l'école québécoise aux élucubrations de la dernière fournée d'apprentis sorciers. Et encore ne parlait-elle que de l'insuffisante maîtrise des rudiments de la langue et du calcul. Quand on fréquente les jeunes qui amorcent un parcours universitaire, on est aussi frappé par leur extrême difficulté à digérer une certaine quantité de documentation, à se l'approprier, à dégager une problématique qui leur appartienne vraiment, à mener une réflexion proprement personnelle plutôt qu'à coudre ensemble des citations dans le désordre.

Qu'on comprenne bien où je loge : depuis la fin des années 1990 se déploie au Québec une réforme de l'éducation animée par une philosophie antihumaniste, autoritaire et pseudo-progressiste, qui repose sur des théories très douteuses et dépourvues de fondements empiriques solides et dont on se demande si elles n'ont pas pour but, comme l'a déjà dit Lise Bissonnette, de nous faire *tolérer l'ignorance* en la dissimulant[16]. Les enseignants, que le bon sens n'a pas encore désertés et qui, pour la plupart, aiment les enfants et leur métier, résistent du mieux qu'ils le peuvent. Et rebaptiser « renouveau pédagogique » cette réforme pour essayer de mieux la gérer politiquement ne change rien au fond de l'affaire.

Il faut, selon moi, liquider les idées funestes qui fondent cette réforme, dénoncer les fantasmes idéologiques qu'elles dissimulent et les complicités politiques qui leur permettent de sévir, tordre le cou à cette langue de bois prétentieuse des milieux éducatifs qui intimide les parents, clarifier les enjeux et les priorités, bannir l'improvisation, revenir aux méthodes éprouvées, s'armer de prudence devant les nouveautés sans s'y fermer, et repartir avec énergie, enthousiasme et les moyens appropriés. Voilà.

Il faut cesser également de faire passer tous les critiques de cette réforme pour des élitistes nostalgiques des collèges classiques, que ni moi ni la très grande majorité de ceux qui n'aiment pas ce qu'ils voient en ce moment n'avons connus. Qu'on cesse aussi de réduire le débat à une « querelle de chapelles pédagogiques[17] », afin de renvoyer dos à dos les protagonistes, alors qu'il s'agit ici non seulement d'un débat sur les meilleures *méthodes* d'apprentissage, mais aussi sur les *finalités* de l'école, et que, de surcroît, s'accumulent rapidement les preuves de l'immense gâchis qui se déploie sous nos yeux.

Depuis l'introduction de cette réforme, nos taux d'abandon

scolaire au niveau secondaire, qui étaient déjà effarants depuis des décennies, ont en effet continué à augmenter, alors qu'on prétendait qu'elle renverserait la vapeur. Dans les classements internationaux mesurant les apprentissages aux niveaux primaire et secondaire, brièvement évoqués au deuxième chapitre, nous glissons également.

Nous reculons aussi par rapport à nous-mêmes. Une comparaison des taux de réussite aux épreuves obligatoires d'écriture en français de 6e année du primaire en 2000 et en 2005 montre que le taux de réussite en orthographe est tombé de 87 % à 77 %, qu'il est tombé de 83 % à 73 % en syntaxe et ponctuation et que le taux global de réussite, lui, a chuté de 90 % à 83 %[18].

Plus triste encore, une étude menée par Manon Théorêt auprès de 500 élèves issus d'un milieu défavorisé — ceux que la réforme était censée aider en priorité — au sujet de l'apprentissage des mathématiques conclut à un recul dans la maîtrise des « compétences » pour la majorité d'entre eux[19].

On voit d'ailleurs mal comment une réforme de l'enseignement pourrait réussir si les enseignants eux-mêmes n'y croient pas et sont même d'avis qu'elle empire la situation qu'elle prétend redresser.

Or, un sondage mené en 2006 auprès de plus de 1 000 enseignants, par la Fédération des syndicats de l'enseignement (FSE-CSQ), montre que 83 % d'entre eux sont d'avis que la réforme n'augmente pas la réussite des élèves, que 85 % pensent cela dans le cas spécifique des élèves *déjà* en difficulté et que 61 % croient que cette réussite s'est même détériorée pour cette catégorie particulière de jeunes[20].

Ces résultats sont si massifs qu'il est bien difficile de les mettre sur le compte d'un mot d'ordre syndical, surtout qu'au moins deux autres études — une menée au Collège Mérici en 2001 et une autre menée par Marc-André Deniger et ses collaborateurs en 2004 — font aussi état du très lourd scepticisme des enseignants, des directeurs d'école et des parents[21].

Comment en sommes-nous arrivés là ?

Détournement d'avion et prise d'otages

L'histoire de cette réforme évoque en effet pour moi l'image — à prendre avec des grains de sel de gros calibre, cela va de soi — du détournement en plein vol d'un avion rempli de passagers. Voyons un instant quelle était la destination initiale, qui sont les « pirates de l'air », ce qu'ils affirment, pourquoi ils ont agi ainsi et comment ils s'y sont pris.

Le vaste exercice de consultations et de remue-méninges que furent les États généraux sur l'éducation de 1995 et 1996 accoucha d'un large consensus autour de deux principaux objectifs : recentrer l'enseignement autour des matières de base — le français, l'anglais, les sciences et l'histoire — tout en y relevant les exigences, et lutter contre le décrochage scolaire.

Les élus ont cependant la fâcheuse habitude de croire que, à partir du moment où ils ont déterminé les grands objectifs, l'intendance se chargera de concrétiser leurs volontés. Mais les fonctionnaires du ministère de l'Éducation et leurs collaborateurs dans les milieux de l'éducation avaient, eux, d'autres projets. Entre ce qui était visé et ce qui fut ensuite progressivement introduit, un détournement s'opéra.

Lequel ? Pour reprendre les mots de Clermont Gauthier, la réflexion initiale sur les *finalités* de l'école, donc sur le *quoi* (qu'est-ce que l'école doit enseigner ? Qu'est-ce qu'il est important qu'un élève sache ?), étant ici entendu que l'enseignant reste maître de la façon de transmettre les connaissances, s'est transformée en virage pédagogique radical sur le *comment* enseigner, sur les *méthodes* d'enseignement et d'évaluation[22].

Qui orchestra ce détournement ? Ceux qui forment ce que Marc Chevrier appelle le « complexe pédagogo-ministériel[23] », soit

un réseau somme toute assez restreint de hauts fonctionnaires du ministère de l'Éducation et d'éminences grises du Conseil supérieur de l'éducation, d'universitaires proches de l'adminis-

tration, pour la plupart issus des sciences de l'éducation, de syn-
dicalistes aux carrières multiples et de disciples, enseignants et
conseillers pédagogiques inconditionnels, qui répercutent en
classe et au conseil d'établissement la bonne nouvelle du renouveau pédagogique[24].

L'historien Éric Bédard, qui les appelle les « pédagogistes », les
caractérise d'une façon qui nous fait reconnaître tout de suite leur
petite musique : « Les pédagogistes, ce sont ceux qui n'accordent
d'importance qu'aux "processus d'apprentissage", non plus à la
matière même des apprentissages ; ce sont ceux qui forment des
professionnels de la "gestion de classe", non plus les "maîtres"
d'une discipline[25]. »

Le point de départ des « pédagogistes » est de poser que, pour
aider un élève en difficulté, il faut commencer par éviter de le
traumatiser, de le stigmatiser. Le petit Simon-Pierre doit avoir de
l'estime pour lui-même, ne doit pas se sentir « poche », ne doit
pas être montré du doigt par les autres. Cela ne semble pas déraisonnable à première vue.

On prendra cependant les grands moyens pour ne pas lui
faire connaître les affres de l'échec. Ces moyens, tous ceux d'entre
nous qui ont de jeunes enfants les connaissent. Dans toute la
mesure du possible, on éliminera les redoublements en décou-
pant désormais le parcours scolaire en cycles de deux ans. On
évaluera aussi l'élève par rapport à lui-même et non par rapport
aux autres, afin de faire « disparaître » les moyennes de groupe :
l'enfant *répondra*, répondra *en partie* ou *ne répondra pas* aux exigences. On mettra également fin aux classes spéciales et on inté-
grera les élèves en difficulté dans les classes régulières.

Comme les élèves en difficulté sont souvent ceux qui pei-
nent avec les concepts abstraits, on pensera aussi les aider en
mettant l'accent sur la dimension pratique, concrète et *utile*
du savoir. C'est là qu'entrent en scène les fameuses « compétences » : une compétence, c'est une connaissance dont on a
appris à se servir. Quand elles sont « transversales », encore

mieux, c'est que l'enfant est capable de s'en servir pour lier entre elles diverses dimensions de son travail intellectuel.

Évidemment, si l'important est désormais moins ce que l'on apprend que la capacité à s'en servir de façon pratique, les objectifs pédagogiques changent aussi forcément. Par exemple, dans un cours de français, il s'agira moins de s'assurer que l'enfant sait comment accorder des verbes ou organiser ses idées et davantage de veiller à ce qu'il sache *apprécier* des œuvres littéraires ou *s'exprimer* par l'écriture. Il n'est pas nécessaire d'être un « expert » de ces questions pour comprendre que cette approche rend l'évaluation de l'apprentissage très difficile — d'où ces loufoques controverses sur les bulletins.

Les parents n'avaient évidemment rien demandé de tel lors des États généraux, mais les « pédagogistes » du « complexe pédagogo-ministériel » ont toujours su ce qui était bon pour eux et l'imposèrent d'en haut. Si on parcourt en effet les mémoires déposés lors des États généraux, on n'en trouvera aucun qui demandait la fin du redoublement, la disparition des moyennes de groupe ou l'implantation à grande échelle de la pédagogie par projets. Démocratie, vous dites ?

Une autre chose inquiète quand on lit un peu sur le sujet : c'est le constant rappel que ces méthodes ont conduit à une augmentation des taux d'échec en Suisse, en Belgique, en Grande-Bretagne et ailleurs, et qu'elles ont donné des résultats décevants là où elles ont été sérieusement évaluées[26].

L'introduction chez nous de ce virage radical est d'autant plus étrange que les élèves québécois se classaient *jusque-là* parmi les meilleurs au monde dans les épreuves internationales les plus reconnues (TEIMS, PISA). Certes, il y a fort à parier que les élèves déjà relativement autonomes et exempts de difficultés sérieuses y survivront sans peine… sauf que ce ne sont pas ceux que l'on souhaitait aider en priorité.

Ces nouvelles pratiques pédagogiques découlent d'une doctrine qu'on appelle le *constructivisme,* dont il existe plusieurs variantes. Celle qui s'est imposée au Québec, au sein du complexe pédagogo-ministériel, est une variante particulièrement tranchée qu'on appelle *socioconstructivisme* ou encore *constructivisme radical*. On la doit, ai-je appris, à des penseurs comme Ernst von Glasersfeld, psychologue américain d'origine allemande, et Lev Vygotsky, psychologue soviétique[27].

Ramené à sa plus simple expression, le cœur de cette doctrine consiste à poser qu'il n'y a pas de savoir indépendant, objectif, *déjà là,* extérieur à l'individu. Le savoir est *créé* par la personne, qui est elle-même toujours située dans un contexte historique et culturel donné. Chaque individu doit construire activement son propre savoir, plutôt que de le recevoir passivement d'autrui.

L'école traditionnelle, de ce point de vue, est donc coupable de bourrage de crâne. Enseigner de façon classique, magistrale, *d'en haut,* c'est presque empêcher d'apprendre. Il faut au contraire encourager l'enfant à apprendre par lui-même, par la découverte. Dès lors, l'enfant devient un *apprenant,* un *s'éduquant* (ce n'est pas une blague), et l'enseignant devient un *accompagnateur* du processus, un *facilitateur,* un donneur d'encouragements, un stimulateur de la créativité, mais surtout pas un *maître* qui dispense un savoir prédéterminé qu'on pose comme bon et important *en soi.*

Il en découle plusieurs conséquences. Pour enseigner l'histoire, par exemple, l'historien de métier sera présumé moins apte que le diplômé en pédagogie ayant une formation d'appoint en histoire, même si ce dernier peut être excellent par ailleurs. Les disciplines classiques — histoire, géographie, français, etc. — passent à l'arrière-plan de la pédagogie elle-même, élevée au rang d'une science qui les surplombe et les transcende toutes.

Du point de vue de l'élève, apprendre les faits historiques eux-mêmes devient dès lors moins important qu'être exposé aux diverses interprétations possibles des faits ou qu'être capable d'exprimer son *opinion* sur ces faits. Il importe moins que la petite Léa-Jade sache ce qu'était la démocratie athénienne que de l'amener à dire si elle aurait aimé ou non être une femme à cette époque. Il est fort possible que tout cela soit bon pour l'imagination, la créativité et l'épanouissement de Léa-Jade, mais qu'en sera-t-il de sa connaissance et de sa compréhension de l'histoire ? Tout dépend donc des finalités que l'on assigne au système scolaire.

On nous dit aujourd'hui, après plus de dix ans de déploiement de la réforme, que les enseignants sont toujours restés maîtres du choix des méthodes. Mensonge. De nombreux témoignages, comme celui de l'enseignant Luc Germain, font état des pressions qu'exercent des conseillers pédagogiques, des directions d'école, des commissions scolaires pour promouvoir et imposer cette nouvelle pédagogie[28]. Le chercheur Steve Bissonnette, qui a étudié la dernière fournée de manuels pédagogiques, a aussi observé qu'ils étaient tous orientés selon cette perspective.

La science expérimentale elle-même est vue, par les socioconstructivistes, d'abord et avant tout comme une construction sociale, dont la légitimité tient davantage à son prestige social et à son pouvoir politique qu'à un quelconque rapport privilégié avec une *vérité* que chacun, de toute façon, construit pour l'essentiel soi-même. Quand une telle conception de la science s'impose dans le milieu des « sciences de l'éducation », on ne s'étonne pas que Normand Baillargeon se désole d'y voir régner un « profond mépris pour la vie de l'esprit, pour le savoir, pour la culture, pour la rigueur, pour la science et pour la pensée[29] ».

Est-ce bien le climat qui règne dans ce champ disciplinaire ? Je ne l'ai pas vérifié personnellement, mais ce ne serait que logique à partir du moment où l'on y trouve nombre de gens qui croient que la culture, le savoir ou la pensée sont ce que chacun décide qu'ils sont, parce qu'il n'y aurait tout simplement pas de culture *classique,* de savoir *authentique* ou de vérités *transcendantes* qui seraient indiscutablement supérieures à d'autres. Reconnaissons cependant que plusieurs des plus durs critiques de la réforme sont eux-mêmes des spécialistes des questions liées à l'apprentissage : Baillargeon lui-même, Clermont Gauthier, Régine Pierre, Gérald Boutin, Steve Bissonnette et plusieurs autres.

Il m'apparaît aussi important de faire ressortir que la vision des choses qui alimente ce dérapage doit beaucoup non seulement aux théoriciens qui se réclament expressément du socio-constructivisme, mais aussi à au moins trois autres grandes influences idéologiques qui ont profondément marqué le milieu québécois de l'éducation depuis quatre décennies[30].

La première est le personnalisme catholique de gauche, qui pénètre profondément l'école québécoise à partir du moment où s'accélère la perte d'influence de l'Église catholique pendant les années 1960. D'anciens religieux prennent alors des postes d'importance dans les structures officielles du monde de l'éducation. L'influence de ce courant de pensée est manifeste dès les premiers avis du Conseil supérieur de l'éducation, au début des années 1970, où l'on retrouvait déjà cette idée que l'école est d'abord un endroit où l'on va pour favoriser l'épanouissement de sa personnalité.

La seconde est évidemment le marxisme, qui influença profondément le discours des syndicats dans le milieu de l'éducation, notamment à travers cette idée que l'école traditionnelle était une école qui reproduisait les rapports de domination de la société capitaliste. Quand on y regarde de près, c'est encore aujourd'hui ce qui est au cœur de leur haine inextinguible à l'endroit d'une école privée dont ils souhaiteraient, au fond d'eux-mêmes, la disparition.

La troisième influence est celle de cette constellation de penseurs dont mai 1968 aura marqué — symboliquement, bien sûr — l'épicentre : les Foucault, Derrida, Althusser, Bourdieu et Lacan, pour ne nommer que les principaux.

Chacun d'entre eux avait certes son angle d'attaque propre : l'un dénonçait les « structures de domination », l'autre, le rationalisme occidental, ou encore les « illusions » de la métaphysique. Mais ce qui les unissait était leur volonté, au nom d'un idéal d'émancipation, de déboulonner l'idée qu'il existerait une *essence* de l'homme et des vérités indépendantes de la volonté de chacun : croire le contraire, c'est, au mieux, être dépassé et, au pire, être complice de l'oppression. On les lit certes aujourd'hui moins qu'auparavant, mais leur influence fut et demeure profonde dans un Québec qui a toujours embrassé avec une ferveur particulière tout ce qui prétendait être en phase avec la modernité.

J'exagère ? De 1997 à 2002, Céline Saint-Pierre a présidé rien de moins que le Conseil supérieur de l'éducation, dont le nom indique parfaitement le mandat, après avoir été membre de la Commission des États généraux en 1996. Voici ce qu'elle avait écrit en 1976, quand la gauche marxiste québécoise rêvait encore au Grand Soir de la libération prolétarienne : « Ce que l'école désigne comme désobéissance, manque de respect, insubordination, impolitesse [...], absence non motivée, excentricité vestimentaire [...], fautes d'orthographe, je propose de le considérer comme autant de formes de résistance[31]. »

Nous ne sommes certes plus en 1976, mais quand on plaide de nos jours plus subtilement pour le passage du *paradigme de l'enseignement* au *paradigme de l'apprentissage,* comme on dit en sabir pseudo-pédagogo-progressiste, c'est qu'il est resté quelque chose de l'idéologie de cette époque.

Selon cette optique relativiste et contre-culturelle, l'ennemi à abattre est évidemment la culture *classique,* celle sur laquelle repose notre civilisation et qui a fait du Québec ce qu'il est. Comment la déboulonner ? En prétendant évidemment qu'elle est dépassée, élitiste et antiprogressiste.

Écoutons par exemple ce qu'en dit Georges Leroux, l'un des principaux inspirateurs du nouveau programme Éthique et culture religieuse, qui est un des piliers de la réforme. Parlant des écoliers français auxquels on fait encore lire Rabelais et Descartes — les pauvres ! —, il dit :

C'est un choix légitime, mais nous devons observer qu'il s'agit encore d'une culture d'élite, héritée de la Renaissance européenne, et que cette culture est entrée dans un processus d'érosion incontrôlé : laissés à eux-mêmes, les jeunes choisissent plutôt les modèles de la culture mondialisée qui les séduisent[32].

Les mots clés ici sont « laissés à eux-mêmes[33] ». Il est certain que, *laissés à eux-mêmes,* les jeunes regarderont autour d'eux et vont peut-être croire que Bono est l'indépassable horizon de l'humanisme. Mais, justement, pourquoi diable faudrait-il les laisser à eux-mêmes ? Comment pourraient-ils aimer ou apprendre à aimer une culture à laquelle on ne les expose pas ?

L'élitisme méprisant n'est donc pas là où on le pense. Selon moi, l'élitiste est au contraire celui qui renonce d'emblée à essayer d'élever les enfants, tous les enfants, de toutes les classes sociales, à la connaissance de cette culture classique autrement plus nutritive que le fast-food culturel qui meuble leur quotidien, pour la réserver plutôt aux seuls enfants issus des couches sociales privilégiées.

Qu'une telle conception des choses soit véhiculée par des gens qui, eux, ont eu accès aux trésors culturels qu'ils veulent désormais mettre hors de portée de la masse des enfants, est particulièrement douloureux. Mais ce ne sont ici, riposte Leroux, que jérémiades réactionnaires, « et toutes les récriminations des penseurs conservateurs [évidemment], comme Allan Bloom ou Alain Finkielkraut, n'y changeront rien[34] ». Toujours la même rengaine : être contre cette culture du *vécu,* vouloir défendre la culture classique, c'est refuser le progrès.

Bref, sous couvert de modernité, sous prétexte de partir de la « réalité du jeune », du monde *tel qu'il est,* on n'enseignera pas ou si peu aux jeunes d'où ils viennent et comment s'est forgé leur monde, car ils pourraient trouver cela ennuyeux, « plate ». On réservera donc la culture classique aux *happy few.* Et ce sont ceux qui dénoncent cela qui sont accusés d'élitisme !

Je dis au contraire que le progrès authentique de l'esprit est dans la capacité intellectuelle de voir loin parce qu'on aura réussi à prendre appui, à se hisser sur les épaules de nos plus grands esprits, qui sont ceux dont la pensée a traversé les siècles. Mais il faut pour cela les enseigner, et les enseigner à tous, pas seulement aux enfants de la bourgeoisie.

Ce funeste détournement a été particulièrement bien dénoncé

par un jeune professeur d'un lycée de la banlieue parisienne, Charles Pépin, dans un article publié dans *Le Devoir* qui m'avait fort marqué. Prenons, disait-il, l'histoire de la Grèce antique, et notamment la façon « dont les Grecs mirent au monde, malgré d'énormes contraintes, des valeurs telles la démocratie ou la philosophie[35] ».

Pour n'importe quel adolescent, mais peut-être encore plus pour celui qui pense justement que son avenir est bouché, « savoir que d'autres, avant lui, ont réussi à inventer leur vie et à imposer leurs valeurs alors que leur avenir aussi semblait bouché peut vivifier ». Si cette histoire lui est racontée par un professeur qui y croit, dit Pépin, « il allumera au fond de son corps un désir de vie et d'action. Il lui soufflera que si ce fut possible pour les Grecs, ce le sera pour lui aussi[36] ». Allan Bloom ne disait pas autre chose dans son sublime ouvrage intitulé *The Closing of the American Mind*[37].

Nietzsche, rappelle Pépin, nommait cela « l'exemplarité » du grand événement ou du grand homme, qui donne envie à son tour de voir grand, de faire grand, d'être grand. Mais pour se donner au moins une chance d'accéder à la grandeur, encore faut-il savoir qu'elle existe et pouvoir la reconnaître, et donc y être exposé. Bref, fréquenter la grandeur pour savoir à quoi elle ressemble.

Sinon, tout ce qui restera de l'école, concluait Pépin, ce sera de « préparer » les jeunes pour le marché du travail, ce qui, de nos jours, revient souvent à les « formater » pour celui-ci et ses impératifs de compétence et de compétitivité. Il faut certes qu'elle s'occupe de cela, mais pas *que* de cela.

Pour dire les choses autrement, sous couvert de les préparer à la « vraie vie », on les prive de l'accès à ceux qui nous enseignent comment être *vraiment* libres et forts et on se contente de les préparer à devenir un rouage parmi d'autres dans la chaîne de production capitaliste. Qu'une telle conception des choses passe pour du progressisme, alors qu'elle en est l'exact opposé, est profondément choquant.

Au contraire, à mon sens, la conception exigeante et véritablement progressiste de l'école, celle que ces niveleurs par le bas détestent, c'est justement cette école républicaine défendue par Finkielkraut et tant d'autres au nom de la véritable égalité des chances :

> [une école] où la communication n'a pas détrôné la transmission, où l'émulation n'est pas taboue, où l'idée de mérite est considérée comme un acquis démocratique et non comme un scandale pour la démocratie, où l'on ne s'adosse pas à la misère pour faire honte à la pensée, où d'autres dimensions de la réalité sont prises en compte que l'environnement social et d'autres dimensions du temps que l'actualité, où la différence entre information et connaissance n'est pas tombée dans l'oubli, où la laïcité n'a pas été vaincue par l'idolâtrie des consoles[38].

Au fond, ce sont deux conceptions des finalités de l'école qui s'affrontent au Québec et ailleurs en Occident.

La première pose que la mission fondamentale de l'école est d'instruire, de transmettre des connaissances en commençant par les plus fondamentales, d'initier à la culture classique tous les enfants, indépendamment de leur origine sociale et des choix de carrière qu'ils feront ultérieurement, et elle refuse l'idée relativiste que le goût individuel soit l'arbitre ultime de la valeur des choses. C'est la mienne.

La seconde, celle sur laquelle repose la réforme québécoise, considère que la mission première de l'école est d'être, d'abord et avant tout, « inclusive » : la culture classique y est donc vue comme une ringardise passéiste ou comme le reflet des goûts d'une élite qui voudrait les imposer à tous comme seuls marqueurs du beau et du vrai.

Elle estime aussi que les exigences d'effort ou une saine émulation sont autant de dangers qui pourraient mener les moins forts à l'échec et à l'exclusion, ou qu'elles relèvent d'une conception néolibérale ou darwinienne de la vie. Diplômer et éduquer deviennent ainsi pour elle des synonymes, et peu importe si le système produit des diplômés dont les lacunes sont béantes : l'important est que chaque jeune ait les attestations officielles que le marché exige.

Autrement dit, au lieu de se donner pour but d'élever tous les enfants, on vise plutôt à n'en échapper aucun, ce qui conduit au nivellement par le bas et les pénalise tous. On les préfé-rera également ignorants plutôt qu'inégalement instruits. Voyez par exemple la fixation quantitative des « pédagogistes » sur les taux d'obtention d'un diplôme… et leur silence assourdissant sur la signification réelle du diplôme comme mesure de l'ap-prentissage.

Posons d'ailleurs au passage une question impertinente. Déjà élevé, le taux de décrochage a augmenté depuis que cette conception de l'école s'est imposée. Se pourrait-il que, en nive-lant par le bas, en bannissant l'échec au nom de la réussite de tous, on ait enfoncé l'école dans un climat de médiocrité qui, justement parce que la médiocrité ne stimule pas mais plutôt démobilise, expliquerait au moins en partie cette hausse récente de l'abandon scolaire ?

Je reconnais au moins aux tenants de cette funeste concep-tion de l'école le mérite de la franchise. Les documents ministé-riels sont en effet limpides : « L'école doit d'abord considérer la culture immédiate[39]. » On comprend ce que cela signifie : tout doit désormais partir du *vécu* du jeune, de sa réalité, de ses goûts télévisuels, musicaux, de ses amis et *tutti quanti*. On se doute bien, pour revenir à Georges Leroux, que Descartes et Rabelais n'en font pas partie.

Et on justifiera l'élimination de la culture classique en invo-quant — évidemment — l'*ouverture* et la modernité. Car, voyez-vous, dit le ministère, « en ce début de XXIe siècle, les productions artistiques, philosophiques et scientifiques de toutes origines sont si nombreuses qu'il faut opter pour l'ouverture à la culture plutôt que pour l'initiation à un univers culturel prédéterminé[40] ».

Subtilement, en invoquant l'*ouverture,* la *modernité,* la formation de « bons » citoyens — qui pourrait être contre cela ? — on met la table pour l'implantation à l'école d'une vision des choses dont le jupon idéologique dépasse. Le ministère de l'Éducation nous explique en effet que « l'école constitue le lieu privilégié pour apprendre à respecter l'autre dans sa différence, à accueillir la pluralité, à maintenir des rapports égalitaires et à rejeter toute forme d'exclusion. Elle permet aussi de faire l'expérience des valeurs et des principes démocratiques sur lesquels est fondée l'égalité des droits dans notre société[41] ».

Voilà qui est limpide. La vraie priorité n'est pas d'instruire le petit Anakin : ce qui compte vraiment, c'est que l'école fasse de lui un bon petit garçon ouvert, inclusif, tolérant et pluraliste… comme si les tenants de l'éducation plus traditionnelle encourageaient la fermeture, l'exclusion, l'intolérance et l'unanimisme.

Anakin ne comprendra jamais bien la différence entre la guerre de Sécession et la guerre de Sept Ans, mais l'essentiel est qu'il ne se chamaille pas dans la cour avec Kevin-Alexis, qu'il ne manque jamais de respect à Sarah-Andréanne et qu'il trouve *full cool* le kirpan du petit Guptar.

L'important n'est pas tant qu'il apprenne quelque chose de substantiel, mais surtout qu'il intègre totalement le logiciel du multiculturalisme à la canadienne, amalgamé à une conception de la démocratie historiquement désincarnée et strictement réduite aux droits individuels *chartisés,* afin que l'enfant en vienne de manière spontanée à penser que quelqu'un qui trouverait à y redire serait quelqu'un qui est carrément contre la démocratie.

Pour les artisans de la réforme, c'est désormais toute l'école québécoise qui doit baigner dans cet esprit, mais ce sont évidemment le nouveau programme Éthique et culture religieuse et le nouveau programme d'enseignement de l'histoire qui sont les vecteurs privilégiés de la transmission de ce catéchisme idéologique devenu notre nouvelle religion séculière.

Le premier, contrairement à ce que son appellation laisse entendre, n'est ni un cours d'éthique, ni un cours d'histoire des religions, mais un cours d'endoctrinement à l'idéologie multiculturaliste à la canadienne, posée comme la seule manière moralement correcte de concevoir la diversité culturelle.

Le second baigne aussi dans cette même catéchèse multiculturaliste, amnésique et « dénationalisante », toujours sous prétexte de former de « bons » citoyens. Il faut lire à cet égard la magistrale dissection faite par l'historien Charles-Philippe Courtois du nouveau cours d'histoire au secondaire, dont on a voulu nous faire croire faussement qu'il avait été retravaillé en profondeur après le tollé soulevé par la première version au printemps 2006. On en reste pantois[42].

La démarche multiculturaliste, montre Courtois, y est rebaptisée « pluriculturalité » pour mieux faire passer la pilule. La démocratie y est présentée comme une valeur et une forme d'organisation sociale qui se déploient aux niveaux local et planétaire, mais jamais au niveau national. Seule une note de bas de page mentionne que la majorité des Québécois francophones d'aujourd'hui sont les descendants de colons venus jadis de France. La présentation du rapport Durham escamote toute référence à ses visées assimilationnistes.

Tout est de la même farine. La Révolution tranquille n'a plus aucune connotation d'affirmation nationale et se trouve réduite à sa dimension de modernisation sociale. On mentionne bien que deux référendums eurent lieu en 1980 et 1995, mais on ne s'appesantit pas trop sur leurs raisons d'être. On n'oublie cependant pas d'insister lourdement sur l'importance, pour le bon petit citoyen de demain, d'être vigilant sur la question écologique et de se préoccuper en particulier du réchauffement climatique et du partage équitable des ressources de notre planète.

Comprenons-nous bien ici. Former de bons citoyens a toujours été une des missions de l'école, et connaître l'histoire aide en effet à former le citoyen. Le problème surgit quand on essaie de lier les deux dans ce que Nicole Gagnon appelle « une même cohérence disciplinaire[43] », c'est-à-dire en mettant explicitement l'enseignement de l'histoire au service de l'éducation à la citoyenneté. Pour le dire comme Nicole Gagnon, l'histoire est certes indispensable à la formation du citoyen, mais par elle-même, non comme servante de l'éthique bien-pensante et du prétendu esprit critique. Car une de ses principales vertus, sinon sa première, c'est de libérer des préjugés du présent. Par la distance qu'elle instaure, elle ouvre la voie à l'esprit critique, sans le cultiver directement[44].

Autrement dit, l'éducation, la culture, la vraie, permet de comprendre le présent en s'élevant au-dessus de lui, plutôt qu'en faisant de lui la mesure de toute chose. L'exact opposé de l'esprit de la réforme.

Mais, demandera-t-on, comment tout cela se peut-il ? Tout cela se peut et se passe parce que les ministres ne font que passer, justement : six, depuis le début de la réforme. Le complexe péda-gogo-ministériel, lui, reste.

Pour les fonctionnaires, devenus des gestionnaires dans le sens le plus étroit du terme, la question éducative se présente sous la forme d'une série de « dossiers ». Quand ils doivent produire une simili-réflexion sur les finalités du système, ils se tournent alors vers les « experts » que l'on sait. Les parents, eux, sont inti-midés par le jargon savant de cette nomenklatura de l'éducation. Et, de toute façon, il faut bien que les manuels pédagogiques soient prêts pour la rentrée, et les éditeurs, le doigt sur le bouton qui lance les presses, s'impatientent déjà. Le complexe pédagogo-ministériel n'a donc que faire des importuns qui voudraient poser des questions sur le sens profond de ce qu'on fait.

Il est d'ailleurs fascinant de voir à quel point, dans ce porte-feuille ministériel entre tous, l'élu qui en devient le responsable politique abdique d'emblée son rôle justement politique, qui est d'imprimer *sa* direction, *sa* vision. Il laisse son bon sens de parent à l'entrée du ministère et devient *de facto* le relationniste de la machine bureaucratique.

Depuis bientôt quinze ans, les deux grands partis politiques qui gouvernent alternativement le Québec ont en effet, pour l'es-sentiel, laissé faire, remplaçant une fenêtre ou une poignée de porte ici et là quand cela grince trop, alors que ce sont les fondations de la maison éducative qui posent problème.

Or nous sommes, ne l'oublions jamais, une nation petite, jeune, embrouillée sur le plan identitaire, qui n'a pas la densité culturelle des vieilles nations européennes pour résister à ce déferlement de bêtise destructrice, et que sa situation géographique et démographique condamne à vivre dangereusement. « Comment se dire "nationalistes" ou "défenseurs des intérêts du Québec", demande douloureusement l'historien Éric Bédard, si on laisse aller à la dérive une institution censée transmettre la grammaire de ce que nous sommes[45] ? »

Le retour aux sources

Que faire maintenant ?

Tout simplement ce que proposent les critiques de la réforme : stopper tout cela, surtout ne pas s'imaginer qu'il faut réinventer la roue, et revenir plutôt aux méthodes éprouvées. Bref, retourner aux sources.

Il faut d'abord répondre autrement à la question de la finalité première de l'école. Quel est le but premier de l'école ? Depuis la nuit des temps, l'école s'est donné trois missions : instruire, socialiser et préparer à la vie ultérieure dans la société. Au plus haut niveau de généralité, cela reste toujours vrai.

Le rapport des États généraux de 1996, avant le détournement, proposait cependant de recentrer davantage la finalité de l'école sur l'instruction. C'était le bon choix, et il faut y revenir. La réforme, elle, veut plutôt former des citoyens dociles, idéologiquement endoctrinés selon les canons de la rectitude politique contemporaine, et surtout n'en échapper aucun, quitte à baisser la vitesse de croisière de tous.

Il faut tourner le dos à cela et, comme le notait Éric Bédard, cesser de se laisser intimider par les prétentions « progressistes » des « pédagogistes[46] ». Il n'y a en effet aucun progrès de civilisation véritable s'il y a rupture de cette chaîne de transmission d'un héritage culturel d'une génération à l'autre, car on condamne alors chaque nouvelle génération à se frotter à de vieux problèmes en la laissant s'imaginer qu'ils sont neufs et qu'il lui appartient d'inventer de nouvelles réponses.

Si la mission première de l'école doit donc être d'instruire, alors qu'est-ce qu'instruire ?

Instruire, c'est transmettre un savoir et une culture. Or, si l'école est conçue d'abord et avant tout comme un endroit où l'on va pour apprendre, et comme apprendre n'est jamais facile, il en découle qu'elle doit être un lieu d'effort et non d'amusement, ce qui n'exclut évidemment pas qu'il puisse y avoir des moments où l'on apprend par le jeu. Si cette instruction se fait dans un cadre authentiquement nourricier pour l'esprit, qu'on ne craigne rien, le développement intégral de la personne et son épanouissement s'ensuivront forcément : en sortiront de bons citoyens qui sauront gagner leur vie.

Instruire, c'est très précisément, ai-je dit, transmettre un savoir et une culture. Lesquels ?

En priorité, le savoir et la culture qui nous ont faits tels que nous sommes, c'est-à-dire la culture classique occidentale. Cela ne veut pas dire se fermer au reste, mais ne l'enseigner qu'en complément des fondements de ce que nous sommes. Cela ne signifie pas non plus se fermer au présent, mais plutôt montrer en quoi ce présent est issu de la trajectoire d'une civilisation.

Cela implique, on s'en doute, un renversement assez radical par rapport à l'état actuel des choses. L'école ne devrait pas partir du *vécu* de l'enfant, ni de la culture populaire dans laquelle il baigne. Il faut au contraire, me semble-t-il, concevoir l'école non comme un reflet de la société en général, mais comme une société particulière, un monde en soi qui, lorsque l'enfant y pénètre, le fait accéder à une culture qui n'est justement pas sa culture coutumière, lui fait découvrir un univers qui lui permette de devenir un contemporain, un compagnon des grands esprits des siècles passés.

Il verra alors que ceux-ci lui disent des choses qui éclairent son monde d'aujourd'hui. Il accédera ainsi à l'universalité véritable, celle de l'humanisme et de la raison, et non à cet universalisme de pacotille qu'est le « citoyen-du-monde » dans la version qu'en propose le catéchisme contemporain de la rectitude politique : gentil et généreux, mais inculte, apatride, enchaîné au quotidien et historiquement autiste.

La vraie éducation, a écrit Fernand Dumont à la suite de tant d'autres, ne repose pas sur le sens commun, elle est au contraire « une insurrection contre le sens commun[47] », contre l'évidence, contre le « c'est-comme-ça-parce-que-c'est-comme-ça ». S'éduquer, c'est s'élever au-dessus du quotidien, non pour le nier, mais pour le relativiser et découvrir ainsi, par la fréquentation des plus grands esprits et des plus grandes œuvres, qui ne sont pas des objets de musée mais de la matière vivante, ce que Sénèque appelait « ces vérités magnifiques et éternelles ».

L'enfant ne serait pas artificiellement coupé de la culture populaire contemporaine, qui n'est pas toute mauvaise, mais il pourrait librement choisir de lui donner la place qu'il voudrait bien, parce qu'il saurait au moins qu'il existe *autre chose,* plutôt que d'en faire son unique univers de référence parce qu'il n'aurait jamais été exposé à rien d'autre.

Gary Caldwell notait très justement, dans sa dissidence annexée au rapport final de la commission des États généraux, qu'à partir du moment où l'on sait très précisément ce qu'on veut que l'école soit et ce qu'on veut qu'elle fasse, cela permet du coup de clarifier nombre d'autres questions plus pratiques[48].

Par exemple, si le but premier est d'instruire et non de décerner un diplôme à rabais à tout le monde, faut-il absolument, au forceps, intégrer tous les élèves en difficulté dans les classes régulières ? Non. Faut-il empêcher la mise en place de filières enrichies pour ceux qui pourraient en profiter ? Non.

Du coup, un débat comme celui sur l'école privée devient aussi, au moins en partie, une sorte de faux débat. Plus les problèmes de l'école publique deviennent criants, plus l'école privée est en effet montrée du doigt. Invariablement, des voix s'élèvent au sein du complexe pédagogo-ministériel, généralement du côté syndical, pour réclamer qu'on lui coupe l'accès au financement public. On la voit comme une cause des déboires de l'école publique, alors que sa popularité est plutôt un symptôme de la grave crise de confiance que traverse le système public.

Voyez comment cette pseudo-logique est tordue. Quand une école publique se vide, c'est parce que les parents ne lui font plus confiance. Que faire alors ? Regagner la confiance des parents en leur offrant ce qu'ils veulent ? Bien sûr que non. Pour stopper l'hémorragie, on proposera d'y retenir captifs enfants et parents en mettant l'école privée à un prix tel que les riches seulement pourront se la payer.

Car c'est bel et bien de cela qu'il est question. Précisément parce qu'elle est subventionnée, l'école privée au Québec coûte en moyenne autour de 4 000 $ par année par enfant. C'est accessible à la grande majorité de la population, si celle-ci se dit qu'une automobile de 17 000 $ ne roulera pas moins bien qu'une autre de 27 000 $ ou qu'un écran plat n'est peut-être pas indispensable. Question de priorités.

Il est vrai que l'école privée sélectionne. Mais elle sélectionne sur la base du mérite scolaire des enfants et non du portefeuille de la majorité des parents. Qu'on puisse lui imposer d'autres exigences, cela mérite certainement une discussion. Mais si on lui coupe les subventions, l'école privée devra exiger des droits de scolarité à la hauteur du coût réel de la formation. Les parents qui n'en auront plus les moyens devront retourner leurs enfants dans le secteur public, qui verra ses coûts augmenter. Et nombre d'écoles privées fermeront leurs portes, faute de clientèle.

Les écoles privées restantes seraient alors réservées non plus aux enfants talentueux, d'où qu'ils viennent, mais aux enfants de parents qui en ont les moyens, peu importe les mérites des enfants. Le message qu'enverrait la fin des subventions serait que même si un enfant est appliqué, doué et qu'il réussit bien, il n'aura pas accès à l'établissement de son choix parce que ses parents n'en auront pas les moyens. Lamentable.

Si les choses étaient si simples, comment expliquer qu'il y a des écoles publiques de grande qualité ? Comment expliquer que certaines font des bonds de 200 places dans ces classements qu'on dénonce mais que tous consultent ?

Dans les écoles publiques qui réussissent, que trouve-t-on invariablement ? Des directeurs à poigne, de la discipline, des enseignants qui aiment leur métier, des parents qui s'occupent des enfants. Et, comme par hasard, on y livre souvent un combat quotidien contre les conventions collectives soviétiques, les bêtises des commissions scolaires et les théories fumeuses évoquées plus tôt. Le cas de l'école Louis-Riel, située dans un quartier difficile de Montréal, est demeuré célèbre.

Il est donc impératif de casser l'emprise sur notre système d'éducation que détient le complexe pédagogo-ministériel, ce qui implique plusieurs choses.

Il faut par exemple cesser de consulter et de nommer à des postes clés ceux qui en font partie. Les facultés des sciences de l'éducation ne doivent plus avoir le monopole de la formation des maîtres. Les voies d'accès à la profession d'enseignant doivent être diversifiées. Le ministère doit cesser de dire aux enseignants comment faire leur métier et doit se contenter d'en fixer les grandes orientations. Et si on veut expérimenter des méthodes pédagogiques nouvelles, qu'on le fasse au moyen de projets-pilotes étroitement supervisés et évalués.

On parle aussi fréquemment de la nécessaire revalorisation du métier d'enseignant. Il se trouve que les professions les plus respectées, celles qui ont une autorité morale considérable, se réglementent toutes elles-mêmes par le biais d'un ordre professionnel : elles définissent elles-mêmes le contenu des programmes de formation et les critères d'entrée dans la profession, accordent elles-mêmes le droit de pratique, reçoivent et jugent les plaintes, sanctionnent elles-mêmes les membres qui contreviennent aux règles. C'est ainsi qu'elles protègent leur autonomie professionnelle, défendent leur intégrité et préservent leur autorité morale.

Pourquoi les enseignants — noble métier s'il en est — ne s'organiseraient-ils pas sur le mode des médecins, des avocats ou des ingénieurs ? Pourquoi n'y aurait-il pas un ordre professionel des enseignants ? Que des syndicats — dont la raison d'être est la légitime défense des conditions de travail de leurs membres — aient le monopole de la représentation d'une profession sur tous les plans n'est pas sain. Le rôle d'un syndicat et le rôle d'une corporation professionnelle sont très différents : défendre l'intégrité d'une profession discréditée par l'un de ses praticiens et défendre l'intérêt de cette personne sont deux choses potentiellement contradictoires, qui ne devraient donc pas être faites par la même organisation[49].

Le décrochage scolaire, lui, nécessitera des années d'efforts acharnés pour être réduit. Si les expériences étrangères ne sont jamais directement transposables, elles sont certainement porteuses de leçons dont on peut s'inspirer.

Les pays qui ont les meilleures performances scolaires — encore une fois, les pays scandinaves — ont un système scolaire avec des classes plus petites et une grande latitude à l'échelon local pour ce qui est de l'application des programmes scolaires. Les directions d'école y ont aussi beaucoup plus de pouvoirs en ce qui concerne l'embauche, la rémunération et l'évaluation individualisée des enseignants. On y met aussi beaucoup l'accent sur le dépistage précoce, la mobilisation régionale, les projets communautaires, les compétitions entre écoles et le sport.

Les résultats obtenus par les écoles sont aussi largement diffusés, et les enseignants sont recrutés parmi les meilleurs des diplômés[50]. Et, non, ils n'y consacrent pas plus d'argent que nous. Comme le lien entre les problèmes scolaires d'un enfant et le niveau socio-économique de ses parents est très fort, bien que pas automatique, on ne s'étonnera pas non plus que les pays qui font mieux que nous sont aussi des pays où il y a moins de pauvreté.

La Finlande est d'ailleurs aux années 2000 ce que la Suède était aux années 1970 : le pays modèle que tous citent mais que peu ont visité. Moi non plus. J'ai cru comprendre qu'on y avait supprimé les moyennes de groupe dans les classes. C'est ce que disent en tout cas ceux qui ne retiennent des exemples étrangers que ce qui fait leur affaire.

On me permettra cependant de signaler qu'il s'agit d'une vieille société, dont le rapport à la culture est sans doute plus décomplexé qu'il ne l'est au Québec. Il n'est pas déraisonnable de penser qu'une jeune plante comme notre société a peut-être davantage besoin de tuteurs pour pousser droit et qu'elle a donc tout intérêt à plutôt miser sur des méthodes éprouvées.

Le problème du décrochage scolaire illustre, à vrai dire, les possibilités mais aussi les limites de l'action politique. On voit en effet le leadership politique considérable qu'il faudrait exercer pour s'engager résolument dans cette voie. Pourtant, dans tout ce qui s'écrit sur le sujet revient invariablement l'idée que l'essentiel est ailleurs : la société québécoise ne valorise pas suffisamment l'éducation. C'est indiscutablement l'aspect le plus compliqué du problème, parce qu'il met en cause des choses qui ne se mesurent pas et ne se décrètent pas.

Ce n'est pas une garantie de réussite scolaire, me direz-vous, mais je serais curieux, par exemple, de savoir combien de parents supervisent les devoirs de leurs enfants, soir après soir. Quand les enseignants offrent aux parents des rencontres, les parents les plus assidus, j'en suis sûr, seront ceux dont les enfants n'ont pas de problèmes sérieux, ce qui nous ramène au thème de la responsabilité individuelle et parentale que j'évoque si souvent.

Je n'idéalise pas les Européens, qui ont leurs problèmes, mais quiconque connaît ces sociétés y aura noté une indéniable différence de mentalité entre eux et nous sur les questions éducatives et culturelles, qui a sans doute un rapport avec la jeunesse de notre société et son ultramatérialisme.

Je vous donne un exemple. Un étudiant me reprochait l'autre jour de dramatiser : un plombier, disait-il, gagne plus au Québec que bien des ingénieurs. À strictement parler, il a raison. Question d'offre et de demande. Et nous avons évidemment besoin de plombiers qualifiés. Mais le simple fait de raisonner de cette manière est révélateur d'une certaine conception des choses.

Ses amis, qui ont tous abandonné l'école, vivent mieux que lui, a-t-il ajouté. On abandonne évidemment l'école pour mille et une raisons, mais l'appât du gain, l'envie de se payer vite des choses est un des motifs fréquents. Je ne peux pas le prouver, mais je suis sûr qu'il est plus fort ici qu'en Europe.

Derrière la question scolaire, c'est donc tout notre rapport à la culture qui est en cause. Nos problèmes en éducation ne sont sûrement pas sans lien avec le fait que nous fréquentons si peu les musées, que notre patrimoine architectural, pour le peu que nous en avons, est laissé à l'abandon, que le relâchement généralisé de la langue parlée ne trouble pas grand monde, que l'intellectuel est vu chez nous comme un pelleteur de nuages. À vrai dire, que le Québec se soit enfoncé si profondément dans une réforme scolaire qui distille de partout l'hostilité à la culture classique et au savoir authentique est le plus triste indicateur de la place que notre société accorde vraiment aux choses de l'esprit.

Dès lors, les choix qui s'offrent à nous sont brutalement clairs. Continuer à faire semblant que tout va bien, se laisser aller au désespoir ou au cynisme, ou bien faire le pari qu'un groupe d'hommes et de femmes courageux et déterminés peut sonner le réveil, montrer la voie et mobiliser l'énergie collective.

7

Prospérité économique
et progrès social, I

*Les hommes n'acceptent le changement que dans la
nécessité, et ils ne voient la nécessité que dans la crise.*

JEAN MONNET

Le Québec a besoin d'une nouvelle Révolution tranquille adaptée aux circonstances d'aujourd'hui. Il doit retrouver cette audace, ce goût d'aller de l'avant, de se redresser, de tenter des choses, quitte à se tromper, qui animait notre vie publique à cette époque. Évidemment, c'est une disposition d'esprit davantage propre aux sociétés dans lesquelles les jeunes sont nombreux et donnent le ton, ce qui n'est plus notre cas. Mais nous n'avons guère d'autre choix.

Aucune catégorie sociale n'y arrivera non plus à elle seule, et surtout pas en se posant contre d'autres. Les gens qui ont pensé et conduit la Révolution tranquille avaient, à l'époque, bénéficié de l'appui de la génération suivante, celle des baby-boomers, qui avait pour elle le poids du nombre.

Ne revient-il pas aujourd'hui à cette dernière de faire ce qui doit être fait pour léguer aux générations futures autant que ce qu'elle a reçu sur le plan matériel et aussi pour assurer la pérennité d'une certaine idée du Québec au nom de laquelle furent livrés de nobles combats ? Je crois qu'il y a là comme un impératif moral.

Notre situation en huit propositions

Commençons par le commencement. Que veulent d'abord et avant tout les Québécois en ce début du XXIe siècle ?

On ne se trompera guère en posant que, au plus haut niveau de généralité, ils voudraient idéalement améliorer ou, à tout le moins, maintenir leur niveau de vie. En dehors de quelques cercles intellectuels passablement excentriques, il n'y a guère d'appétit au Québec pour la simplicité volontaire ou une quelconque décroissance collective.

Nos concitoyens restent aussi très attachés à une gestion davantage collective et publique des aléas de la vie que ce qu'on observe aux États-Unis. Les appels occasionnels à un rapetissement radical du rôle de l'État sont accueillis chez nous avec une évidente hostilité, et pas seulement par les ténors habituels de l'étatisme. Cela n'empêche pas nos concitoyens d'être de plus en plus critiques à l'endroit de nos services publics.

Les sondages, eux, laissent voir des résultats parfois déconcertants. Au moment où le débat sur le projet de réingénierie de l'État caressé un temps par le gouvernement Charest battait son plein, une enquête menée par CROP avait révélé, par exemple, que 68 % des répondants souhaitaient « une réduction du rôle de l'État », mais que... 74 % s'opposaient à « une réduction des services publics » !

On doit sans doute y voir un reflet de ce préjugé populaire, plus ou moins fondé, selon lequel l'État pourrait faire autant avec moins s'il était plus efficace et moins gaspilleur. Dans ce même sondage, 79 % des répondants ont dit que les impôts sont trop lourds au Québec... alors que 42 % des Québécois n'en paient même pas[1] !

Comment faire pour concilier ces deux aspirations — protection ou élévation du niveau de vie et préservation d'une gestion collective (mais viable) du risque — est le véritable objet d'un débat public. Ce débat est d'autant plus incontournable que, avant même la crise actuelle, les forces évoquées dans un chapitre antérieur exerçaient déjà des pressions considérables à la fois sur notre niveau de vie et nos programmes sociaux.

La situation particulière du Québec peut, me semble-t-il, se décliner en huit propositions[2].

1. La structure démographique du Québec est et sera de plus en plus ébranlée par les départs à la retraite massifs des baby-boomers et par le faible nombre d'enfants qu'ils laissent. Cinq travailleurs pour un retraité aujourd'hui, deux pour un dans quarante ans : ça dit tout. Cet ébranlement ne nous est pas propre, mais il sera plus soudain ici que n'importe où ailleurs en Occident.

2. Des mesures favorisant l'augmentation du taux d'emploi dans toutes les catégories sociales — aînés, femmes, chômeurs, assistés sociaux — sont évidemment nécessaires, mais elles ne pourront empêcher la baisse du poids des travailleurs, tout simplement parce que le vieillissement sera trop fort et très concentré dans le temps. En ce moment, 49 % des Québécois travaillent. Pour que ce pourcentage se maintienne, Fortin et Godbout ont calculé que la proportion des personnes âgées de 15 à 64 ans qui travaillent, qui est présentement de 70 %, devrait passer à 85 % en 2051[3]. Totalement irréaliste.

3. Logiquement, ce vieillissement rapide de la population va donc freiner la croissance économique et accroître les pressions sur les dépenses sociales : il y aura en effet moins de bras au travail et plus d'aînés qui exigeront des soins de plus en plus coûteux. Or, les finances publiques du Québec sont déjà dans un état de grande fragilité, sans aucune véritable marge de manœuvre

depuis des années, et les taux d'imposition et d'endettement public sont parmi les plus lourds en Amérique du Nord.

4. Cela surviendra aussi dans un contexte où le Québec, déjà nettement moins riche que les États-Unis et toujours un peu moins riche que la moyenne canadienne, devra affronter la concurrence accrue des pays émergents, certains problèmes chroniques de productivité économique et l'imprévisibilité du prix des matières premières.

5. Si nous voulons ne serait-ce que maintenir nos acquis, avant même d'aspirer à mieux, il est donc obligatoire de stimuler la croissance économique, donc la croissance de la productivité et de l'emploi, tout en protégeant le niveau de vie des plus démunis. Je parle évidemment ici d'être beaucoup plus *efficace,* donc de *produire plus par heure travaillée,* de retarder aussi, lorsque c'est possible, le moment de la retraite, car je ne crois pas un instant qu'il est possible de convaincre nos concitoyens d'augmenter le nombre d'heures travaillées par semaine.

6. Nous devons aussi convier nos compatriotes à une grande œuvre de redressement national : stopper dans les meilleurs délais l'endettement public, réduire la place occupée dans le budget de l'État par les intérêts de cette dette, afin d'atténuer l'impact du choc démographique sur les générations futures, et repenser le financement des services publics, qui craquent déjà de partout.

7. Il est évident que cela suppose la réhabilitation de valeurs qui n'ont sans doute pas été les plus fortement mises en évidence dans le Québec des dernières décennies : effort, efficacité, productivité, épargne, responsabilité, prévoyance. Il est loin d'être évident que beaucoup d'élections se remportent à l'aide de ces thèmes austères, bien que cela ne soit pas radicalement impensable non plus.

8. De surcroît, le poids du Québec au sein du Canada baisse rapidement, et notre influence politique aussi forcément. Le Québec doit certes faire un meilleur usage des pouvoirs qu'il a déjà, mais le Canada anglais a aussi tourné le dos pour de bon à un quelconque statut particulier pour le Québec, de même qu'à la conception québécoise traditionnelle d'un Canada binational organisé suivant une division stricte des pouvoirs constitutionnels. Sans un rapport de force favorable, nous ne pourrons compter, dans le régime actuel, que sur nos propres moyens, ou alors nous n'obtiendrons que ce que la majorité voudra bien nous accorder.

Il est gênant de devoir aussi rappeler que prospérité économique et développement social se renforcent mutuellement. La richesse collective est moins une fin en soi que la condition *sine qua non* pour avoir des systèmes publics de santé, d'éducation et de protection sociale qui soient robustes et généreux et une vie culturelle florissante. Que cette évidence soit si peu comprise demeure pour moi, je le confesse, une sorte de mystère.

Imaginons un instant que nous refusions de nous engager dans les voies que dessinent les points 5 et 6. Qu'adviendrait-il alors ?

Depuis des décennies, sauf pendant une brève période dans la seconde moitié des années 1990, le gouvernement du Québec enregistre des déficits et gonfle son endettement. Nos dépenses augmentent plus vite que nos revenus. En langage clair, notre État, donc notre peuple, vit au-dessus de ses moyens. La « mauvaise » gestion ou la prise de décisions discutables ici et là ne changent pas substantiellement cette réalité massive.

Si nous n'inversons pas cette équation de base — autrement dit, si nous ne faisons pas ce qu'il faut pour, simultanément, augmenter les revenus de l'État par la croissance économique et mieux maîtriser les dépenses publiques —, l'arithmétique est implacable. Des revenus fiscaux qui se contractent et des dépenses publiques qui s'envolent nous placent devant trois avenues : s'endetter encore plus, augmenter les impôts ou réduire les services publics ; dans les faits, une combinaison douloureuse et parfaitement incontournable des trois... si on ne change pas l'équation de base.

Les conséquences d'un endettement excessif pour une société sont les mêmes que pour un individu : on ne vous prête plus, les intérêts de cette dette pèsent de plus en plus lourd et vous asphyxient. Tout finit par y passer. Ce serait un crime contre les générations futures, qui n'ont rien fait pour mériter un tel sort.

Augmenter encore plus les impôts sur les revenus risquerait fort d'avoir des effets pervers nombreux et bien documentés : évasion fiscale, fuite des cerveaux, tarissement des investissements, freinage économique, avec leurs cascades de conséquences politiques et sociales.

Une réduction importante des services publics ne plaira qu'aux idéologues de droite. Les vrais. Tous se rappellent encore l'impact sur le système de santé qu'ont eu les décisions prises dans la seconde moitié des années 1990, qui n'étaient que des amuse-gueules en comparaison de ce qu'il faudrait envisager cette fois. Qui s'en sortirait le mieux ? Évidemment les riches, qui auraient les moyens de se procurer ce qu'ils voudraient dans le secteur privé, qui se dilaterait pour prendre toute la place laissée vacante par l'État. La situation de ceux d'en bas, déjà très difficile, le deviendrait encore plus.

Faut-il insister davantage sur l'obligation dans laquelle nous sommes de ne pas attendre passivement que tout cela nous tombe dessus ?

Une société bloquée ?

Ah, mais c'est qu'on ne peut jamais rien faire bouger dans le Québec d'aujourd'hui ! répondront certains.

Ce leitmotiv du « blocage » fondamental de la société québécoise est un des thèmes les plus récurrents chez ceux qui souhaitent un redressement collectif, mais qui déplorent que des appels comme celui lancé en 2005 par les signataires du *Manifeste pour un Québec lucide* ne trouvent guère de relais politiques, malgré l'écho considérable suscité dans la société civile. Un peu à l'instar de la France, le Québec serait, dit-on souvent, une société devenue réfractaire au changement, paralysée par le corporatisme de puissants groupes d'intérêt, par l'activisme ultramédiatisé de poignées de militants professionnels ou encore par nos réflexes de frilosité collectifs.

À mon avis, ce n'est ni entièrement vrai, ni entièrement faux.

Notons d'abord que la complainte à propos du « blocage » se fait généralement entendre dans deux types de circonstances très différentes : lorsque de grands projets de développement échouent ou s'embourbent et lorsque des situations que certaines personnes prennent pour des acquis sociaux qu'elles souhaiteraient intouchables sont remises en cause.

Dans le premier cas, on échappe en effet difficilement à l'impression que, depuis quelques années, tous les projets le moindrement ambitieux s'enlisent dans des sables mouvants.

La construction des nouveaux hôpitaux universitaires, le prolongement de tronçons d'autoroute, l'aménagement de nouveaux barrages hydroélectriques, la construction d'une simple salle de concert pour un orchestre symphonique se heurtent à mille difficultés. Le projet de revitalisation du Sud-Ouest de Montréal au moyen du déménagement du Casino est mort-né. On en vient à penser qu'il ne serait plus possible, dans le climat social d'aujourd'hui, d'organiser de nouveaux Jeux olympiques ou de creuser dans le sol un nouveau métro. Bien sûr, l'état des finances publiques y est aussi pour beaucoup.

Nuançons tout de même. On ne pleurera pas les résistances que rencontrent les mauvais projets : on ne devrait pas vendre le cœur d'un parc national à un promoteur privé pour qu'il y construise des condos, point à la ligne. Le projet de construction de la centrale thermique du Suroît était aussi une mauvaise idée. On ne blâmera pas non plus nos concitoyens d'être plus méfiants que jadis quand ils voient le prolongement du métro vers Laval coûter plusieurs fois ce qui avait été annoncé, ou la relance de l'usine Gaspésia se solder par une commission d'enquête.

Et tout n'est pas toujours plus facile ailleurs : à New York, on se dispute depuis des années sur ce qu'il convient de faire du trou laissé par la destruction des tours jumelles le 11 septembre 2001. Par ailleurs, les médias n'accorderont pas autant d'attention à un projet qui ne se bute pas à des problèmes particuliers.

Les contestations ne sont pas non plus toutes de la même farine. De petits groupes d'activistes réussissent parfois à donner la trompeuse illusion qu'ils parlent au nom de toute une collectivité. Des citadins viennent s'installer près d'une porcherie qui était là avant eux et ils s'opposent ensuite au droit du producteur de prospérer en agrandissant ses installations. Mais, d'autres fois, c'est effectivement toute une collectivité locale qui refuse, en bloc et avec raison, qu'on lui enfonce dans la gorge un projet dont personne ne veut, sauf son promoteur.

On a en tout cas tort, je crois, de montrer du doigt les groupes communautaires. S'ils jouent parfois le rôle social du poil à gratter, ils sont néanmoins irremplaçables. Ils font preuve d'une souplesse et d'une connaissance du terrain que n'auront jamais les lourdes bureaucraties gouvernementales. Mais il est aussi parfaitement légitime de les interpeller à propos de leur représentativité quand, sans aucun mandat populaire, ils prétendent se faire les porte-voix de toute une collectivité ou savoir mieux que les élus ce qui est bon pour tous.

Deux choses au moins semblent claires. D'une part, quand le projet engage des fonds publics, une évaluation des coûts et des échéanciers par une instance la plus éloignée possible des pressions politiques est encore le meilleur moyen de limiter les risques de dérapage. D'autre part, qu'ils soient privés ou publics, les promoteurs de projets futurs n'auront d'autre choix désormais que d'y associer, dès le départ, des populations locales plus éduquées et plus sceptiques que jadis.

L'autre grande catégorie de changements proposés qui se

heurtent à de vives résistances, ce sont évidemment les remises en question — qu'on les baptise « lucides », « réalistes », de « gauche efficace[4] », « néolibérales » ou que sais-je — de ce qu'on a pris l'habitude d'appeler, au Québec, des « acquis sociaux » : soit parce qu'elles heurtent des groupes d'intérêt puissants, comme les centrales syndicales, soit parce qu'elles nous forceraient à débourser plus pour des services publics qui nous donnent l'illusion de la gratuité parce qu'ils sont financés par l'impôt. J'en traite au prochain chapitre.

Une chose est sûre : dans la perspective de ce redressement collectif que j'appelle de tous mes vœux, on ne saurait faire l'économie d'un examen de certaines de nos attitudes collectives, elles-mêmes entretenues par des décennies de politiques électoralistes à courte vue. Puisque j'ai moi-même autrefois été en politique active, on comprendra que je m'empresse ici de plaider partiellement coupable[5]. Faire la morale au peuple ne conduit généralement pas au succès non plus.

On me permettra tout de même de souligner qu'il y a quelque inconscience à exiger sans cesse plus de l'État, mais en travaillant toujours moins. Nous avons en effet, au Québec, une semaine de travail plus courte que celle de nos concurrents immédiats. C'est un choix parfaitement défendable. Mais si nous décidions d'aller encore plus loin dans cette voie, cela entraînerait évidemment des conséquences économiques qu'il faudrait assumer en toute connaissance de cause.

On ne peut guère non plus continuer à vouloir des investissements plus élevés dans les services publics tout en souhaitant des baisses d'impôt. C'est l'un ou l'autre... à moins que la création globale de richesse ne soit significativement accrue.

Interrogés récemment sur les priorités gouvernementales, 29 % seulement des Québécois pensaient que l'État devrait favoriser prioritairement la création de richesse, alors que 59 % croyaient qu'il devrait plutôt accorder la priorité au partage de la richesse *actuelle*[6]. Ces bons sentiments honorent notre peuple et plairont à la frange paléolithique de notre gauche, mais ils reposent sur l'illusion que le niveau de richesse actuel suffit à combler les besoins. Au Québec, on tend beaucoup à penser que le riche doit son succès davantage à sa chance qu'à ses mérites.

Cette disposition d'esprit de nos concitoyens est à rapprocher d'une autre donnée troublante : selon une étude menée par la Fondation pour l'entrepreneurship, il se trouve que, contrairement au mythe du Québec entrepreneurial, il y a deux fois moins de propriétaires d'entreprise au Québec que dans le reste du Canada et que les entreprises québécoises ont une durée de vie en moyenne deux fois moins longue[7].

Jean-Jacques Simard, sociologue de l'Université Laval, notait récemment que le Québec souffre en ce moment du syndrome « yaka ». Trop de nos concitoyens voudraient se soustraire à un effort de redressement qui devrait être collectif en disant : « Y a qu'à taxer les riches qui, on le sait ben [sic], pratiquent tous l'évasion fiscale » ou « Y a qu'à coincer ces méchantes compagnies qui, évidemment, entreposent leurs profits dans des paradis fiscaux ». À n'en pas douter, il y a de cela, très certainement, mais c'est un mythe soigneusement entretenu par des irresponsables que de faire croire que là résideraient les solutions simples et sans douleur à nos problèmes collectifs.

J'ai fini par comprendre tardivement qu'il n'est pas très réaliste d'espérer que la classe politique s'empresse de nous rappeler ces vérités désagréables. Pourquoi ? Parce que la vérité toute nue est que les hommes politiques ont une faible propension au suicide professionnel et qu'ils veulent très naturellement conserver ce pouvoir qu'ils ont conquis de haute lutte. Or, il est loin, très loin, d'être évident que le courage politique est récompensé aux urnes : nos concitoyens disent vouloir entendre la vérité de la bouche de leurs élus, mais ils veulent surtout entendre de bonnes nouvelles. Quand vérité rime avec austérité, ils tendront à la repousser comme un calice qu'ils ne veulent pas boire, ou alors ils n'accepteront les sacrifices qu'en maugréant et seulement pendant une courte période.

Pensons-y un instant : dans la mesure où le présent nous

accapare et nous préoccupe habituellement plus que le futur, il sera toujours difficile, forcément, de convaincre beaucoup de gens d'accepter des sacrifices immédiats et concrets en invoquant des gains hypothétiques et lointains. Si on songe, en plus, au nombre considérable de gens qui, dans les sociétés modernes, reçoivent de l'État, directement ou indirectement, de mille et une façons, des transferts financiers, on peut comprendre la méfiance et les résistances auxquelles se heurtent les appels à des remises en question.

Dans le cas précis qui est le nôtre, il faut ajouter que l'État a joué un rôle si fondamental dans la construction de l'identité québécoise moderne que toute proposition le moindrement ambitieuse de changer son rôle est perçue par certains comme une attaque contre l'identité québécoise elle-même ou comme la dilapidation d'acquis collectifs devenus sacrés. Cela permet à des groupes puissants de se défendre en faisant croire que leurs intérêts et l'intérêt général sont une seule et même chose.

Gardons-nous, cela dit, de sombrer dans la résignation et le fatalisme. Un sondage Léger Marketing, mené en janvier 2008 auprès de 5 002 Québécois, a dégagé, pour ne prendre que des sujets qui donnent habituellement lieu à de vifs échanges entre les protagonistes usuels de nos débats publics, les frappantes majorités que voici.

- 91 % des répondants pensent qu'il faut adopter des mesures de réinsertion au travail plus vigoureuses à l'endroit des bénéficiaires de l'aide sociale qui sont aptes au travail.
- 74 % pensent qu'il faut favoriser le développement de l'hydroélectricité afin de maximiser les exportations d'électricité.
- 73 % pensent que les lois linguistiques devraient être plus strictes.
- 68 % pensent qu'un ticket modérateur devrait être introduit pour améliorer le système de santé.
- 59 % pensent qu'il faudrait faire une plus grande place au secteur privé dans le domaine des soins de santé[8].

Je ne dis pas qu'il faille obligatoirement emprunter toutes ces voies. Il y a des doses variables de préjugés et de pensée magique dans plusieurs d'entre elles. Je souligne simplement le fossé qui sépare ce que les anglophones appellent *the chattering classes* — les élites qui bavardent — et les sentiments de cette robuste majorité de la population qui n'est pas abonnée aux pages d'opinion de nos quotidiens.

Bref, ne concluons pas trop vite à l'existence d'irréductibles divisions ou de fossés infranchissables, et interrogeons-nous aussi sur la qualité de ce qui a tenu lieu de leadership au cours des dernières années. Lucien Bouchard fut notre dernier homme politique à avoir tenté d'imprimer une direction à notre peuple, plutôt qu'à avoir simplement cherché à épouser nos humeurs collectives pour durer au pouvoir.

Des remises en question profondes, il est pourtant en train de s'en produire dans toutes les démocraties occidentales avancées. Aucun pays n'y échappe. Partout, les raisons sont sensiblement les mêmes : déclin démographique, difficultés budgétaires, crise de confiance à l'endroit des services publics.

Partout aussi, avec évidemment des différences selon les contextes particuliers, les grands axes des réformes sont les mêmes : productivité accrue, compétitivité fiscale, effort massif en éducation et en recherche, partenariats avec le secteur privé, contrôle serré des dépenses publiques, transparence accrue de l'administration publique et ainsi de suite. Et tout cela survient notamment dans des pays qui ont une sensibilité sociale-démocrate beaucoup plus ancienne et mieux enracinée que la nôtre.

Les atouts considérables du Québec

Il se trouve en plus que, si le Québec se décide à hausser son jeu de quelques crans, il a dans sa main des cartes maîtresses à faire valoir. La Banque Toronto-Dominion a énuméré les atouts du

Québec dans une récente étude sur les défis économiques et sociaux qui nous attendent[9] :

- Haute qualité de vie
- Faibles coûts d'exploitation des entreprises
- Excellente localisation
- Économie fortement diversifiée
- Chef de file en hydroélectricité
- Chef de file en aéronautique et en biotechnologies
- Chef de file en recherche et développement
- Chef de file en capital de risque

Peu de peuples peuvent en dire autant, et encore ne s'agit-il là que des atouts les plus visibles. Le Québec en possède un autre, moins tangible mais tout aussi important, qui nous a bien servis dans le passé[10]. Nous sommes en effet non seulement une petite société, plus facile à mobiliser qu'une nation de centaines de millions de personnes, mais aussi une société comptant sur une tradition de dialogue et de concertation qui facilite l'établissement d'objectifs communs et la mobilisation des énergies disponibles en faveur d'un plan d'action collectif.

Il est vrai que cela se double d'une propension presque maladive à chercher à tout prix des « consensus » — qu'on risque alors de fabriquer un peu artificiellement — et à craindre la « chicane », comme si le propre du débat démocratique n'était pas justement que les divergences d'opinion y sont un phénomène normal.

Cette tradition de concertation trouve son explication dans notre histoire. Elle est si profondément enracinée chez nous qu'il est contre-productif de vouloir la nier, comme le gouvernement Charest l'a appris dans les mois qui ont suivi son accession au pouvoir en 2003. Alors, aussi bien l'assumer et miser sur elle.

Dans le Québec d'avant la Révolution tranquille, qui était passablement homogène sur le plan ethnoculturel, d'étroites relations sociales d'entraide communautaire, encouragées par l'Église

comme moyen de préserver l'unité de la nation, s'étaient graduel-
lement développées. Justement parce que prévalait une conscience
aiguë de notre fragilité économique, politique et culturelle, la
notion de « solidarité » s'y est enracinée profondément et a servi à
légitimer l'action sociale d'innombrables associations.

Plus que d'être seulement le gardien de la foi, le clergé joua
d'ailleurs un véritable rôle d'animateur communautaire. Parallèlement, la faiblesse de l'aristocratie, le peu d'encadrement admi-
nistratif fourni par le régime seigneurial français puis par le
régime colonial britannique, la possibilité de vivre à distance des
pouvoirs constitués ou de recommencer périodiquement sa vie
ailleurs ont aussi contribué à forger des relations sociales passablement égalitaires.

L'urbanisation et l'industrialisation transformeront ensuite
cet égalitarisme relatif des rapports sociaux et cette valorisation
de la solidarité et de l'entraide, qui sont d'origine rurale. Mais
elles ne les effaceront pas. Quand l'État prend le relais de l'Église
à partir des années 1960, il reprend d'ailleurs à son compte cette
notion de solidarité pour légitimer plusieurs de ses interventions.
Ces traits ancestraux perdurent à ce jour sous des formes renou-
velées. « Solidarité » est encore l'un des mots clés du vocabulaire
politique québécois : tous s'en réclament pour dire que leur
action en est une illustration, même quand ce n'est pas le cas, ou
pour déplorer que l'adversaire la mine.

La modernisation du Québec au cours du dernier demi-
siècle contient donc son lot de ruptures, mais aussi de continui-
tés. D'où une culture politique qui combine des droits individuels au sens libéral classique, un sens aigu de l'appartenance
de chacun à une communauté de destin, et un attachement
profond aux institutions chargées d'assurer la pérennité et la
prospérité des francophones, lesquels ont la double conscience
d'être majoritaires sur le territoire québécois mais très minoritaires sur le continent américain.

C'est ce qui explique, par exemple, que le mouvement coopératif est si fortement enraciné au Québec, si présent dans de

nombreux secteurs. La société civile québécoise fourmille aussi d'associations de toutes sortes qui s'attendent à être consultées et écoutées par les autorités politiques. Même l'entrepreneur individuel est perçu comme le détenteur d'une responsabilité envers la collectivité qui dépasse ce que les lois prescrivent.

Il se trouve en plus que les gouvernements successifs du Québec, depuis les années 1970, ont largement pris acte de cette particularité et l'ont intégrée dans leurs stratégies de gouvernance. Les premiers grands sommets de concertation entre l'État, le patronat et les syndicats datent de la fin des années 1970. Au milieu des années 1980, le gouvernement libéral de Robert Bourassa jongla brièvement avec la tentation d'une gouvernance plus unilatérale, mais, devant la résistance rencontrée, choisit plutôt d'accélérer le passage vers un État moins directif que jadis, mais qui privilégie aussi la concertation.

Le gouvernement du Parti québécois, de retour au pouvoir en 1994, a encore approfondi cette tendance, multipliant les grands sommets de concertation, mais aussi les tables de discussion permanentes dans de nombreux domaines : main-d'œuvre, agro-environnement, affaires municipales, développement régional, femmes, jeunes et ainsi de suite. Certains estiment aujourd'hui que la concertation ne va pas encore assez loin, alors que d'autres la jugent source d'inertie et de copinage malsain. Mais cette réalité est là, si profondément enracinée qu'elle en devient incontournable.

On se rappellera, par exemple, que l'assainissement des finances publiques entrepris et réussi dans la seconde moitié des années 1990, avant que nous ne replongions dans les déficits, fut mené non pas en tournant le dos à la participation des principaux acteurs socio-économiques à la définition des stratégies collectives de développement, mais au contraire en approfondissant cette participation.

C'est aussi ce qui explique pourquoi le projet de réingénierie de l'État du gouvernement Charest a frappé un mur. Il heurtait de front des valeurs, des perceptions, des façons de faire, des représentations profondément ancrées dans la société québécoise. Les

Québécois voient l'État du Québec non seulement comme leur État national, mais comme le levier qui leur a permis de s'extraire collectivement de leur situation d'infériorité séculaire. À tort ou à raison, ils eurent le sentiment que ce gouvernement s'apprêtait à brader les acquis de la Révolution tranquille pour les aligner sur le modèle social américain. Vouloir par-dessus le marché le faire sans dialogue ni transparence, c'était presque comme dire à tous ces réseaux de collaboration institutionnalisés, à tous ces groupes qui se perçoivent littéralement comme des partenaires du gouvernement, qu'ils n'existaient plus.

Dans les grands exercices de concertation des années Bouchard, il y a donc, moins dans ce qui fut fait que dans la manière de le faire, quelque chose qui ressemble fort à un mode d'emploi auquel il nous faudra sans doute, avec des ajustements, recourir de nouveau.

Organiser nos atouts en stratégie

Nos atouts ne donneront cependant leur pleine mesure que dûment harnachés à une stratégie cohérente, comme le courant d'une rivière qu'il faut savoir aménager pour le transformer en énergie positive. Or, une stratégie se fixe en fonction des objectifs visés, des atouts disponibles, des contraintes subies et du contexte qui prévaut.

Nous voulons protéger notre niveau de vie, idéalement l'améliorer, garantir au moins autant aux générations futures, préserver la paix sociale et protéger notre identité culturelle. Pourtant, les revenus de l'État couvriront de moins en moins ses dépenses, le nombre des travailleurs baissera, la productivité est déjà insuffisante par rapport aux besoins, la concurrence sera de plus en plus dure, mais nous sommes cependant parmi les meilleurs dans quelques domaines.

En termes très généraux, ce qu'il faut faire est compliqué, mais archi-connu.

Pour redresser notre situation démographique, il nous faudra faire encore plus pour lever les obstacles entravant le désir des familles d'avoir davantage d'enfants, pour retenir et intégrer les immigrants que nous accueillons et pour décourager les retraites hâtives.

Pour que l'État retrouve sa capacité d'action, il faut assainir les finances publiques, et donc cesser de s'endetter, maîtriser plus rigoureusement les dépenses gouvernementales, financer autrement les services publics et revoir en profondeur notre fiscalité.

Pour améliorer notre niveau de vie, nous devrons stimuler au maximum le développement économique, donc améliorer notre productivité en agissant sur ses principaux déterminants, qui sont tous liés : climat macroéconomique, éducation, infrastructures, fiscalité, réglementation, technologie, degré de concurrence et pourcentage de la population au travail. J'y reviens au prochain chapitre.

Le défi sera d'autant plus colossal dans un contexte mondial en plein bouleversement sur les fronts énergétique et écologique. Si on croit sérieusement que l'avenir de l'être humain est indissociable de l'avenir des écosystèmes qui nous entourent, le développement urbain, par exemple, devra être repensé, et les lois québécoises relatives à la protection de l'environnement devront être dépoussiérées et resserrées.

On peut aussi se représenter tout cela comme une maison que l'on construit à partir des plans initiaux, puis des fondations que l'on coule, des murs que l'on élève, et ainsi de suite jusqu'au toit que l'on pose. Dans cette perspective, il faudrait alors, dans l'ordre,

- Dessiner le Québec que nous souhaitons et fixer en conséquence des cibles précises, mesurables, ambitieuses, mais à notre portée.
- Rallier le plus de gens possible autour de ces objectifs et s'assurer que les efforts qu'ils impliquent sont équitablement répartis et n'accablent pas davantage les plus mal pris.

• Redonner progressivement à notre État la marge de manœuvre qui lui permettra ensuite de soutenir efficacement la création de la richesse : donc maîtrise des dépenses, freinage de l'endettement, efficacité accrue de l'administration publique et nouvelle politique de tarification des services publics.

• Favoriser la mise en place d'un contexte aussi propice que possible au développement économique et social : performance scolaire radicalement améliorée, fiscalité plus favorable à l'investissement, législation du travail plus efficiente, réglementation simplifiée.

• Mettre sur pied des programmes ciblés de soutien à la création de la richesse : infrastructures de transport, politique énergétique, qualification de la main-d'œuvre, soutien à la recherche et au développement, financement des universités, intégration des immigrants.

• Accorder résolument la priorité aux secteurs d'avenir pour nous — énergie, aérospatiale, biopharmaceutique, technologies de l'information, création artistique, etc. — et gérer humainement, mais lucidement, les secteurs en déclin irréversible : textiles, meubles, etc.

Je traiterai dans un instant de quelques mesures plus ciblées.

Voilà en gros l'essentiel. C'est plus que vaste, c'est colossal. Et urgent. Et difficile. Et parfaitement incontournable. On peut s'obstiner sur des vétilles, mais pas sur l'essentiel, à moins de tordre la réalité pour la faire cadrer avec l'idéologie. Je ne m'illusionne pas : c'est exactement ce qui surviendra.

Mais, fondamentalement, les clés du développement économique et social sont toujours et partout les mêmes. Seul le dosage varie d'une société à l'autre. Refuser de nous engager dans cette direction, c'est nous condamner à l'enfermement collectif dans une spirale de déclin généralisé qui ira en s'accélérant. Tout simplement.

8

Prospérité économique
et progrès social, II

*La richesse n'est pas sans avoir ses avantages et les
nombreuses tentatives de prouver le contraire ne se
sont jamais révélées bien convaincantes.*

JOHN KENNETH GALBRAITH

La pauvreté relative du Québec à l'échelle de l'Amérique du Nord
est un phénomène indéniable et copieusement documenté. On
doit évidemment nuancer. Les indicateurs étroitement économiques ne reflètent pas des traits enviables du Québec d'aujour-
d'hui comme sa faible criminalité ou l'espérance de vie très élevée
de sa population.

C'est cependant faire fausse route que de dresser les unes
contre les autres les préoccupations économiques et les préoccupations sociales. Si le Québec parvenait à réduire l'écart de prospérité économique qui le sépare du reste de l'Amérique du Nord,
chaque ménage aurait alors plus d'argent pour se loger, se soigner, éduquer ses enfants, et l'État aurait plus de ressources à
consacrer aux priorités collectives que nous aurions déterminées
démocratiquement. Creusons un peu.

La question la plus mal comprise de toutes

Fondamentalement (mais pas exclusivement), c'est le travail qui crée la prospérité. Pour comprendre notre retard de prospérité, il nous faut donc commencer par examiner nos habitudes de travail. On peut décomposer celles-ci en deux dimensions de base : le nombre d'heures travaillées et la production par heure travaillée.

La première ne nécessite guère d'explications. La seconde est ce que l'on désigne habituellement par le mot « productivité ». Elle renvoie à la notion d'efficacité au travail qui, bien au-delà des caractères individuels des gens, résulte de la combinaison de nombreux facteurs qu'il faut cerner à l'échelle de toute une société. Notre retard de prospérité s'explique par les deux : *nous travaillons moins d'heures que le reste de l'Amérique du Nord et nous produisons moins par heure travaillée.* Surmontez, s'il vous plaît, l'agacement que vous ressentez en cet instant précis et continuez à lire.

Une étude de l'Ontario Institute for Competitiveness and Prosperity, reprise ensuite par la Banque Toronto-Dominion, a établi que 62 % de l'écart de prospérité entre le Québec et le reste du Canada s'explique tout simplement par le fait que nous travaillons moins d'heures. Le reste, 38 %, s'explique par la moins grande production par heure travaillée[1].

Si on examine le revenu moyen par habitant en tenant compte du coût de la vie, nous avons vu au deuxième chapitre que chaque homme, femme et enfant au Québec est moins riche de 5 939 $ par année qu'un Canadien hors Québec et moins riche de 12 313 $ par année qu'un Américain. Évidemment, si vous avez le malheur d'être pauvre, il vaut beaucoup mieux l'être ici qu'aux États-Unis. Le plus grand nombre d'heures travaillées dans le reste du Canada procure donc à chaque personne 3 682 $ par année de plus qu'au Québec, alors que la plus grande production par heure travaillée représente 2 257 $.

Pourquoi travaille-t-on moins au Québec que dans le reste du Canada et tellement moins qu'aux États-Unis ? On peut émettre plusieurs hypothèses. Peut-être valorisons-nous davantage les loisirs. Les femmes sont aussi plus nombreuses sur le marché du travail au Québec qu'en Ontario, mais elles y passent en moyenne moins d'heures que les hommes, parce qu'elles s'occupent encore de la majeure partie du travail ménager. Le nombre des employés de l'État et des employés syndiqués, dont le temps de travail est en moyenne moindre que celui des travailleurs non syndiqués du secteur privé, est plus élevé au Québec. Tout cela est plausible.

Il n'y a évidemment pas de réponse objective à la question de savoir s'il vaudrait ou non la peine de travailler X heures de plus pour se procurer Y dollars de plus : tout dépend des priorités de chacun. Il est parfaitement acceptable de vouloir moins travailler, et je redis que faire la morale à quiconque à cet égard ne mène absolument nulle part. Mais dans une société où l'on travaille moins, le revenu par habitant, et donc les recettes fiscales qui permettent ensuite de financer les hôpitaux, les routes ou les écoles, seront nécessairement moins élevés, à moins d'avoir du pétrole... ou à moins que cette moindre quantité d'heures travaillées soit compensée par une efficacité supérieure par heure. Élémentaire.

Pour ennuyeuse qu'elle soit, cette question est néanmoins cruciale, car l'amélioration de la productivité sera, à défaut de découvrir du pétrole, la seule façon d'empêcher notre niveau de vie de baisser. La croissance économique des dernières décennies fut en effet impulsée, on l'a vu, par deux principaux facteurs sur lesquels nous ne pourrons plus compter : le grand nombre des travailleurs appartenant à la cohorte des baby-boomers, qui partent rapidement à la retraite, et l'augmentation spectaculaire du taux d'emploi chez les femmes, qui est désormais presque égal à celui des hommes et qui ne progressera donc que très marginalement.

Évidemment, nous avons ici un devoir de lucidité. Une récente étude du Mouvement Desjardins a établi que même le scénario le plus optimiste au chapitre des gains de productivité ne devrait pas permettre de maintenir le rythme actuel de croissance de notre PIB. Il faudrait en effet, pour réussir à maintenir une croissance économique d'environ 2 % par année, des gains de productivité annuels de 2,2 % en moyenne. Or, depuis la fin des années 1960, nos gains de productivité n'ont pas dépassé 1 % par année en moyenne. En langage clair, empêcher notre niveau de vie de trop glisser sera déjà un immense défi[2].

Certes, quand on élargit la comparaison, on s'aperçoit que ce problème de productivité est canadien autant que québécois. Le Canada figure en effet dans les derniers rangs du classement des pays développés à ce sujet et il continue de reculer en termes relatifs. Mais, plus triste encore, le Québec, qui est déjà sous la moyenne canadienne, glisse encore plus vite par rapport aux autres. De 1988 à 2006, la production par heure travaillée a progressé 15 % plus vite en Ontario qu'au Québec… mais 45 % plus vite aux États-Unis que chez nous[3].

De grâce, qu'on se retienne ici un peu avant de regarder cette question à travers des lunettes idéologiques. La championne mondiale de la productivité est… la Norvège, une société où la sensibilité sociale-démocrate est beaucoup plus profondément enracinée qu'au Québec ou au Canada. L'objection souvent entendue selon laquelle la forte productivité s'expliquerait par l'intensité de l'exploitation des travailleurs est donc une parfaite idiotie. Les Canadiens produisent par heure travaillée… 45 % de moins que les Norvégiens ! C'est d'ailleurs cette efficacité tellement supérieure à la nôtre qui donne aux Norvégiens les moyens de travailler 18 % moins d'heures que nous : autrement dit, ils travaillent moins que nous et peuvent se payer plus de loisirs… parce qu'ils sont diablement plus efficaces lorsqu'ils travaillent.

Plusieurs facteurs expliquent les faibles productivités québécoise et canadienne. La faiblesse du dollar canadien nous a longtemps protégés artificiellement et nous a rendus complaisants. Il coûtait moins cher d'embaucher de la main-d'œuvre que d'acheter de nouvelles machines. Plusieurs secteurs sont protégés de la concurrence et n'ont donc pas d'incitation puissante à être plus productifs. La prise de risques et la culture de l'innovation sont relativement peu valorisées ici. Politiquement, l'enjeu se prête aussi facilement au procès d'intention malhonnête : « Ah, vous voulez dire qu'on est paresseux et vous voulez nous faire travailler plus, hein ! ? » Toutes ces raisons contiennent leur part de vérité[4].

Les façons d'améliorer la productivité, et donc le niveau de vie, sont très bien connues, ce qui ne veut pas dire que cela soit facile à mettre en œuvre. Le théorème de base tient en trois propositions.

- La productivité dépend de l'efficacité qui, elle-même, est fonction de la qualité de la main-d'œuvre, des infrastructures de transport, de la fiscalité, de la réglementation, de la maturité technologique et de l'intensité de la concurrence. C'est la combinaison la plus optimale possible de ces facteurs qui crée les conditions les plus propices à l'enrichissement.
- Plusieurs de ces facteurs requièrent cependant des investissements privés et publics considérables. Or, pour que les investissements privés se matérialisent, il faut que les entreprises les jugent rentables, et pour que les investissements publics soient possibles, il faut que l'État en ait les moyens.
- Pour rentabiliser les investissements privés et donner à l'État les moyens de faire les investissements publics requis, il va donc falloir obligatoirement accentuer des efforts déjà amorcés dans certains domaines, mais surtout accepter de faire des choses que nous avons toujours refusé de faire jusqu'ici, c'est-à-dire égorger quelques vaches sacrées.

Fondamentalement, trois acteurs sont concernés par un appel aux armes en faveur d'une productivité accrue : a) les entreprises, b) les travailleurs et c) l'État.

a) Les entreprises

Elles sont interpellées sur deux principaux fronts. Premier front : la fiscalité. Il n'est pas exact de dire que les entreprises sont exagérément imposées au Québec, mais il est rigoureusement vrai qu'elles sont depuis longtemps *mal* imposées. Le niveau global des diverses charges fiscales n'est pas déraisonnable lorsqu'on le compare à ce qui prévaut ailleurs au Canada, mais on continue à imposer les entreprises quand elles investissent pour se moderniser plutôt que lorsqu'elles font des profits. L'élimination progressive de l'impôt sur le capital a certes aidé : accélérons-la.

On pourrait aussi envisager de baisser encore leur taux marginal effectif d'imposition et leurs impôts sur la masse salariale, en échange d'obligations relatives à la formation de la main-d'œuvre et aux modalités de licenciement.

De toute façon, une récente étude portant sur 23 000 entreprises établies dans dix pays entre 1993 et 2003 a conclu que pratiquement 100 % des hausses d'impôt que les gouvernements leur imposèrent ont été ultimement absorbées par leurs employés. Les hausses d'impôt entraînent en effet des baisses dans les investissements et les gains de productivité des entreprises, qui les conduisent ensuite à freiner la progression des salaires de leurs employés[5]. Il n'y a pas de fondement sérieux au point de vue, sympathique mais erroné, selon lequel ceux qui ont le cœur au bon endroit veulent alourdir la fiscalité des entreprises, alors que les salauds voudraient le contraire.

Second front : la réglementation. Les entreprises demandent souvent qu'on allège les tracasseries administratives qu'elles subissent. Dans les limites du raisonnable, fort bien. En échange, les subventions qui ont l'effet pervers de faire en sorte que les entreprises financeront par les fonds publics des mesures qu'elles auraient adoptées de toute manière devraient progressivement être abandonnées.

Les secteurs artificiellement protégés de la concurrence, comme l'industrie de la construction, sont aussi notoirement inefficaces : il faudrait progressivement les sortir de cette bulle, à moins que des circonstances exceptionnelles ne justifient le contraire. On chercherait d'ailleurs en vain à prouver que le secteur privé est *en soi* efficace parce qu'il est privé ou que le secteur public est *en soi* inefficace parce qu'il est public. C'est dans le caractère monopolistique ou non d'un service, qu'il soit public ou privé, que réside généralement la meilleure explication de son inefficacité. Pourquoi vouloir faire mieux si personne d'autre ne vous menace ?

b) Les travailleurs

Diverses mesures peuvent être envisagées pour encourager le travail des individus. Par exemple, les gens âgés de 55 à 69 ans sont 20 % moins nombreux à travailler au Québec qu'en Ontario, ce qui interpelle nos régimes de retraite et notre fiscalité[6]. L'intégration des immigrants tient souvent à la reconnaissance de leurs qualifications et à l'efficacité de notre politique linguistique.

Sur le front de la fiscalité des particuliers, les Québécois, me semble-t-il, ne sont pas tellement contre le fait de payer des impôts relativement élevés. S'ils maugréent, c'est parce qu'ils ont le sentiment qu'ils ont des services publics dont la qualité est de moins en moins à la hauteur de la contribution fiscale exigée, et ils ont raison. Le contrat a été rompu, et pas par eux.

Là où nous faisons vraiment bande à part, c'est dans le fait que le gouvernement du Québec, quand on le compare à la majorité des pays membres de l'OCDE, tire une part disproportionnée de ses recettes fiscales de l'impôt sur le revenu — dont les taux sont parmi les plus élevés au monde — et de l'impôt sur le capital, et une part trop faible des taxes à la consommation. Or il est connu depuis longtemps que chaque dollar perçu par le biais de l'impôt sur le revenu a un effet de freinage plus fort sur le dynamisme économique global que le même dollar perçu par le truchement d'une taxe à la consommation : logiquement, plus le travail est imposé, plus on le décourage, plus on incite à la fraude fiscale et plus on encourage l'exode des hauts salariés.

Pour encourager l'effort individuel, tout en maintenant les recettes fiscales du gouvernement afin de ne pas affecter le financement des services publics, il suffirait donc d'inverser le dosage : hausser la TVQ dans une proportion qui correspondrait à un niveau de recettes dont le produit serait ensuite retourné aux travailleurs en baisses équivalentes d'impôt sur le revenu. Jusqu'ici, chaque fois que le gouvernement fédéral a baissé sa taxe de vente, le gouvernement du Québec a laissé passer l'occasion d'occuper cet espace. Afin que les ménages à faible revenu ne soient pas pénalisés par la hausse de la TVQ, les crédits de taxe existants seraient bonifiés des montants équivalents. Personne n'y perdrait, mais la productivité individuelle et globale y gagnerait.

c) L'État

L'État est évidemment interpellé sur de nombreux fronts si nous voulons améliorer notre productivité afin de maintenir notre niveau de vie.

J'ai déjà longuement traité du chantier crucial qu'est l'éducation. L'État doit aussi investir dans des infrastructures essentielles au développement économique, comme les routes et les ponts, dont la condition se passe de commentaires. Mais tout cela coûte cher, terriblement cher, d'autant que nous y sous-investissons depuis longtemps… et les coffres publics sont vides.

Vous me voyez venir. Si nous voulons que l'État puisse faire, en notre nom à tous, ces investissements stratégiques, il doit forcément, obligatoirement, se redonner une marge de manœuvre financière qui ne se trouve, comme on l'a vu au second chapitre, ni dans une hausse des impôts de nos riches trop peu nombreux, ni dans l'alourdissement de l'imposition de nos entreprises, auxquelles il faut au contraire redonner de l'oxygène. Que ce discours déplaise souverainement à nombre de gens ne le rend pas moins vrai pour autant.

Si nous sommes le moindrement cohérents, vouloir que

l'État du Québec retrouve progressivement une certaine marge de manœuvre signifie donc l'acceptation des conséquences qui en découlent forcément en matière de mesures à prendre. Toutes ces mesures ne sont pas également douloureuses, bien qu'aucune ne soit simple.

Par exemple, les impôts que nous envoyons à Ottawa nous reviennent ensuite sous forme de transferts qui ont été partiellement rétablis en volume, mais qui demeurent soumis aux décisions unilatérales d'Ottawa et souvent inadaptés à nos besoins. Cette question n'est pas réglée, même s'il faut savoir reconnaître les progrès accomplis.

L'évasion fiscale coûte environ 2,5 milliards annuellement à l'État du Québec[7], sur un budget global, en 2009, de 62 milliards de revenus et 66 milliards de dépenses. Il y a sans doute encore quelques gains possibles de ce côté, sans sombrer dans la pensée magique. C'est ensuite que les choses se corsent.

Tarifer intelligemment les services publics

Redonner à l'État les moyens d'agir au profit de toute la collectivité ne pourra pas se faire sans revoir la manière dont nous finançons nos services publics. À cet égard, le Québec n'a pas de leçons à donner à ces mystérieuses contrées qui prêtent aux vaches des propriétés divines.

Le moment est venu de faire le pari que les nôtres, en tout cas, n'en ont point. Disons-le tout net : il est rigoureusement impossible que l'État continue à subventionner aussi lourdement, par exemple, notre consommation d'électricité, la fréquentation de l'université ou celle des garderies publiques.

Depuis des décennies, la fixation des tarifs de nos services publics se fait, au Québec, dans le but de gagner des votes plutôt qu'en fonction de nos objectifs collectifs de long terme ou des principes de base d'une saine gestion. Le Québec, à vrai dire, ne dispose toujours pas d'une véritable politique de financement des services publics qui soit claire et cohérente, bien que le groupe de travail présidé par Claude Montmarquette — et dont faisait partie l'auteur de ces lignes — lui ait fourni les contours généraux d'une telle politique[8].

Nos pratiques actuelles de tarification des services publics ont donc, au fil des années, réussi le tour de force de combiner presque tous les défauts : elles sont inefficaces, inéquitables, opportunistes, arbitraires et gaspilleuses. Dans certains cas, elles procurent certes des avantages de court terme à ceux qui en bénéficient directement, mais, comme on le verra, les inconvénients du statu quo sont incomparablement plus grands pour l'ensemble de la collectivité que les avantages.

D'abord, nos pratiques actuelles font en sorte que nos concitoyens ne connaissent absolument pas le coût réel des services qu'ils consomment, parce que leur financement est noyé dans leur contribution fiscale globale. Cette perception largement décrochée du réel est encore plus forte chez ceux qui ne paient pas d'impôt, pour d'excellentes raisons habituellement, et dont la consommation est donc financée par d'autres.

Comme le tarif est habituellement fixé, pour des raisons politiques, très en dessous du coût réel du service, il n'envoie aucun message à l'usager à propos de la valeur du service qu'il consomme. Combien de nos concitoyens savent par exemple que l'État subventionne 84 % (un pourcentage en hausse constante) du coût réel d'une place à 7 $ par jour dans une garderie publique ? Dans le cas de l'eau ou de l'électricité, il en résulte souvent un gaspillage considérable, surtout de la part de ceux qui ont les moyens de gaspiller. Une tarification trop basse équivaut donc souvent à subventionner plus lourdement la consommation des plus fortunés que celle des moins fortunés.

Il en résulte aussi une difficulté à faire voir à l'usager le lien entre le tarif qu'il paie et la qualité du service qu'il reçoit. Si, par exemple, des péages étaient rétablis, au moins partiellement ou dans le cadre de projets-pilotes, nos concitoyens verraient mieux que, s'ils veulent des routes de bonne qualité, leur entretien ne se fera pas par quelque opération surnaturelle, mais parce que la collectivité y consentira en toute connaissance de cause et prendra des mesures en conséquence.

Par ailleurs, comme tout service insuffisamment tarifé est, de toute façon, forcément payé par nos impôts, une tarification très basse est l'une des explications de la lourdeur particulière des impôts au Québec. De surcroît, lorsqu'un tarif est gelé pendant une longue période, la hausse, quand elle survient inévitablement, est beaucoup plus brutale qu'elle ne le serait si le tarif était d'emblée fixé à un seuil réaliste et accompagné d'un mécanisme automatique d'indexation au coût de la vie.

On en déduit sans peine les principes sur lesquels devrait reposer une future politique de tarification[9].

En s'inspirant de ce qui fut fait lors de la mise sur pied de la Régie de l'énergie, on devrait chercher à mettre la fixation des tarifs le plus possible à l'abri des influences politiques, qui font rarement pression dans le même sens que les principes d'une saine gestion, à moins de circonstances exceptionnelles. Les tarifs devraient par ailleurs être fixés à des seuils qui tiennent davantage compte du coût de production réel du service, sans nécessairement devoir être égaux à celui-ci.

Dans un souci de transparence et de responsabilisation, le gouvernement devrait aussi dire exactement combien coûte réellement chaque service et quelle est la part de ce coût payée par l'usager. Les recettes provenant de la tarification devraient également, autant que possible, financer les services correspondants, plutôt que de se perdre dans le trou noir du fonds consolidé du gouvernement ou d'être redirigées presque exclusivement vers le secteur de la santé.

Enfin, il va de soi qu'il faudrait tenir compte du fait que tous n'ont pas la même capacité de payer. Ce principe doit valoir aux deux extrémités de l'échelle : autant il faut absolument tenir compte du fait que les pauvres consacrent une proportion beaucoup plus grande de leurs revenus à des nécessités, comme se chauffer en hiver, autant on peut se demander, par exemple, s'il est équitable qu'un couple dont les revenus combinés atteignent 300 000 $ et un autre qui gagne 30 000 $ paient tous deux le même prix pour envoyer leurs enfants dans une garderie publique.

Examinons un instant les deux exemples les plus massifs de ce qui ne peut plus durer.

Comme chacun a pu le constater, les tarifs d'hydroélectricité ont été régulièrement haussés ces dernières années. Ces hausses étaient inévitables, tant le gel de la tarification avait duré longtemps et avait été fixé à un seuil absurdement bas. Mais elles s'inscrivent tout de même encore dans une conception à courte vue et aujourd'hui dépassée de la gestion de notre ressource la plus précieuse dans le nouveau panorama énergétique mondial.

C'est toute la politique de tarification de l'énergie qui devrait être repensée de fond en comble, tant pour la grande industrie que pour les commerces et les clients résidentiels. Le potentiel énergétique du Québec est trop fabuleux pour que nous ne l'exploitions pas plus intelligemment.

Les économistes Jean-Thomas Bernard et Gérard Bélanger ont, par exemple, calculé que le tarif auquel Alcan (devenu Rio Tinto) paie son électricité, combiné à la subvention gouvernementale officialisée en 2007 pour l'implantation d'une aluminerie au Saguenay–Lac-Saint-Jean, représente une subvention totale de quelque 300 000 $ par an par emploi créé, ou 3 milliards en dollars constants de 2008[10]. Est-ce raisonnable ? Ce n'est pas tellement le principe d'une aide gouvernementale qui laisse ici songeur, mais plutôt sa hauteur. N'y aurait-il pas un usage plus socialement rentable et plus authentiquement progressiste à faire de ces sommes faramineuses ?

Quant aux diverses façons de gérer l'impact de cette hausse sur nos concitoyens, elles devraient faire l'objet d'un débat et d'une décision collectifs. Comme l'a noté un groupe d'éminents économistes québécois, les bons prix ne sont pas nécessairement les bas prix. Les bons prix sont ceux qui reflètent la vraie valeur du bien, qui envoient les bons signaux aux producteurs et aux consommateurs, qui infléchissent donc leurs comportements dans la bonne direction et qui incitent à l'efficacité et à la responsabilité[11].

De nombreux analystes ont souvent énuméré les possibilités qui s'ouvriraient à nous si les tarifs étaient relevés pour toutes les catégories de consommateurs. Nous gaspillerions moins une ressource qui devient de plus en plus rare. Nous réduirions considérablement les émissions de gaz à effet de serre. Nous maintiendrions un avantage concurrentiel pour les entreprises implantées ici. Nous exporterions beaucoup plus.

La façon de gérer l'impact de cette hausse devrait faire l'objet d'un choix collectif. Nous pourrions par exemple choisir d'annuler complètement cet impact pour *tous* les ménages en ajustant simultanément les taux d'imposition, le soutien au revenu et les taxes de vente. Autrement dit, le niveau global des prélèvements auprès des citoyens demeurerait le même, mais il serait établi d'une façon plus rationnelle et plus porteuse d'avenir. On imposerait moins ce qu'il faut encourager — le travail et la consommation responsable — et on taxerait plus ce qu'il faut décourager — la surconsommation.

Par contre, si les tarifs rejoignaient la moyenne canadienne sans être accompagnés de ces mesures compensatoires, sauf évidemment pour les moins fortunés, l'État dégagerait alors une marge de manœuvre additionnelle de 2 milliards de plus par année pour financer l'explosion des dépenses de santé ou quelque autre usage dont nous conviendrions démocratiquement[12]. Si ces tarifs étaient portés à, disons, 80 % du tarif moyen en Amérique du Nord, cette marge passerait à 4 milliards[13].

Dans tous les cas de figure, nous serions collectivement gagnants. Il est vrai que l'affaire n'est pas simple, car il faut avoir les infrastructures qui permettent une hausse des exportations, et une augmentation du prix de l'hydroélectricité redirigerait sans doute des gens vers l'utilisation d'hydrocarbures dont il faudrait ajuster aussi les prix. Mais peut-on au moins convenir qu'il faut au plus vite amorcer une conversation nationale sur l'usage le plus socialement rentable à faire de notre ressource la plus précieuse, qui ne consiste sûrement pas à la brader à vil prix ?

La sempiternelle question des droits de scolarité universitaires est une autre de ces vaches qui ne devraient plus avoir rien de sacré. Illustrée à d'innombrables reprises, l'absurdité de cette politique en a fait le cas emblématique de ce qui ne peut plus durer quant au financement d'un service public.

Cette politique trouve son origine, comme c'est souvent le cas, dans une bonne intention. Dans un monde où le savoir sera de plus en plus le moteur premier de la prospérité, un peuple de faible poids démographique comme le nôtre ne peut se permettre que des jeunes qui ont l'envie et la capacité de faire des études universitaires en soient empêchés pour des raisons financières. On en déduisit donc, il y a longtemps, que la fréquentation de l'université serait favorisée si on fixait les droits de scolarité à des niveaux très bas.

Le problème réside moins aujourd'hui dans le montant établi initialement que dans le fait qu'il fut gelé pendant la majeure partie des quatre dernières décennies. Le coût des études a donc baissé en termes réels. Nos droits de scolarité sont aujourd'hui plus de deux fois moindres que la moyenne canadienne. Les étudiants québécois sont aussi les seuls au Canada à avoir accès à des bourses selon les besoins et pas seulement au mérite.

L'argument central des opposants à une hausse a toujours été que celle-ci réduirait l'accessibilité. Personne n'a jamais pu établir ce lien[14].

La Nouvelle-Écosse a les droits les plus élevés en même temps que le plus haut taux de fréquentation universitaire. L'Ontario a augmenté très fortement ces droits pendant les années 1990 et son taux de fréquentation a continué d'augmenter, en plus d'être plus élevé que celui du Québec. La seule hausse substantielle des droits au Québec s'est échelonnée sur quatre ans, de 1989-1990 à 1993-1994, période pendant laquelle ils ont triplé. Cela n'empêcha pas le taux de fréquentation d'augmenter. Malgré cela, le taux de fréquentation universitaire au Québec reste, en dépit d'une politique des droits de scolarité conçue expressément pour le stimuler, un des plus bas au Canada.

Si on juge l'efficacité du gel prolongé à la lumière de sa capacité à favoriser une hausse de la fréquentation universitaire, particulièrement chez les jeunes issus d'un milieu défavorisé, il faut donc conclure à son inefficacité. Les faits sont ici *terriblement* têtus. Vaillancourt et Moussaly-Sergieh ont établi qu'au Québec le taux de fréquentation universitaire des jeunes issus d'une famille classée dans les 25 % les plus riches de la population est environ deux fois supérieur à celui des jeunes issus d'une famille classée dans les 25 % les moins fortunées[15]. Dans une étude parue en 2007, Marc Frenette a estimé pour sa part que les contraintes financières directement liées au niveau des droits de scolarité n'expliquent que 12 % de cet écart de fréquentation[16].

Nous savons aujourd'hui pourquoi. D'innombrables études font ressortir que la valorisation de l'éducation dans le foyer familial, la réussite scolaire aux niveaux antérieurs et la qualité des écoles fréquentées jusque-là constituent des facteurs explicatifs de la fréquentation universitaire qui sont beaucoup plus déterminants que le niveau des droits de scolarité.

Règle générale, les familles fortunées ont aussi, il faut le dire, une perception beaucoup plus juste des avantages de l'éducation en matière de rentabilité ultérieure que celle des familles moins aisées. Dans ces dernières, on tend à sous-estimer fortement les possibilités que l'éducation procure et à surestimer les coûts qu'il faut assumer pour l'acquérir. Il en résulte que, toutes choses étant égales par ailleurs, les parents aisés tendront davantage à insister pour que leurs enfants persévèrent dans leur cheminement scolaire.

Autrement dit, si des droits de scolarité très bas ne modifient pas substantiellement la composition de la clientèle universitaire, c'est parce qu'une forte proportion des jeunes issus d'un milieu défavorisé ne se rendent même pas jusqu'aux portes de l'université. Le tri a eu lieu bien avant. Il est vrai que les jeunes issus d'un milieu défavorisé qui pourraient accéder à l'université ou qui la fréquentent déjà risquent d'être affectés par une hausse trop subite des droits de scolarité : c'est donc vers eux *spécifiquement* qu'il faudrait orienter une *plus forte* aide financière, au lieu de la saupoudrer inefficacement sur tous. Voilà qui serait *réellement* progressiste.

Pour tenter de justifier des droits de scolarité très bas pour tous, on fait parfois valoir que les futurs revenus élevés des diplômés universitaires les conduiront à payer ultérieurement des impôts très largement supérieurs à l'apport de l'État, et donc des autres contribuables, au financement de leur formation.

Cet argument est évidemment cousu de fil blanc parce que le diplômé accapare et conserve la quasi-totalité du rendement généré par ses études supérieures. Un investissement dans sa propre formation peut se comparer à tout autre investissement dont on attend un rendement ultérieur. De ce point de vue, que penserait-on de quelqu'un qui, au lieu d'investir 50 000 $ dans sa formation universitaire, investirait ce même montant dans l'achat d'un immeuble à revenus, encaisserait ensuite des loyers pendant des années, puis demanderait à l'ensemble de la collectivité de lui « rembourser » les 50 000 $ initiaux, sous prétexte qu'il paie des impôts sur ses revenus qui dépassent l'investissement de départ ?

Il est vrai que les étudiants universitaires vivent modestement pour la plupart. Mais leur « pauvreté » ne dure que le temps de leur investissement dans une scolarité qui leur vaudra plus tard des revenus incomparablement plus élevés que ceux des non-diplômés. Elle n'a rien à voir avec la désespérante grisaille de ces pauvres qui se croient, à tort ou à raison, prisonniers pour toujours de leur condition. Les associations étudiantes pressent toujours les gouvernements de considérer les dépenses publiques en éducation comme un investissement. Pourquoi refusent-elles d'admettre qu'une telle logique devrait aussi s'appliquer à la contribution des étudiants à leur propre formation ?

À vrai dire, leur position est si proprement intenable que leur argumentation des dernières années s'est progressivement infléchie et invoque maintenant assez souvent l'endettement que provoquerait une hausse des droits de scolarité. Pourtant, l'argument de l'endettement semble fort peu troubler ces étudiants qui s'achètent une automobile neuve, en plus d'être un endettement qui n'a strictement rien à voir avec la lourdeur de l'hypothèque qu'ils contracteront quand ils achèteront leur première maison.

Non seulement des droits de scolarité très bas ne modifient pas substantiellement la composition de la clientèle universitaire, mais ils reviennent à faire subventionner l'éducation de jeunes venant surtout d'un milieu favorisé par des contribuables dont les enfants n'ont pas leurs avantages sociaux de départ. Je repose la question : est-ce vraiment cela, le progressisme ? Et je redonne ma réponse : on ferait plus pour l'égalité réelle des chances en orientant davantage l'aide financière vers les étudiants issus d'un milieu vraiment défavorisé.

On peut pousser un cran plus loin. Les droits de scolarité au Québec sont les mêmes pour toutes les disciplines, ce qui est très rare dans le monde et unique au Canada. Cependant, les coûts encourus par la collectivité pour former un étudiant en médecine vétérinaire sont sept fois plus élevés que pour un étudiant en sociologie. Imposer les mêmes droits à tous, c'est donc subventionner beaucoup plus lourdement certaines filières. Or les filières les plus coûteuses (médecine, médecine vétérinaire, pharmacologie, etc.) sont aussi celles qui procureront plus tard les plus hauts revenus à ceux qui en sont issus. L'écart de rendement ultérieur, en matière de revenus, entre un diplômé en médecine et un diplômé en littérature est si énorme que rien ne justifie qu'on leur impose des droits équivalents.

Mais il y a pire. Les disciplines les plus rentables sont les plus contingentées, donc celles où l'on retrouve les étudiants qui avaient les plus hautes notes au niveau collégial, puisque c'est là le critère d'admission prépondérant. Or, la performance scolaire est assez étroitement liée, on l'a vu, aux revenus des parents et aux divers autres avantages que procure l'aisance matérielle. La situation actuelle a donc pour effet que les contribuables à revenus faibles ou moyens subventionnent encore plus lourdement les étudiants qui, plus tard, auront les revenus les plus élevés… en plus d'être issus, de façon disproportionnée, des familles les plus riches ! Faut-il que cela perdure ? Pourquoi ne pas moduler les droits de scolarité selon les disciplines et en fonction des revenus futurs estimés et des taux de placement sur le marché du travail, tout en ajustant simultanément l'aide financière au profit des étudiants issus d'un milieu vraiment défavorisé ?

Seul niveau d'enseignement à devoir affronter la concurrence mondiale, le réseau universitaire québécois souffre d'un sous-financement chronique et indiscutable. L'actuelle politique des droits de scolarité en est l'une — j'ai dit l'une, pas la seule — des causes. Dans un monde où la qualité des diplômés deviendra aussi importante que leur quantité, ceux qui s'opposent à une hausse raisonnée, progressive et modulée des droits de scolarité ne rendent service à personne en refusant de reconnaître que la relance de nos universités devrait nous concerner tous, et particulièrement ceux qui sont les premiers bénéficiaires des services qu'elles dispensent.

À titre purement indicatif, si les droits de scolarité rejoignaient progressivement la moyenne canadienne, les universités québécoises disposeraient, comme l'évoquait le rapport Montmarquette, d'environ 400 millions de plus par année, ce qui leur permettrait de rattraper leur retard de financement sur leurs rivales canadiennes et de mettre sur pied un généreux régime de bourses au profit des étudiants talentueux issus d'un milieu moins fortuné. On pourrait aussi envisager la mise sur pied d'un système de remboursement des prêts étudiants par lequel l'ex-étudiant rembourserait sa dette d'études après avoir décroché un emploi, à partir d'un certain seuil de revenu et en proportion de son revenu brut gagné.

Qu'on comprenne bien le sens général de mon propos : le Québec a une belle et longue tradition de lutte contre la pauvreté, à laquelle il ne doit pas tourner le dos. Mais une politique inefficace, inéquitable et opportuniste de tarification des services publics, appliquée uniformément à tous et indépendamment de la condition de chacun, ne devrait pas être un instrument de lutte contre cette pauvreté.

Il est vrai que, si la tarification exigée se rapprochait des coûts de production des biens et services sans que soit prise en compte la situation des moins fortunés, ceux-ci feraient face *de facto* à des difficultés encore accrues pour se les procurer, *a fortiori* lorsqu'il s'agit d'un bien de première nécessité. C'est pourquoi il est toujours plus efficace et plus équitable de subventionner *directement* et *spécifiquement* les gens à faible revenu que de fixer un tarif artificiellement bas pour tous.

Plus efficace, parce qu'on conserve cette cruciale fonction de « signal » que la hauteur du tarif envoie à propos de la valeur du bien et de l'usage parcimonieux qu'il convient d'en faire. Plus équitable, parce qu'on dirige ainsi l'aide vers ceux qui en ont réellement besoin, tout en mettant fin à cette subvention dissimulée dont profitent les plus fortunés. Que de telles évidences aient tant de peine à être admises illustre bien la confusion considérable qui entoure toute la question de la lutte contre la pauvreté au Québec.

Solidarité, responsabilité, efficacité

Le pire service que nous nous rendons collectivement à cet égard est d'ailleurs de ne pas reconnaître les pas de géant réalisés ces dernières années. On entretient ainsi un sentiment de culpabilité collective qui se traduit ensuite en agacement envers ceux qui militent pour la réduction de la pauvreté et en suspicion à l'endroit des pauvres.

Il faut le redire : si on caractérise un pauvre comme quelqu'un qui vit sous le seuil de faible revenu tel que défini par Statistique Canada, les pauvres représentaient 19 % de la population du Québec en 1997, mais ils n'étaient plus que 11,5 % en 2006. Cette année-là, je l'ai dit au chapitre 2, si on tient compte du coût de la vie et de l'ensemble des transferts gouvernementaux, les 20 % les plus pauvres au Québec avaient un pouvoir d'achat supérieur à celui des 20 % les plus pauvres en Ontario. De 1997 à 2008, le taux de chômage a également chuté de 12 % à 7 %.

Encore plus révélatrices sont ce qu'on appelle les études longitudinales, c'est-à-dire celles qui suivent un même groupe de personnes sur une longue période. Par exemple, l'une d'entre elles, réalisée par Statistique Canada en l'an 2000 et portant sur la période allant de 1993 à 1998, montre que, chaque année, environ 13 % des Canadiens vivent dans une famille à faible revenu[17]. Mais seulement 13,8 % des gens qui ont connu une situation de pauvreté d'une durée minimale d'un an sont demeurés dans cette situation pendant les cinq années visées. Autrement dit, il est certes douloureux que 13 % de la population canadienne soit dans cette catégorie, mais ce n'étaient pas toujours *les mêmes 13 %*. Morissette et Zhang ont même établi que seulement 3,3 % des Canadiens sont demeurés sous le seuil de faible revenu pendant *toute* la période 1993-1998[18].

Bref, la pauvreté n'est pas une condition *permanente* pour la très grande majorité de ceux qui en font la douloureuse expérience. Elle ne doit certes pas être niée ou banalisée, mais sa réalité est infiniment plus complexe et plus mouvante que l'impression qu'en donne le discours de nombreux groupes de pression.

Il est vrai par ailleurs que les écarts de revenu se sont beaucoup accrus pendant les dernières décennies[19]. Toute une série de mutations déjà évoquées se sont transformées en *opportunités,* dont les plus fortunés et les plus instruits ont été en mesure de tirer meilleur profit.

Cela dit, une fois que l'on s'est indigné à bon droit des revenus effectivement choquants d'une poignée de dirigeants d'entreprises multinationales, revenus auxquels consentirent des conseils d'administration complaisants, posons-nous quelques questions plus larges. À quoi ressemblerait concrètement et précisément une répartition *juste* ou *équitable* des revenus à l'échelle de toute une société ? Sur la base de quels critères objectifs l'établirait-on ? Comment y parviendrait-on ? Qui l'imposerait ? Par la contrainte ? Par l'autolimitation ? Il suffit de penser à ces questions une nanoseconde pour voir toute la part de démagogie et de pensée magique qui enveloppe toute la vocifération à propos du *juste* ou de l'*injuste* partage des revenus.

Au fond, dans le débat public autour de la pauvreté, deux grandes approches prennent toute la place. L'une est celle que véhiculent, avec une générosité que je ne mets pas en doute, nombre de groupes de pression qui disent parler au nom des démunis. Selon eux, il s'agirait en priorité d'améliorer immédiatement la situation des moins fortunés par des mesures comme une bonification substantielle des programmes de sécurité du revenu ou une forte hausse du salaire minimum. Généralement, ils nient, ou n'admettent que du bout des lèvres et hors caméra, les indiscutables progrès qu'a accomplis le Québec ces dernières années.

La deuxième approche est une stratégie d'investissement à plus long terme dans le capital humain, qui repose sur l'idée toute simple que, en dehors des gains de loterie ou de la découverte d'un vieil oncle qui a laissé un héritage, il n'y a de sortie durable de la pauvreté que par le travail et l'éducation. C'est sur cette approche que nous devons évidemment miser.

Tout a été dit sur l'effet de démobilisation de la sécurité du revenu lorsque celle-ci procure des moyens de subsistance qui, pour maigres qu'ils soient, sont trop proches du travail au salaire minimum. Sans entrer dans les détails, nous avons eu globalement raison, ces dernières années, de concevoir des ajustements qui visaient à rendre le travail à bas salaire nettement plus payant que la sécurité du revenu.

Faut-il alors augmenter fortement le salaire minimum ? Sans doute y a-t-il du jeu entre le taux actuel, déjà un des plus élevés en Amérique du Nord, et certaines revendications franchement exagérées. Mais on sait depuis longtemps que, à une époque où la technologie est une solution de rechange bon marché à nombre d'emplois, une hausse inconsidérée du salaire minimum risquerait de réduire fortement ce bassin d'emplois certes mal payés, mais qui sont souvent les seuls accessibles aux gens qui ont peu de qualifications.

Plus fondamentalement, si on veut s'attaquer intelligemment à la pauvreté, il faut commencer par bien poser le problème, c'est-à-dire ne pas confondre la cause avec la conséquence. Les travailleurs pauvres ne le sont pas *parce que* leur salaire est faible, mais plutôt parce que *leur manque de qualifications valorisées par le marché* les empêche d'avoir accès aux emplois bien rémunérés. La vraie cause de leur pauvreté est la faiblesse de leur formation, et les bas salaires en sont la conséquence, ce qui indique évidemment la voie à suivre.

Dans une très intéressante revue des politiques de lutte contre la pauvreté mises en œuvre au Québec et ailleurs dans l'OCDE, Pierre Lefebvre a mis en lumière l'importance de fonder une stratégie sur un bouquet de mesures liées logiquement entre elles, plutôt que de tout miser sur un seul type de politique, et de résister aussi à la tentation d'engloutir des ressources déjà rares dans des mesures électoralistes et tape-à-l'œil, mais dont les effets sont nuls à moyen et long terme[20].

Toutes les données disponibles, dit-il, suggèrent qu'il faut miser prioritairement sur les jeunes dès leur naissance, dans une perspective de dépistage précoce des difficultés, de renforcement des apprentissages de base et de persévérance scolaire. Les personnes âgées ou handicapées peuvent être encouragées à jouer un rôle productif et socialement utile au moyen de subventions ciblées et canalisées à travers les réseaux d'action communautaire. Les crédits d'impôt ou les primes au travail qui visent à rendre celui-ci plus rentable que l'aide sociale donnent des résultats intéressants, en plus d'apporter une dignité et d'encourager des habitudes de vie qui ne se quantifient pas, mais qui n'ont pas de prix.

Dans le cas des travailleurs adultes à faibles qualifications, trop jeunes pour prendre leur retraite, trop vieux pour entreprendre depuis le début une formation de base, les formations

« sur le tas » (en situation d'emploi), soutient Lefebvre, sont celles qui donnent les meilleurs résultats, bien que ces derniers soient faibles. Enfin, dans le cas des adultes sans qualifications et inactifs depuis longtemps, les programmes de formation lourdement subventionnés par les fonds publics ont un impact nul, voire coûtent plus cher que la valeur de leurs maigres retombées.

Deux choses semblent assez claires en définitive.

La première est que, dans un contexte où des ressources de plus en plus limitées nous forceront à établir des priorités, c'est sur les plus jeunes qu'il faudra concentrer le gros des efforts. La seconde est que, dans les social-démocraties européennes les plus avancées, on ne craint plus, en matière de lutte contre la pauvreté, d'affirmer que la solidarité n'est pas une voie à sens unique et que les efforts assumés par la collectivité entraînent en retour la responsabilité individuelle de prendre en charge, par le travail ou la requalification, sa propre réinsertion sociale[21]. À moins de souffrir d'un handicap particulier, personne ne saurait donc avoir le *droit* d'exiger de la collectivité qu'elle finance sa vie.

Rien ne serait d'ailleurs plus dommageable pour l'État-providence de demain ou pour ceux qui restent attachés à un authentique progressisme, notait Pierre Rosanvallon[22], que de voir se répandre la tentation de la victimisation généralisée pour justifier une philosophie sociale de l'indemnisation, où les divers groupes, invoquant des « injustices » actuelles ou passées, feraient dans la surenchère afin d'essayer d'améliorer leur sort.

Les PPP : ni hérésie ni panacée

De grands travaux de réfection de nos infrastructures publiques sont aussi essentiels pour la relance de notre prospérité collective. Et de façon urgente. Mais précisément parce que les coffres de l'État sont désespérément vides, ils devront forcément s'ouvrir davantage à des sources de financement privées.

Les partenariats privé-public ne sont, à cet égard, ni d'effroyables hérésies ni des panacées. On peut évidemment comprendre que les syndicats du secteur public ne voient pas d'un bon œil que du travail puisse échapper à leurs membres, mais on notera que leur croisade anti-PPP ne rejoint guère le grand public, qui ne partage pas du tout leur hostilité.

Une chose est sûre, c'est qu'il est erroné et tendancieux d'assimiler les PPP à des privatisations. Quand l'État privatise, il vend un actif et perd toute responsabilité juridique, sauf s'il choisit de demeurer un actionnaire minoritaire. Dans le cas d'un PPP, l'État conserve le rôle et les responsabilités qu'il aura négociés avec son partenaire et qui peuvent être extraordinairement variables selon les cas. La seule chose qu'ont en commun les divers types de PPP, c'est l'existence d'un contrat de longue durée, librement négocié par les parties, qui précise qui est responsable de quoi.

On trouve des cas où le partenaire privé bâtit, par exemple, un hôpital et le loue à l'État, qui l'exploite en payant un loyer. D'autres fois, des infrastructures de transport en commun, comme des traversiers, pourront appartenir à l'État, qui en confiera l'exploitation à une entreprise privée qui tarifera les usagers. Une entreprise pourra construire une autoroute, l'exploiter, en tirer des revenus avec des péages et la céder à l'État après quelques années. Bref, les combinaisons sont infinies, l'essentiel étant que les responsabilités respectives des partenaires soient parfaitement claires et que toutes les éventualités soient prévues.

Au-delà de nos frontières, les PPP se multiplient en Europe, aux États-Unis et au Canada. Même les pays en voie de développement emboîtent le pas. Des gouvernements de gauche comme de droite y ont recours, et dans les secteurs les plus divers : transport en commun, routes, hôpitaux, écoles, traitement des ordures et bien d'autres. On a plutôt l'impression que c'est le monopole étatique du financement et de la gestion des services publics qui est en voie de devenir l'exception.

Il ne s'agit pas de s'y mettre parce que d'autres le font, mais plutôt de voir quels avantages les autres y ont trouvés et d'en tirer des enseignements. Le tableau est à cet égard infiniment plus nuancé que l'impression que dégage notre strident débat public : on trouve des PPP qui fonctionnent bien, d'autres qui sont des échecs, certains dont les résultats sont partagés, et d'autres encore à propos desquels il est trop tôt pour porter un jugement.

La mise en concurrence des entrepreneurs privés par appel d'offres peut effectivement faire baisser les coûts. La négociation du contrat impose la mise au point de critères précis de mesure de la performance, qui font souvent défaut dans le secteur public. Par association, l'État a aussi accès à une expertise technique qu'il ne possède pas toujours dans ses rangs. Enfin, il n'est plus seul à assumer les risques.

D'un autre côté, il n'existe souvent qu'un ou deux entrepreneurs privés pouvant livrer le service, et la concurrence ne joue pas toujours. Les contrats sont parfois d'une complexité inouïe. En cas de dérapage, c'est l'État qui risque fort de ramasser ultimement la note. Bien des services publics sont aussi assurés très convenablement par l'État à un coût qu'aucune entreprise privée ne pourra ni ne voudra égaler puisqu'elle n'y trouvera aucun profit. L'objection de l'imputabilité démocratique amoindrie des gouvernements dans les PPP n'est pas non plus à rejeter du revers de la main.

Bref, prudence, refus du dogmatisme et évaluation cas par cas devraient être nos guides, plutôt que des considérations exclusivement idéologiques. Malheureusement, au lieu de l'acquisition graduelle d'une expertise québécoise dans les PPP à partir de projets relativement simples, les difficultés auxquelles se sont heurtés les projets de construction en PPP des deux mégahôpitaux montréalais ont sans doute causé un tort durable à cette formule.

La santé, ou quand l'idéologie submerge le jugement

Non, je n'ai pas oublié la question de la santé. La capacité de l'État du Québec de faire, en notre nom à tous, des investissements publics qui relanceront notre prospérité sera largement tributaire des décisions que nous prendrons à cet égard. Cette question est aussi celle qui préoccupe le plus nos concitoyens. La maladie et l'angoisse devant la mort sont en effet les seules expériences humaines qui interpellent chacun d'entre nous sans exception.

L'explosion du budget de la santé est aujourd'hui le pire casse-tête de nos finances publiques parce qu'elle s'explique, fondamentalement, par des raisons contre lesquelles on ne peut rien. Le vieillissement de la population, la montée des maladies chroniques, l'invention de nouveaux médicaments, la nécessité de remplacer périodiquement des équipements extraordinairement coûteux ou de hausser les rémunérations des individus sont des fatalités. La demande de soins de santé est aussi, par définition, illimitée : nous voudrions toujours pouvoir compter sur ce que la science, qui ne cessera de progresser, aura de mieux à offrir.

Jadis source de fierté, notre système de soins de santé suscite désormais le cynisme et l'humour grinçant. Quand on sait qu'on devra y recourir, on est parfois davantage inquiet et résigné que rassuré. La crise de confiance est devenue permanente. Par ailleurs, le système de soins de santé idéal, qu'il nous suffirait de transposer ici, n'existe nulle part au monde, pas plus qu'il n'existe de mesures simples, rapides et donnant des résultats garantis qu'il s'agirait uniquement d'avoir le courage d'appliquer.

Règle générale, ce ne sont ni la qualité des soins, ni le dévouement du personnel, ni les nobles principes fondant notre régime qui sont en cause. Ailleurs au Canada, on connaît les mêmes difficultés qu'ici, mais elles sont généralement moins aiguës, ce qui signifie que la position relative du Québec s'est détériorée.

Du point de vue du citoyen, le problème fondamental, l'a-t-on assez dit, en est un d'accessibilité. Malgré des réussites locales ici et là, les délais entre les rendez-vous chez un omnipraticien et chez un spécialiste, puis entre le rendez-vous chez le spécialiste et le début du traitement ont augmenté et sont plus longs ici qu'ailleurs au Canada : 19,4 semaines en moyenne au Québec, contre 15 semaines en Ontario et 18,3 semaines en moyenne au

Canada[23]. C'est aussi au Québec qu'on trouve la plus faible proportion de la population suivie par un médecin de famille régulier : 75 %, contre 95 % en Nouvelle-Écosse et 86 % en moyenne au Canada[24]. Nous sommes aussi dans les derniers rangs au Canada pour le dépistage des cancers du sein, du col de l'utérus et de la prostate[25]. Inutile aussi de documenter de nouveau l'allongement des séjours à l'urgence ou les pénuries de personnel spécialisé.

Quand notre régime d'assurance-maladie public fut mis sur pied, il y a près de quarante ans, on espérait pouvoir offrir à tous les citoyens un système par lequel l'État paierait l'ensemble, ou presque, des soins requis. Ceux qui acceptent aujourd'hui de regarder la réalité en face savent que nous n'y arriverons pas. Les besoins, et donc les coûts, augmentent à un rythme que les recettes de l'État et notre richesse collective ne peuvent plus supporter.

Fondamentalement, cette incapacité croissante à répondre aux besoins s'explique par quatre facteurs interreliés : l'insuffisance des ressources financières, les déficiences de l'organisation et de la gestion, le manque de personnel, l'augmentation et l'alourdissement des problèmes de santé.

Ces dernières années, ici et ailleurs au Canada, on ne compte plus les groupes d'experts — Deschênes (1996), Arpin (1999), Clair (2000), Ménard (2005), Castonguay (2007) au Québec, Kirby et Romanow (Canada), Fyke (Saskatchewan), Roddick (Colombie-Britannique), Mazankowski (Alberta), Sivret-Newbould (Nouveau-Brunswick) — qui se sont penchés sur ces questions. Tous, sauf un (Romanow), sont parvenus à des conclusions largement convergentes : des changements majeurs sont requis dans les modes de financement, d'organisation et de gestion[26].

De deux choses l'une : ou ces rapports, dont on peut évidemment discuter tel ou tel aspect, énoncent des choses fondamentalement vraies et suggèrent des avenues qu'il faudra bien se décider à emprunter, ou ils sont tous erronés, et leurs conclusions similaires sont alors à mettre sur le compte d'un vaste complot ourdi par des forces plus ou moins occultes. Vous déciderez.

Illustrons d'abord rapidement l'impasse financière. À compter de 1998-1999, les dépenses publiques en santé ont augmenté au Québec en moyenne de 6,4 % par année, alors que le rythme annuel moyen de croissance de l'économie et des revenus du gouvernement a été de 4,8 %[27]. Autrement dit, la santé et les services sociaux ont accaparé une part sans cesse croissante des ressources totales disponibles, forcément au détriment des autres missions de l'État.

Sur une plus longue période, la tendance est proprement hallucinante. En 1980-1981, les dépenses publiques consacrées à la santé et aux services sociaux représentaient 30,6 % des dépenses de programme dans le budget du Québec et elles étaient inférieures à celles en éducation. En 2008-2009, la santé et les services sociaux accaparent 44,3 % des dépenses de programme, et cette part atteindra, si rien n'est fait, 50,3 % en 2014-2015. Autrement dit, dans cinq ans à peine, la santé et les services sociaux compteront à eux seuls pour plus de la moitié du budget de dépenses du Québec. Le budget du régime public de l'assurance médicaments, lui, a triplé en dix ans et augmente deux fois plus vite que le reste du budget de la santé[28] !

De surcroît, comme notre évolution démographique freinera la croissance économique et donc les recettes fiscales, l'écart entre les revenus et les dépenses du gouvernement se creusera mécaniquement. Les hypothèses conservatrices du ministère des Finances établissent cet écart à 7 milliards pour la seule année 2017-2018. Cet écart se creuserait ensuite d'année en année et les manques à gagner annuels s'additionneraient les uns aux autres. Tout simplement intenable[29]. Que cela plaise ou non, il faudra donc forcément, nécessairement, obligatoirement, ralentir cette croissance des dépenses et chercher à stimuler au maximum les revenus.

Refuser cela laisse, en théorie, deux avenues, mais qui sont en fait des culs-de-sac. La première est de continuer dans la voie actuelle. C'est celle que nos gouvernements ont choisie jusqu'à maintenant parce qu'elle est, à court terme, la moins compliquée politiquement : financer la hausse des dépenses de santé sur le dos des écoles, des routes, de la culture, de tout le reste, au fond, tout en cherchant à limiter cette hausse, ce qui conduit forcément à rogner sur la qualité des soins.

Mais, dans les faits, réduire les dépenses dans ces autres secteurs n'est déjà pratiquement plus possible. Les intérêts de notre dette grugent un dollar sur huit dans les dépenses de l'État. La santé, l'éducation, l'aide sociale et le soutien aux familles occupent les quatre cinquièmes du budget restant. Or, nous avons vu que l'éducation et le soutien aux familles sont justement des secteurs dans lesquels nous devrons redoubler d'efforts, et les moins fortunés sont déjà bien assez accablés à l'heure actuelle. Dans les autres secteurs, les montants en cause ne sont pas suffisants pour produire une différence notable.

La deuxième option théorique, si on ne veut rien changer de fondamental, serait d'imposer encore plus lourdement les revenus. Mais les revenus de qui au juste ? Ceux d'une classe moyenne déjà durement imposée ? Ceux de nos riches trop peu nombreux ? Ceux de nos entreprises qui font face à une concurrence féroce ?

Prenons garde cependant de ne pas réduire tous les problèmes du système à la seule question des ressources financières. Davantage d'argent aiderait bien sûr, mais nous avons augmenté les dépenses publiques en santé de plusieurs milliards de dollars ces dernières années, et la situation ne s'est pas durablement améliorée. Le budget de la santé a augmenté du tiers depuis 2002-2003 ! Deux hôpitaux auront des budgets similaires, desserviront le même genre de clientèle et afficheront pourtant des performances très différentes. Plus largement, le Québec consacre aussi aux dépenses publiques de santé une part plus élevée de sa richesse collective que, par exemple, la France ou la Suède, mais nos concitoyens ne sont pas en meilleure santé que les Français ou les Suédois.

En plus du problème fondamental des ressources qui n'arrivent plus à suivre les besoins, notre système est dépassé, paralysé et truffé d'illogismes.

Il est dépassé parce que nous ne l'avons pas adapté assez vite à la nouvelle réalité. Sur le plan organisationnel, le système fut presque entièrement conçu à l'origine en fonction du traitement d'épisodes aigus, alors que les maladies chroniques prennent aujourd'hui de plus en plus d'importance. Conséquemment, sur le plan financier, on décida, en 1970, que la priorité serait de financer collectivement le coût des soins hospitaliers et des soins médicaux. On pouvait difficilement prévoir que, quarante ans plus tard, les soins à domicile, qui ne sont pas couverts par notre régime, et la consommation de médicaments allaient jouer un rôle à ce point central.

Il est dépassé aussi parce qu'on n'avait pas vu venir l'émergence rapide du secteur privé, qui n'est que la conséquence de ce que le secteur public est débordé, et parce qu'on n'a donc pas clarifié les rôles qui pourraient lui être attribués.

Il est paralysé parce qu'il est à la fois ultrabureaucratisé et pris en otage par de puissants groupes d'intérêt qui se livrent des luttes de pouvoir : syndicats de médecins, corporations professionnelles, fonctionnaires, syndicats d'employés, entreprises privées, etc. Ces groupes sont animés par des logiques concurrentes et en même temps complémentaires. Quand les uns bougent, les autres s'ajustent. On noue parfois des alliances, mais l'allié d'un jour peut devenir l'adversaire de demain. Au fil du temps, cet enchevêtrement a acquis une telle complexité, une telle pesanteur que le modifier devient une tâche herculéenne qui dépasse les forces d'un seul groupe.

Il est aussi paralysé parce que notre système s'est voulu, du moins à l'origine, l'incarnation de certaines valeurs collectives : gratuité (purement formelle, évidemment), accessibilité, universalité, égalité, etc. Vouloir le changer est donc souvent perçu comme une attaque contre ces valeurs elles-mêmes. D'où le caractère passionné et virulent des débats qu'il suscite : les discussions objectives et sereines sont, en pratique, impossibles et le tout se solde trop souvent par des procès d'intention qui finissent par décourager les volontés de réforme.

De surcroît, au Canada anglais, le régime public y est devenu un symbole identitaire mis au service de la construction de l'unité canadienne. Dans les faits, cependant, la Loi canadienne sur la santé, paternaliste et punitive, mise sur pied à l'époque où Ottawa finançait la moitié des dépenses provinciales alors qu'il n'en finance plus aujourd'hui que le quart, empêche bien des innovations de gestion.

Notre système est aussi truffé d'illogismes. Nous avons toutes les peines du monde à en mesurer les performances. La tarification à l'acte ne favorise pas le suivi des patients, alors que le vieillissement rendra celui-ci de plus en plus nécessaire. Les médecins spécialistes sont rémunérés par les fonds publics, mais la répartition des fonds entre les spécialités est déterminée par les associations professionnelles. Plus largement, nos médecins sont, pour la plupart, des entrepreneurs privés au cœur d'un système public, combinant les avantages des deux : la liberté professionnelle de l'acteur privé et le paiement garanti par l'État de l'acteur public.

Dire que notre système est aujourd'hui dépassé, paralysé et rivé d'illogismes, c'est cependant montrer du doigt des conséquences plus que des causes fondamentales.

Les deux composantes de base de notre système restent les soins médicaux et les soins hospitaliers. Presque entièrement publics et financés par l'État, ce sont donc, pour l'essentiel, deux monopoles, la seule exception le moindrement importante étant les examens en imagerie par résonance magnétique faits dans les cliniques privées. Par ailleurs, l'État élabore seul les politiques et les programmes, répartit seul les ressources, évalue seul ce qu'il veut, comme il veut, s'il le veut, et fixe seul toutes les règles, sauf celles qu'il détermine d'un commun accord avec le corps médical, lui aussi organisé de façon quasi monopolistique. Pour ce qui est de ses aspects les plus centraux, notre système est donc bel et bien un monopole.

Or, par définition, un monopole — peu importe qu'il soit privé ou public — a peu d'incitations à changer, à innover, à se remettre en question, à s'ouvrir vers l'extérieur, à toujours chercher à être plus efficace. Il tend au contraire à entretenir une culture du contrôle, de la réglementation et de l'uniformité, puisqu'il n'a pas de rival et que sa clientèle est captive. Qu'il faille essayer de mieux organiser le système public va de soi, mais, depuis le temps qu'on s'y échine, on a dû s'apercevoir que la chose était plus facile à dire qu'à faire.

Pour réintroduire du mouvement, de la souplesse, de la performance, de l'innovation dans ce système, pour faire bouger ce pachyderme, il faut desserrer son emprise monopolistique en y introduisant la possibilité pour le citoyen d'avoir davantage d'options quand vient le moment de se faire soigner.

Qu'on ne me comprenne pas de travers ici : la santé n'est pas, ne pourra jamais être un *marché* comme les autres. Personne ne sait jamais quand il tombera malade ou de quels traitements il aura besoin. Quand cela survient, on n'a pas toujours le temps de magasiner le meilleur rapport qualité-prix. On ne peut pas non plus concevoir que médecins et hôpitaux agissent aussi librement que des commerces. L'offre de soins devra donc toujours, jusqu'à un certain point, être organisée collectivement.

Mais il n'est écrit dans aucun évangile qu'un système fondamentalement public doit forcément être un système centralisé, uniforme, qui réduit au minimum la capacité de choisir. On observe à cet égard des arrangements autres que le nôtre, et depuis des décennies, en France, en Allemagne, en Suède, dans les autres pays scandinaves, qui ne sont pas des sociétés où règne un néolibéralisme débridé et qu'on ne peut pas soupçonner d'éprouver moins de compassion que nous. Qui peut sérieusement soutenir qu'on y est moins bien soigné qu'ici ? Sommes-nous vraiment en position de donner des leçons de morale et de performance aux Européens ?

Notre priorité doit évidemment être d'organiser notre système autour d'un réseau public fort, axé sur la première ligne, le dépistage, la prévention et la prise en charge des problèmes liés au vieillissement. Le secteur privé, lui, ne doit être ni nié, ni diabolisé, mais encadré, afin d'être amené à soutenir le réseau public à titre de ressource complémentaire plutôt que rivale. Plutôt que de le laisser proliférer anarchiquement, d'une manière qui profite à l'heure actuelle aux plus fortunés, n'y aurait-il pas avantage à voir comment son dynamisme peut être mis le mieux à contribution ? De toute façon, plus du quart de nos dépenses réelles de santé sont déjà assumées directement par nous ou nos assurances privées collectives, et cette proportion va forcément augmenter puisque le secteur public n'aura pas les ressources nécessaires pour suivre.

Anthony Giddens a noté que ce débat est maintenant moins un débat entre la gauche et la droite qu'entre la gauche et la gauche, c'est-à-dire entre cette frange de la gauche qui accepte de regarder de vieux problèmes avec des yeux neufs et cette autre frange qui, se drapant dans une rhétorique incantatoire et vertueuse mais de plus en plus déconnectée d'un réel qui ne tient plus ses promesses, défendra jusqu'à son dernier souffle un système qui prend désormais l'eau de partout[30].

Les détracteurs de toute forme d'ouverture vers le secteur privé sont d'ailleurs souvent des professeurs d'université : en toute logique, on ose espérer qu'ils ont la cohérence de se passer des assurances privées qu'ils financent conjointement avec leur employeur. Beaucoup d'entre eux abordent aussi les questions de santé comme si ce secteur était pourvu d'une sorte de supériorité morale qui le mettrait totalement à l'abri des considérations à partir desquelles on juge les autres missions de l'État. Que ce secteur soit singulier ne le place pas pour autant dans un univers parallèle.

Chose certaine, les difficultés croissantes poussent de plus en plus patients et professionnels à contourner les règles de mille et une manières. Au point où nous en sommes, le fardeau de la preuve devrait reposer sur les épaules de ceux qui prônent le statu quo ou des changements à doses homéopathiques. Y a-t-il, oui ou non, allongement des délais d'attente pour la majorité des traitements ? Oui. Y a-t-il, oui ou non, dans le système actuel, des passe-droits pour ceux qui en ont les moyens ou qui connaissent les bonnes personnes ? Oui. Y a-t-il, à l'heure actuelle, oui ou non, un développement accéléré et souvent anarchique d'un système privé parallèle tout simplement parce que le système public ne suffit plus à la tâche ? Oui.

Il est clair et net que le système actuel n'est plus viable. Les cataplasmes ont prouvé leur insuffisance et l'heure de la chirurgie est arrivée. Imiter l'autruche, c'est tromper la population, s'interdire d'agir, accentuer encore un rationnement souvent arbitraire et à courte vue et pénaliser d'abord ceux qui n'ont pas les moyens de se tourner vers cette médecine privée parallèle qui est en pleine expansion.

Philippe Couillard, ex-ministre libéral de la Santé, n'avait pas tort de noter que ceux qui s'opposent mordicus à tout changement ou qui proposent de faire encore plus de ce qui ne marche pas conduisent notre système à sa perte tout aussi sûrement que ceux qui proposent carrément de le démanteler[31]. Mais, évidemment, il est difficile d'agir quand les invectives et les procès d'intention prennent la place des arguments rationnels.

On ne dira jamais assez, par exemple, à quel point il est profondément malhonnête d'évoquer l'épouvantail des États-Unis pour diaboliser toute remise en cause des fondements de notre régime. Qui, dans le Québec d'aujourd'hui, propose sérieusement que nous adoptions le système américain ?

Une autre variation sur le même thème consiste à dire qu'il est immoral de faire des profits à partir de la souffrance humaine. Curieux argument, car il ne fait aucune distinction entre les différentes manières de faire des profits, les condamnant toutes en bloc. La pratique de la médecine et la commercialisation des médicaments ne sont-elles pas déjà des activités hautement lucratives qui n'existeraient pas sans la souffrance ? Nous acceptons aussi la présence des écoles privées. Entend-on quelqu'un dire qu'il est immoral de faire des profits sur le dos de l'ignorance ?

Par un curieux glissement qu'il faudra un jour analyser plus en profondeur, nous en sommes venus à sacraliser moins la qualité des soins aux patients, moins les principes de base, mais davantage le système lui-même, qui incarne pourtant de moins en moins ces principes et dont la réalité alimente au contraire notre cynisme. Pour certains, c'est le *système* qui est désormais davantage sacré que les patients, au point presque d'en oublier les indignités quotidiennes qu'il leur inflige.

Les changements introduits ces dernières années étaient sensés, et il faut les intensifier. On doit bien sûr continuer le déploiement des groupes de médecine familiale, l'informatisation des dossiers médicaux, les efforts en matière de prévention et ainsi de suite. Oui, il faut encourager le sport, décourager le tabagisme et lutter contre la pauvreté. Mais rien de tout cela ne nous dispensera de devoir prendre des décisions extrêmement engageantes sur au moins trois principaux fronts : les règles de gouvernance du système, son financement et le rôle du secteur privé. Je les aborde dans cet ordre et m'en tiens ici à l'essentiel.

Dans les autres pays de l'OCDE, on a opté pour une autorité centrale forte et des structures régionales légères, ou encore pour des structures régionales fortes et une autorité centrale souple et légère. Au Québec, nous sommes lourds aux deux pôles, ce qui laisse fort peu de place à l'initiative. La signature du ministre de la Santé lui-même est requise pour l'ouverture d'une clinique médicale ou d'un groupe de médecine familiale[32].

Le rapport Castonguay propose fort judicieusement que le ministère de la Santé délaisse la microgestion et se désengage carrément de la production des soins à proprement parler. Il devrait recentrer sa mission sur l'établissement des grands objectifs nationaux de santé, la détermination des services qui seront assurés ou non par le régime public, l'établissement d'indicateurs de performance, le financement des projets de construction et de rénovation des établissements et la signature d'ententes avec les agences régionales.

Ce sont ces dernières qui seraient chargées de traduire les

grands objectifs en stratégies d'implantation sur leur territoire respectif. À cette fin, elles seraient dorénavant des acheteurs de services auprès des fournisseurs de soins et de services. Très autonomes, elles seraient donc responsables des ressources financières que le ministère allouerait par voie de contrat. Il faudrait évidemment en réduire le nombre — qui passerait de dix-huit à environ six ou huit — afin que chacune couvre un territoire assez grand pour disposer des établissements et des effectifs requis.

Autrement dit, nous aurions une autorité centrale légère, des pôles régionaux forts acheteurs de services, et des producteurs de services — CSSS, CHU, Centres jeunesse, cliniques, etc. — très autonomes, pleinement responsables de leur budget et de leurs résultats, qui vendraient contractuellement leurs services aux agences régionales.

Logiquement, ces producteurs de soins ne seraient plus désormais financés à partir d'un budget établi, comme c'est le cas présentement, sur la base de celui de l'année précédente, mais en fonction des besoins et de leur performance. À partir du moment où les fonctions d'achat et de production de soins sont clairement dissociées, les établissements producteurs de soins recevraient non plus un budget préétabli, mais des revenus en fonction des services fournis aux patients. Ils auraient donc tout intérêt à bien les desservir puisque les patients deviendraient dès lors des sources de revenus et non de dépenses. Logiquement, les médecins devraient aussi signer avec les établissements des ententes contractuelles précisant leurs droits et obligations.

Dès l'an 2000, l'OMS avait établi le potentiel de ce complet renversement de la logique, qui est évidemment complexe à introduire, mais dans lequel s'engagent progressivement plusieurs pays de l'OCDE, dont la France[33].

Quand on examine l'évolution des questions de gouvernance hors de nos frontières, on note aussi que les pays plus avancés que nous n'ont pas fait l'économie du difficile réexamen du panier de services couverts par le régime public. Les Pays-Bas s'y sont mis dès 1992, le Danemark en 1996, la Norvège en 1997. Partout, ce fut difficile et déchirant, mais on fit le pari de fonder les décisions à prendre sur la délibération publique et l'éclairage scientifique.

Au Québec, cette question est encore taboue et on craint d'ouvrir une boîte de Pandore. Mais, comme le demandait le rapport Castonguay, pensons-y : est-il logique que le coût des lunettes pour les enfants d'âge scolaire ne soit pas remboursé, alors que notre régime couvre un nombre illimité de visites chez le médecin, quel qu'en soit le motif[34] ?

Deuxième grand volet, la question du financement se pose de prime abord assez simplement : on ne peut tout simplement pas continuer à engloutir une part sans cesse croissante de notre richesse collective, au détriment de tout le reste, dans cette baignoire sans bouchon. Les rapports d'experts sont unanimes à cet égard. Tous proposent de fixer une limite explicite aux dépenses publiques en santé.

Le dernier en date, le rapport Castonguay, propose très logiquement d'arrimer la croissance des dépenses publiques de santé au taux de croissance de notre richesse collective et d'y parvenir sur un horizon de cinq à sept ans, tout en introduisant diverses mesures afin d'en améliorer l'efficacité. C'est ce qu'ont réussi à faire l'Allemagne et les Pays-Bas et c'est l'objectif que s'est fixé la Grande-Bretagne. En langage clair : nous doter d'un système à la hauteur de ce que nous avons réellement les moyens de nous payer. Ce serait terriblement exigeant, mais quelle est la solution de rechange ?

Comment combler la différence entre les coûts du système et les revenus disponibles ? Aussi déplaisant que cela puisse être à lire, la moins mauvaise avenue, parmi des options qui sont toutes franchement désagréables, est une hausse de la taxe de vente du Québec, combinée à l'introduction d'une franchise modulée en fonction du revenu familial et du nombre de visites médicales, dont seraient évidemment exemptés les gens à faible revenu et autres cas particuliers. C'est encore le meilleur équilibre entre la solidarité collective et la responsabilité individuelle.

Il revient à ceux qui s'opposent à cela de nous dire de combien exactement ils augmenteraient l'impôt sur le revenu, qui verrait son impôt augmenter, et quels autres services ils supprimeraient.

Par ailleurs, nous savons maintenant avec une relative certitude que les tickets modérateurs ne généreraient pas, dans notre cas, suffisamment de revenus pour qu'ils en vaillent la peine, en plus de ne pas discriminer entre les visites médicales utiles et inutiles et de nuire à l'accessibilité parce qu'ils sont exigibles au moment où les soins sont demandés.

Pour sa part, la mise sur pied d'un régime collectif d'assurance contre la perte d'autonomie reviendrait à transférer un énorme fardeau financier sur les épaules des prochaines générations. Les pays de l'OCDE qui ont un système de ce genre ont commencé à accumuler des fonds il y a des décennies, et cela ne les empêche pas aujourd'hui d'être débordés.

L'essentiel, ici, tient en une phrase : ayons la force de caractère nécessaire pour ne pas croire les joueurs de flûte qui voudront nous faire croire qu'il y a de vraies solutions sans douleur.

Tout le problème du financement pose aussi forcément, mais sans s'y réduire, la question du rôle du secteur privé. À son tour, celle-ci se subdivise en deux principales interrogations. La première est de savoir s'il faudrait ou non autoriser ce qu'on appelle communément au Québec le décloisonnement ou la mixité de la pratique médicale, c'est-à-dire permettre aux médecins de rester au sein du régime public mais de soigner aussi certains patients à l'extérieur de celui-ci, ce que notre loi interdit. La deuxième est de savoir s'il faut ou non ouvrir davantage la porte à la possibilité que des assurances privées financent des soins de base.

À des degrés divers, la mixité de la pratique médicale est permise dans la majorité des pays industrialisés, mais elle est partout très étroitement encadrée. On y voit à la fois une question de principe fondamentale, qui est la liberté de choix du consommateur, surtout dans un contexte où les besoins de base sont de moins en moins correctement couverts par le système public, ainsi qu'une façon de relâcher la pression s'exerçant sur ce dernier.

Dans les pays où cette mixité existe, on s'y prend de trois façons pour éviter de drainer les effectifs professionnels du secteur public vers le secteur privé. D'abord, on limite les revenus du médecin issus de sources privées à un pourcentage prédéterminé de ses revenus issus de sources publiques, ou alors on calcule en fonction des heures de services fournies sa prestation privée et sa prestation publique. Ensuite, la pratique mixte doit faire l'objet d'une entente négociée entre le médecin et l'établissement public dont il relève, et il revient à la direction de ce dernier de s'assurer qu'elle dispose en priorité des effectifs requis avant d'autoriser quelque décloisonnement que ce soit. Enfin, le degré d'ouverture permis au décloisonnement est calculé sur une base régionale, afin qu'une région dispose toujours d'un nombre suffisant de médecins pour garantir la prestation publique de services de santé.

Il va de soi qu'un éventuel décloisonnement de la pratique médicale au Québec impliquerait forcément une révision fondamentale du pacte historique conclu en 1970 entre les médecins et l'État. À l'époque, pour obtenir leur adhésion au régime public, l'État leur avait octroyé une autonomie professionnelle complète. Permettre une pratique privée obligerait forcément à déterminer très étroitement les obligations des médecins envers le secteur public. On voit d'ici la difficulté.

Les opposants à cette ouverture font valoir deux arguments : qu'il n'y a pas assez de médecins et que tous nos concitoyens devraient avoir le même accès aux soins.

Dans l'état actuel des choses, le deuxième argument revient à accorder plus d'importance à l'application stricte d'une loi de toute évidence dépassée qu'à la réalité du système actuel, au sujet duquel le plus haut tribunal canadien a affirmé, dans l'arrêt Chaoulli du 9 juin 2005, qu'il peut arriver que les délais qu'il impose mettent en péril « le droit à la vie et à l'intégrité de la personne ».

Dans les pays où ce décloisonnement a été mis en œuvre, on considère plutôt que l'essentiel est de fournir à tous un accès convenable plutôt que le même accès, *a fortiori* quand celui-ci se dégrade. Autrement dit, pour reprendre notre jargon local, on y accepte que le système comporte plusieurs vitesses, à condition que la plus lente soit médicalement acceptable. Ici, nous sommes en train d'imposer la plus lente au plus grand nombre, ce qui incite du coup les gens à user de tous les subterfuges pour accélérer leur accès aux soins.

La question de la pénurie du personnel médical est effectivement délicate. Notons cependant que ceux qui invoquent cette objection pratique s'en servent souvent pour justifier une opposition de principe au décloisonnement. On apprécierait plus de transparence de leur part. S'ils refusent le principe même de la mixité de la pratique médicale pour des raisons philosophiques, leur argumentation devrait alors être assez forte pour reposer sur ces seules raisons.

Les chiffres disponibles peuvent alimenter les deux camps. Il est vrai que les médecins pratiquent aujourd'hui pendant beaucoup moins d'heures que jadis, en raison de la féminisation accélérée de la profession et du souci d'un meilleur équilibre entre le travail et la famille. À nombre de médecins égal, nous connaissons effectivement un déficit d'heures travaillées par rapport à autrefois. Dans ce contexte, on peut donc poser de manière plausible que X heures de plus de pratique privée signifieront X heures de moins de prestation publique, si le total des heures travaillées est un nombre Y dont rien ne permet d'entrevoir la remontée.

À cela, on peut cependant opposer que le Québec est une des provinces canadiennes qui comptent le plus de médecins par habitant : 215 médecins par 100 000 habitants, contre une moyenne de 190 dans le reste du Canada[35]. Nous savons aussi que les délais d'attente s'expliquent également par la sous-utilisation des salles d'opération et des appareils cliniques.

Il est rigoureusement impossible de dire laquelle des deux positions est vraie et donc de prédire exactement ce qui surviendrait en cas de décloisonnement. On sent toutefois que le fardeau de la preuve glisse de plus en plus vers les épaules de ceux qui prônent le statu quo. En effet, depuis le temps qu'on s'y essaie, s'il suffisait de mieux organiser le système actuel sans rien y changer d'important pour en améliorer substantiellement la performance, nous aurions dû observer des progrès, non ?

Dans le doute, pourquoi ne pas permettre alors ce décloisonnement selon les conditions énoncées et sur une base expérimentale, dans un territoire bien circonscrit, et en faire une évaluation rigoureuse après, disons, cinq ans ? Pendant ce temps, de nouveaux médecins auront aussi été formés, et les barrières qu'affrontent les médecins diplômés à l'étranger pourraient avoir été revues à la baisse.

L'autre question cruciale est celle des assurances privées. Celles-ci existent *dans tous les pays de l'OCDE,* sauf la Norvège et le Japon, et dans plusieurs autres provinces canadiennes. Les formules sont très diverses : couverture superposée à la couverture publique, couverture complémentaire, etc. Mais nulle part on ne rapporte qu'elle est la source d'impacts négatifs significatifs sur l'ensemble du système. Rien n'indique non plus que l'extension de la liberté de choix des uns réduit la liberté des autres, si elle est encadrée correctement.

Les assurances privées soulèvent aussi une question fondamentale, pour moi, sur le plan des principes philosophiques, qui est celle de la liberté individuelle. Il est difficile de justifier que je puisse payer pour une vasectomie, mais pas pour une opération de la prostate. Plus fondamentalement, comment justifier d'interdire à un travailleur, empêché de travailler à cause d'un accident, de payer de sa poche pour être opéré plus rapidement afin de retourner gagner sa vie ? Il est encore plus difficile de justifier une telle interdiction quand le système public n'est plus en mesure de répondre à des besoins de base. De toute façon, dans la foulée de l'arrêt Chaoulli, d'autres décisions des tribunaux viendront vraisemblablement élargir cette première brèche.

L'affaire comporte certes nombre d'aspects complexes — les montants exigés par les assureurs, les types de couverture, la prise en charge des gens à haut risque — qui exigeraient un encadrement juridique très étroit. La loi 33, qui vient tout juste d'être adoptée, prévoit déjà expressément cette ouverture pour les interventions aux genoux, aux hanches et aux cataractes et pour toute autre extension ultérieure par voie de règlement.

Cette loi encadre aussi les services spécialisés offerts dans des cliniques privées, reconnaissant par là *de facto* le principe même d'une contribution du secteur privé supervisée par l'État. On ne rapporte pour le moment aucun glissement funeste. Dans la même perspective d'ouverture prudente que précédemment, donnons-nous le temps d'en évaluer les effets avant de tirer des conclusions trop tranchées.

En définitive, quand on regarde ce qu'il faudrait faire au Québec pour protéger notre niveau de vie, assainir nos finances publiques et refonder notre solidarité, on peut être pris de vertige et sombrer dans le découragement ou, pire, le déni. Mais des réformes comme celles-là ont été implantées au cours des vingt dernières années dans des sociétés très comparables à la nôtre, animées elles aussi par ce souci que nous avons de combiner prospérité économique et solidarité sociale : la Suède, le Danemark, la Finlande, l'Irlande, et même dans des sociétés qui n'ont pas le statut d'État souverain, comme la Bavière.

Évidemment, rien ou à peu près n'est transposable tel quel. Un modèle social est toujours le produit d'une histoire et d'une culture particulières, de façons de concevoir la vie et la société qui prirent des siècles à se forger. Mais ce qu'il faut surtout retenir de ces pays, c'est l'*attitude* de leurs dirigeants et de leurs populations.

Chacun à sa manière, ces peuples ont totalement assumé — difficilement, mais totalement — le fait que notre époque est traversée par des changements qui sont en fait des mutations de civilisation. La nostalgie ne sert à rien. Se cramponner à l'illusion qu'il ne s'agirait peut-être que d'un mauvais moment à passer, non plus. Les réformes en surface ou à la marge sont donc radicalement insuffisantes.

Fondamentalement, ces peuples ont complètement accepté

les impératifs concernant la performance sur le plan de la gestion, la productivité de leur économie dans un contexte d'ouverture et le rôle constructif du secteur privé s'il est correctement encadré. Ils ont aussi réaffirmé vigoureusement des principes humanistes sans en faire pour autant des diktats idéologiques. Je ne vois aucune raison sérieuse de penser que nous ne pourrions pas faire de même.

Épilogue

Demain, le Québec

Il est un temps où le courage et l'audace tranquilles
deviennent pour un peuple, aux moments clés de son
existence, la seule forme de prudence convenable.

RENÉ LÉVESQUE

Un dernier mot sur le sens général de mon propos, avant de tirer le rideau et de quitter la scène.

Douze générations ont fait du Québec ce qu'il est aujourd'hui. Elles ont admirablement bien travaillé, surtout si on considère l'adversité qu'elles ont affrontée. À intervalles irréguliers, nos prédécesseurs sont périodiquement parvenus à des carrefours déterminants pour l'avenir de notre nation. À quelques nuances près, ils ont toujours fait les bons choix, qui n'étaient à peu près jamais les plus faciles.

Le Québec d'aujourd'hui, j'en suis absolument persuadé, est parvenu à un autre de ces moments charnières de son histoire. J'ai essayé de documenter de mon mieux, sans prétendre à l'exhaustivité et en essayant de ne pas accoucher d'un ouvrage dont l'épaisseur aurait découragé, cette constellation de facteurs démographiques, économiques, politiques, culturels, technologiques, éthiques qui nous imposent aujourd'hui de faire, de nouveau, des choix collectifs exigeants, dont j'ai aussi dessiné les contours.

Notre peuple ressent tout cela. Il voit bien ce qui ne tourne plus rond du tout, mais aussi ce à quoi il est attaché et qu'il veut préserver. Il reçoit aussi de ses élites des messages contradictoires. Jusqu'à un certain point, c'est le propre du débat démocratique. Nous faisons cependant face à un certain nombre de réalités si indiscutables, dans leurs grandes lignes en tout cas, qu'elles s'imposent progressivement à tous les courants de pensée, sauf les plus marginaux.

Évidemment, si notre peuple montre des signes d'ambivalence, c'est non seulement parce que celle-ci est la fille de notre histoire compliquée, mais aussi parce que nous sentons tous que les réformes dont le Québec a besoin seraient très exigeantes. Je n'ai d'ailleurs pas cherché à en minimiser les difficultés. Il y a donc comme une part de nous qui hésite, très naturellement, à s'y engager. Presque par définition, des gains escomptés sont aussi plus intangibles que des sacrifices concrets et immédiats. Nous craignons donc les seconds plus que nous ne désirons les premiers.

J'ose tout de même penser que nous voudrons offrir autre chose que des excuses à ceux qui nous suivront. Il faudra donc nous décider à poser résolument la culture de la majorité francophone comme culture de référence, à protéger les valeurs et les traditions qui le méritent, à nous soucier de productivité économique, à refonder nos mécanismes institutionnels de solidarité, à cesser d'hypothéquer notre avenir financier, à faire ce qu'il faut pour atténuer le bouleversement démographique dans lequel nous sommes engagés et, bien sûr, à regarder lucidement notre rapide perte d'influence politique au Canada et en tirer des conclusions.

Je répète que je mesure pleinement les immenses difficultés que présentent tous ces chantiers. D'autant plus immenses que le Québec est traversé, comme toutes les sociétés occidentales, par des sensibilités qui compliquent bien plus les redressements collectifs qu'elles ne les facilitent : un matérialisme forcené, un individualisme amnésique, un cynisme galopant, une idolâtrie de la nouveauté confondue avec le progrès, un relativisme dont on cherche parfois les limites.

Je reste pourtant d'un optimisme prudent. D'une part, parce que notre peuple a déjà fait, dans le passé, la démonstration de sa capacité à se ressaisir et qu'il dispose encore aujourd'hui, et même plus que jamais, de tous les atouts requis pour cela. D'autre part, parce que la solution de rechange serait une sorte de consentement à notre propre déclin, qui me semble proprement impensable, bien qu'ici la vérité oblige à dire que l'histoire est remplie d'exemples de peuples qui n'ont pas su éviter la folklorisation.

Dans l'immédiat, ce sont ceux qui nous tiennent lieu d'élites qui sont évidemment les premiers interpellés. On trouve certes dans l'histoire des exemples d'une accélération subite des événements qui place un peuple en avant, en quelque sorte, de ses propres élites, lesquelles se retrouvent alors comme dépassées par la situation. Mais c'est plutôt l'inverse qui est la norme. Quand une nation parvient à un carrefour décisif, ce sont ses dirigeants politiques qui sont les premiers convoqués à la barre.

À cet égard, il me semble que nous fait défaut en ce moment un leadership politique qui, plutôt que de se soucier de questions d'intendance, de l'apparence des choses ou simplement de son maintien en place, proposerait à notre peuple un récit de lui-même, de sa trajectoire historique jusqu'ici et du monde qui se dessine devant nous, qui serait porteur de sens et dans lequel nos concitoyens se reconnaîtraient.

Mais, croyez-moi, il est trop facile de blâmer nos dirigeants, de les taxer de lâcheté ou d'incompétence quand ils n'ont, démocratie oblige, d'autres espaces de manœuvre que ceux que nous-mêmes leur laissons.

Nous disons vouloir entendre d'eux la vérité, mais nous ne l'acceptons vraiment que si elle est plaisante. Nous trouvons normal qu'ils aillent faire le pitre dans des émissions de variétés et nous leur reprochons ensuite de manquer d'envergure. Trop souvent, nous récompensons aux urnes ceux qui veulent durer plutôt que ceux qui veulent faire. Nous leur demandons de se rendre

« populaires » pour récolter nos votes, alors qu'il nous faudrait accepter qu'ils doivent parfois se rendre impopulaires pour bien gouverner.

Dans l'histoire des peuples, rien n'est jamais écrit d'avance, sauf dans les cas où la loi du nombre prend la forme d'un courant trop fort pour être remonté et devient implacable. Nous approchons de ce moment. Nous y sommes presque. Nous y entrons, à vrai dire.

Mais nous avons, depuis douze générations, trop bûché, trop semé, trop construit, trop sué, trop souffert, trop surmonté et trop triomphé pour ne pas faire le pari que nous parviendrons, encore une fois, à être à la hauteur de tout ce que nous avons reçu en héritage.

Remerciements

Comme le veut la formule consacrée, je suis évidemment le seul responsable des opinions ici émises, de même que des erreurs de fait qui pourraient s'être glissées.

Mes idées doivent cependant beaucoup aux discussions menées au fil des ans avec des gens trop nombreux pour être tous mentionnés, ou aux textes qu'ils ont écrits. J'évoque tout de même les noms de Gilles Baril, Jacques Beauchemin, Éric Bédard, Mathieu Bock-Côté, Marc Chevrier, Charles-Philippe Courtois, Myriam d'Arcy, Benoit Dubreuil, Christian Dufour, Pierre Fortin, Luc Godbout, Alexandre Lamoureux, Jean-Philippe Légaré-Tremblay, Claude Montmarquette, Joëlle Quérin et Patrick Sabourin.

Plusieurs d'entre eux seront sans doute en désaccord avec de nombreux passages de ce livre. Je persiste tout de même à les remercier, dans la mesure où une pensée se construit souvent, et même généralement, en se frottant à une autre. Que ceux que je ne nomme pas me pardonnent.

Je me suis permis, dans les pages qui suivent, de reprendre parfois de courts passages de textes déjà publiés ailleurs. Je remercie les responsables de ces autres lieux de parution de n'y avoir vu aucun problème. Mes plus sincères remerciements vont aussi à toute l'équipe de la maison d'édition Boréal pour son professionnalisme, sa courtoisie et sa patience à mon endroit.

Tableaux

**Tableau 1 — Revenu moyen par habitant du Québec
et des 30 pays les plus riches de la planète en 2006
(en dollars américains à pouvoir d'achat identique)**

Pays	Revenu moyen par habitant	Indice : États-Unis = 100
Luxembourg	81 511	188,6
Irlande	44 676	103,4
Norvège	44 648	103,3
États-Unis	43 223	100,0
Islande	40 112	92,8
Hong Kong	38 714	89,6
Suisse	38 706	89,5
Pays-Bas	36 937	85,5
Danemark	36 920	85,4
Canada (sans le Québec)	36 849	85,3
Qatar	36 632	84,7
Autriche	36 368	84,1
Finlande	35 559	82,3
Royaume-Uni	35 486	82,1
Belgique	34 749	80,4
Suède	34 735	80,4
Émirats arabes unis	34 109	78,9
Singapour	33 471	77,4
Australie	33 037	76,4
Grèce	33 004	76,4

Pays	Revenu moyen par habitant	Indice : États-Unis = 100
Japon	32 530	75,3
France	31 825	73,6
Israël	31 561	73,0
Allemagne	31 390	72,6
Italie	31 051	71,8
Québec	30 910	71,5
Taiwan	30 687	71,0
Chypre	29 870	69,1
Espagne	27 914	64,6
Nouvelle-Zélande	25 874	59,9
Brunei	25 772	59,6

Source : Pierre Fortin, Jean Boivin, et Andrée Corriveau, *L'Investissement au Québec : on est pour,* rapport du Groupe de travail sur l'investissement des entreprises au Québec, Gouvernement du Québec, 2008, p. 19 (d'après FMI et Statistique Canada).

Note : Le revenu dont il s'agit ici est le revenu intérieur, c'est-à-dire celui engendré sur le territoire du pays.

Tableau 2 — Revenu intérieur par habitant des 50 États américains et des 10 provinces canadiennes en 2006 (en dollars américains)

État ou province	Revenu par habitant	Indice : É-U = 100	État ou province	Revenu par habitant	Indice : É-U = 100
Delaware	70 724	161,0	**Saskatchewan**	**40 826**	**93,0**
Alaska	61 346	139,7	Géorgie	40 533	92,3
Alberta	**60 992**	**138,7**	Kansas	40 411	92,0
Connecticut	58 244	132,6	Ohio	40 190	91,5
Wyoming	57 400	130,7	Floride	39 442	89,8
New York	52 934	120,5	Indiana	39 426	89,8
Massachusetts	52 441	119,4	Tennessee	39 417	89,8
New Jersey	51 943	118,3	Nouveau-Mexique	38 837	88,4
Colorado	48 487	110,4	Vermont	38 809	88,4

État ou province	Revenu par habitant	Indice : É-U = 100	État ou province	Revenu par habitant	Indice : É-U = 100
Virginie	48 314	110,0	Missouri	38 659	88,0
Nevada	47 444	108,0	Utah	38 332	87,3
Californie	47 380	107,9	Michigan	37 739	85,9
Minnesota	47 328	107,0	Arizona	37 699	85,8
Illinois	45 948	104,6	Oklahoma	37 620	85,7
Maryland	45 909	104,4	Maine	35 543	80,9
Washington	45 894	104,5	Alabama	34 914	79,5
Hawaï	45 358	103,3	Kentucky	34 702	79,0
Texas	45 342	103,2	Caroline du Sud	34 530	78,6
Louisiane	45 044	102,6	Montana	34 217	77,9
Terre-Neuve-et-L.	**44 088**	**100,4**	Idaho	34 032	77,5
Nebraska	42 809	97,5	**Ontario**	**35 488**	**80,8**
New Hampshire	42 799	97,5	**Colombie-Britannique**	**34 253**	**78,0**
Rhode Island	42 768	97,4	**Manitoba**	**33 637**	**76,6**
Caroline du Nord	42 288	96,3	Arkansas	32 672	74,4
Iowa	41 572	94,7	**Québec**	**32 455**	**73,9**
Dakota du Nord	41 495	94,5	Virginie-Occidentale	30 607	69,7
Dakota du Sud	41 347	94,1	**Nouveau-Brunswick**	**29 900**	**68,1**
Pennsylvanie	41 018	93,4	Mississippi	28 938	65,9
Wisconsin	40 894	93,1	**Nouvelle-Écosse**	**28 919**	**65,8**
Oregon	40 884	93,1	**Île-du-Prince-Édouard**	**27 196**	**61,9**

Source : *Ibid.,* p. 21 (d'après U.S. Census Bureau, U.S. Department of Commerce et Statistique Canada).

Note : Dans ce tableau, le revenu intérieur par habitant de chaque province canadienne (PIB par population) est converti en dollars américains au moyen du taux de change de parité de pouvoir d'achat entre le Canada et les États-Unis. Si ce revenu par habitant du Québec est un peu plus élevé que dans le tableau 1 (32 455 $ comparativement à 30 910 $), expliquent les auteurs, c'est que le taux de change de parité de pouvoir d'achat utilisé ici est celui suggéré par Statistique Canada, soit 84 cents US par $ CA, qui est plus élevé que celui de 80 cents US par $ CA, celui retenu par le FMI et utilisé dans tableau 1. Les différences de coût de la vie entre les provinces sont prises en compte comme dans le tableau 1, mais non celles qui pourraient exister entre les États américains.

**Tableau 3 — Revenu disponible, coût de la vie et pouvoir d'achat réel
de quatre types de familles au Québec, exprimés
en pourcentage des données correspondantes en Ontario, 2006**

Type de famille	Revenu disponible brut (QC/ON)	Coût de la vie (QC/ON)	Pouvoir d'achat réel (QC/ON)
Couple sans enfants	82 %	87 %	94 %
Couple avec enfants	90 %	87 %	103 %
Monoparentale (femme)	95 %	87 %	109 %
Monoparentale (homme)	94 %	87 %	108 %

Source : Pierre Fortin, *L'Essor inespéré et inattendu du revenu familial de la classe moyenne du Québec,*
octobre 2008, p. 5.

Note : Ce document, dont les journaux ont largement fait état, m'a été aimablement transmis par l'auteur. Fortin précise que, pour le revenu disponible brut, les rapports sont ceux des revenus familiaux médians non corrigés pour l'écart de coût de la vie entre les deux provinces. Les comparaisons effectuées par Statistique Canada entre les niveaux absolus des prix à la consommation des diverses villes du Canada permettent d'estimer que le coût de la vie au Québec est inférieur en moyenne de 13 % au coût de la vie en Ontario. La dernière colonne corrige le rapport des revenus disponibles bruts pour tenir compte de l'écart de coût de la vie de 13 % entre les deux provinces.

Notes

OUVERTURE • COMPRENDRE POUR MIEUX AGIR

1. Voir par exemple Joseph Facal, « Le Pari de la vérité », *La Presse*, 6 septembre 2002, p. A11.
2. Martin Ouellet, « La moitié des ponts a besoin de réparations », *Le Devoir*, 31 janvier 2008, p. A2.
3. On aura évidemment reconnu ici la question fondamentale creusée avec infiniment de finesse par, entre autres, Jacques Beauchemin dans son livre *La Société des identités. Éthique et politique dans le monde contemporain*, Montréal, Athéna, 2004.
4. Gilles Labelle, « Péguy et la fausse République du Québec », *Le Devoir*, 19 et 20 avril 2008, p. C6.
5. *Idem.*
6. Michel Venne, « La vivacité du Québec », *Relations*, juillet-août 2007, p. 17.
7. Voir Jacques Attali, « Tout le monde le sait... », *L'Express*, 24 août 2006.
8. Luc Ferry, *Familles, je vous aime. Politique et vie privée à l'âge de la mondialisation*, Paris, Éditions XO, 2007, p. 131.

PREMIÈRE PARTIE D'HIER À AUJOURD'HUI

I • D'OÙ NOUS VENONS

1. Gérard Bouchard, *La Nation québécoise au futur et au passé*, Montréal, VLB, 1999, p. 11. C'est aussi dans cet ouvrage que le projet bouchar-

dien fut exposé pour la première fois avant de se déployer progressivement dans une série d'ouvrages ultérieurs.

2. C'est du moins ainsi que j'interprète les critiques formulées, par exemple, par Mathieu Bock-Côté dans *La Dénationalisation tranquille,* Montréal, Boréal, 2007.

3. Jocelyn Létourneau, « La raison de Bouchard et Taylor », *Le Devoir,* 19 juin 2008, p. A7.

4. Jocelyn Létourneau, *Passer à l'avenir. Histoire, mémoire et identité dans le Québec d'aujourd'hui,* Montréal, Boréal, 2000, p. 123.

5. Jocelyn Létourneau, *Que veulent vraiment les Québécois ? Regard sur l'intention nationale au Québec (français) d'hier à aujourd'hui,* Montréal, Boréal, 2006, p. 12.

6. Jocelyn Létourneau, *Passer à l'avenir,* p. 180.

7. Jocelyn Létourneau, *Que veulent vraiment les Québécois ?,* p. 11.

8. Yvan Lamonde, *Allégeances et Dépendances. L'histoire d'une ambivalence identitaire,* Québec, Nota Bene, 2000, p. 247.

9. Toutes ces citations se trouvent à la page 232 de l'ouvrage suivant : André Pratte (dir.), *Reconquérir le Canada. Un nouveau projet pour la nation québécoise,* Montréal, Voix parallèles, 2007.

10. André Pratte, *Aux pays des merveilles. Essai sur les mythes politiques québécois,* Montréal, VLB, 2006, p. 26.

11. C'est le titre du chapitre premier de l'ouvrage cité dans la note précédente.

12. Joseph-Yvon Thériault, *Critique de l'américanité. Mémoire et démocratie au Québec,* Montréal, Québec Amérique, 2002, p. 185.

13. La critique la plus pénétrante des apories des récits historiques proposés par Létourneau et Bouchard est sans doute celle de Mathieu Bock-Côté dans *La Dénationalisation tranquille.*

14. José Echeverria, « Le peuple comme communauté du manque. Éléments pour une définition », dans Antonio Cassese et Edmond Jouve (dir.), *Pour un droit des peuples,* Paris, Berger-Levrault, 1978, p. 95.

15. Voir, évidemment, Fernand Dumont, *Raisons communes,* Montréal, Boréal, 1997, p. 53-92.

16. André Pratte, *Reconquérir le Canada,* p. 241.

17. Jocelyn Létourneau, *Que veulent vraiment les Québécois ?,* p. 37.

18. André Pratte, *Aux pays des merveilles,* p. 32-33.

19. *Le Rapport Durham,* présenté, traduit et annoté par Marcel-Pierre Hamel, Montréal, Éditions du Québec, 1948, p. 346. J'ai pris cette citation dans Stéphane Kelly, *La Petite Loterie. Comment la Couronne a*

obtenu la collaboration du Canada français après 1837, Montréal, Boréal, 1997, p. 128. Allan Greer fait sensiblement la même analyse dans *Habitants et Patriotes. La Rébellion de 1837 dans les campagnes du Bas-Canada,* traduction de Christiane Teasdale, Montréal, Boréal, 1997, chap. 9, « Une attaque en force ».

20. Maurice Séguin, *L'Idée d'indépendance au Québec. Genèse et historique,* Montréal, Boréal Express, 1977, p. 33.

21. André Pratte, *Aux pays des merveilles,* p. 101.

22. Je reprends ici la traduction proposée par Maurice Séguin dans son *Histoire de deux nationalismes au Canada,* Montréal, Guérin, 1997, p. 294.

23. *Ibid.,* p. 297.

24. Maurice Séguin, *L'Idée d'indépendance au Québec,* p. 36.

25. André Pratte, *Reconquérir le Canada,* p. 249.

26. *Ibid.,* p. 250.

27. *Ibid.,* p. 248.

28. *Ibid.,* p. 247.

29. Je reprends ici les critiques formulées par Yvan Lamonde dans « Ce que veulent les Québécois… Vraiment ? Réplique à l'ouvrage de Jocelyn Létourneau », *Le Devoir,* 14 décembre 2006. On trouvera ce texte en consultant l'adresse suivante : http://www.ledevoir.com

30. *Ibid.,* p. 3.

31. *Ibid.,* p. 3.

32. Jocelyn Létourneau, *Que veulent vraiment les Québécois ?,* p. 142.

33. Je reprends ici et dans les paragraphes qui suivent le cœur de l'argumentation développée par Yvan Lamonde dans son passionnant ouvrage *Allégeances et Dépendances. L'histoire d'une ambivalence identitaire,* Québec, Nota Bene, 2000.

34. *Ibid.,* p. 248.

35. On trouve par exemple un tel découpage, présenté avec beaucoup de force et de clarté, chez Denis Monière dans *Pour comprendre le nationalisme au Québec et ailleurs,* Montréal, Presses de l'Université de Montréal, 2001. Je reprends ici l'argumentation qu'il développe.

36. Jocelyn Létourneau, *Que veulent vraiment les Québécois ?,* p. 58.

37. Denis Monière, *Pour comprendre le nationalisme au Québec et ailleurs,* p. 111-113.

38. *Ibid.,* p. 114.

2 • OÙ NOUS EN SOMMES

1. Jean-Marie Toulouse, *L'Entrepreneurship au Québec*, Montréal, Fides, 1979.

2. Fernande Roy, *Progrès, harmonie, liberté. Le libéralisme des milieux d'affaires francophones à Montréal au tournant du siècle*, Montréal, Boréal, 1988.

3. Jean-Pierre Wallot, *Un Québec qui bougeait. Trame socio-politique du Québec au tournant du XIXe siècle*, Montréal, Boréal Express, 1973.

4. Paul-André Linteau, *Maisonneuve. Comment des promoteurs fabriquent une ville*, Montréal, Boréal, 1981.

5. Jacques Rouillard, *Histoire du syndicalisme québécois*, Montréal, Boréal, 1989.

6. Jean-Philippe Warren, *L'Engagement sociologique. La tradition sociologique du Québec francophone (1886-1955)*, Montréal, Boréal, 2003.

7. Yvan Lamonde et Esther Trépanier, *L'Avènement de la modernité culturelle au Québec*, Québec, Institut québécois de recherche sur la culture, 1986.

8. Tirées du célèbre rapport de la Commission royale d'enquête sur le bilinguisme et le biculturalisme (Laurendeau-Dunton), on retrouve ces données dans l'ouvrage de Maurice Saint-Germain, *Une économie à libérer*, Montréal, Presses de l'Université de Montréal, 1973, p. 208-209.

9. *Ibid.*, p. 208.

10. J'emprunte cette donnée et les trois qui suivent à Daniel Latouche. Elles sont contenues dans son texte intitulé « Culture and The Pursuit of Success: The Case of Québec in the XXth Century », à ce jour inédit.

11. Plusieurs des textes qui fondent les principales explications ont été regroupés dans un ouvrage ancien, mais toujours utile : René Durocher et Paul-André Linteau, *Le Retard du Québec et l'infériorité économique des Canadiens français*, Montréal, Boréal, 1971.

12. Voir Gilles L. Bourque, *Le Modèle québécois de développement. De l'émergence au renouvellement*, Québec, Presses de l'Université Laval, 2000.

13. Peter Lindert, *Growing Public : Social Spending and Economic Growth Since the Eighteenth Century*, vol. 1 et 2, New York, Cambridge University Press, 2004. La thèse de l'affinité sociale est évoquée à divers endroits de l'ouvrage, mais particulièrement dans le chapitre 13 du deuxième volume.

14. Je renvoie ici le lecteur à mon livre *Volonté politique et pouvoir médical. La naissance de l'assurance-maladie au Québec et aux États-Unis*, Montréal, Boréal, 2006, p. 136-156.

15. Toutes les données présentées ici et les explications qui les accompagnent sont tirées de Pierre Fortin, Jean Boivin et Andrée Corriveau, *L'Investissement au Québec : on est pour. Rapport du Groupe de travail sur l'investissement des entreprises au Québec*, Québec, Gouvernement du Québec, 2008, p. 18-37.

16. Tout ce passage sur la progression du niveau de vie de la classe moyenne québécoise est tiré de Pierre Fortin, *L'Essor inespéré et inattendu du revenu familial de la classe moyenne du Québec*, octobre 2008. Ce document, dont les journaux ont largement fait état, m'a été aimablement transmis par l'auteur. Je l'en remercie chaleureusement.

17. Voir Simon Langlois *et al., La Société québécoise en tendances, 1960-1990*, Québec, IQRC, 1990, p. 411.

18. Ces données viennent de l'excellente synthèse de Benoît Rigaud, *La Politique économique québécoise entre libéralisme et coordination*, document tiré de la série « L'État québécois en perspective », L'Observatoire de l'administration publique, ENAP, printemps 2008.

19. Je tire toutes ces données de deux sources principales, elles-mêmes fondées sur les statistiques officielles du gouvernement du Québec : Luc Godbout et Suzie St-Cerny, *Le Québec, un paradis pour les familles ? Regards sur la famille et la fiscalité*, Québec, Presses de l'Université Laval, 2008, p. 9-18, et Luc Godbout *et al., Oser choisir maintenant. Des pistes de solution pour protéger les services publics et assurer l'équité entre les générations*, Québec, Presses de l'Université Laval, 2007, p. 15-29.

20. Voir Pierre Fortin, « Six observations sur la croissance québécoise à la manière de Gilles Paquet », septembre 2008, UQAM, document de travail gracieusement transmis par son auteur. Je l'en remercie.

21. Ulysse Bergeron, « La CSN part en croisade contre l'analphabétisme », *Le Devoir*, 9 et 10 septembre 2006, p. G2.

22. Guylaine Boucher, « L'heure est au bilan », *ibid.*, p. G3.

23. Jocelyne Richer, « Le décrochage scolaire a augmenté au Québec sous les libéraux », *Le Devoir*, 9 février 2009, p. A2.

24. Louise Leduc, « Un taux d'obtention de diplôme inquiétant », *La Presse*, 3 juillet 2008, p. A5.

25. Stéphane Baillargeon, « Il faut continuer à réformer la réforme, disent les enseignants », *Le Devoir*, 12 décembre 2008, p. A5.

26. Benoît Rigaud, *La Politique économique québécoise entre libéralisme et coordination*, p. 29.

27. Ariane Lacoursière, « Les mots pèsent lourd », *La Presse*, 30 novembre 2007, p. A1.

28. Voir Luc Godbout *et al.*, *Oser choisir maintenant*, p. 35. Les auteurs s'appuient sur les données 2006 de l'Institut canadien d'information sur la santé (ICIS).

29. Voir François Béland, « Les dépenses de santé au Québec : énigme ou signal d'alarme ? », dans François Béland *et al.* (dir.), *Le Privé dans la santé. Les discours et les faits*, Montréal, Presses de l'Université de Montréal, 2008, p. 171-205.

30. Mouvement Desjardins, « Économie du Québec : les effets pervers du choc démographique sont à nos portes », études économiques, 13 août 2008, http://www.desjardins.com/economie

31. Voir Gérard Bouchard et Charles Taylor, *Fonder l'avenir. Le temps de la conciliation*, rapport abrégé de la Commission de consultation sur les pratiques d'accommodement reliées aux différences culturelles, Gouvernement du Québec, 2008, p. 83.

32. Les données évoquées dans ces deux paragraphes sont tirées de Pierre Fortin, « Les vingt-deux erreurs du manifeste *Pour un Québec solidaire* », dans Luc Godbout (dir.), *Agir maintenant. Des réflexions pour passer des manifestes aux actes*, Québec, Presses de l'Université Laval, 2006, p. 35-37.

33. Fraser Institute, *Generosity in Canada and the United States: The 2007 Generosity Index*. Voir aussi Martin Boyer, « L'État contre les bonnes œuvres », *La Presse*, 3 janvier 2008, p. A.25.

34. Voir Luc Godbout, « Une fiscalité à repenser », dans L. Godbout (dir.), *Agir maintenant*, p. 123-142.

35. Voir Pierre Fortin, *op. cit.*, p. 41.

36. Luc Godbout (dir.), *Agir maintenant*, p. 137.

37. *Ibid.*, p. 138.

38. Pierre Fortin, *op. cit.*, p. 29-30.

39. Toute leur démonstration fait l'objet du livre déjà cité : Luc Godbout *et al.*, *Oser choisir maintenant*.

40. Voir Gérard Bouchard et Charles Taylor, *Fonder l'avenir*, p. 209.

41. Voir Tommy Chouinard, « Le tiers des immigrants imperméables aux mesures de francisation », *La Presse*, 27 juin 2008, p. A23.

42. Gérard Bouchard et Charles Taylor, *Fonder l'avenir*, p. 210.

43. Voir notamment les travaux produits par Jean Renaud et Charles

Castonguay dans le cadre des travaux de la commission Bouchard-Taylor.

44. Cité par Martine Letarte, « Mythes, réalités et inquiétudes », *Le Devoir,* cahier spécial, 23 août 2008, p. G6.

45. Gérard Bouchard et Charles Taylor, *Fonder l'avenir,* p. 211.

46. Voir Nathalie St-Laurent *et al., Le Français et les Jeunes,* Conseil supérieur de la langue française, Québec, mai 2008.

47. Jean-Claude Corbeil, *L'Embarras des langues. Origine, conception et évolution de la politique linguistique québécoise,* Montréal, Québec Amérique, 2007, p. 362.

3 • L'IDÉOLOGIE MULTICULTURALISTE CONTRE LA NATION QUÉBÉCOISE

1. Guy Rocher, *Introduction à la sociologie générale,* tome 1 : *L'Action sociale,* Montréal, HMH, 1972, p. 127.

2. La littérature sur ce thème est infinie. En langue française, l'un des ouvrages qui décortique le mieux ce phénomène de culpabilisation massive des sociétés occidentales est évidemment celui de Pascal Bruckner : *Le Sanglot de l'homme blanc. Tiers-monde, culpabilité, haine de soi,* Paris, Seuil, 1983.

3. Jacques Beauchemin et Mathieu Bock-Côté, « Présentation », dans Jacques Beauchemin et Mathieu Bock-Côté (dir.), *La Cité identitaire,* Montréal, Athéna, 2007, p. 10.

4. *Ibid.,* p. 10.

5. Gérard Bouchard et Charles Taylor, *Fonder l'avenir,* p. 237.

6. Samuel Huntington, *Who Are We ?,* New York, Simon and Schuster, 2004.

7. Voir Lysiane Gagnon, « Noël, un mot tabou ? », *La Presse,* 16 novembre 2006, et Antoine Robitaille, « Jean Charest et André Boisclair évitent le mot Noël », *Le Devoir,* 15 décembre 2006.

8. Voir par exemple Daniel Weinstock, « Les "identités" sont-elles dangereuses ? », dans Jocelyn Maclure et Alain-G. Gagnon (dir.), *Repères en mutation. Identité et citoyenneté dans le Québec contemporain,* Montréal, Québec Amérique, 2001, p. 236.

9. Geneviève Nootens, « Chronique d'une mort annoncée », *Argument,* vol. 8, n° 1 (automne 2005-hiver 2006), p. 113.

10. Michael Ignatieff, *L'Honneur du Guerrier. Guerres ethniques et conscience moderne,* Paris, La Découverte, 2000, p. 50-51. Cet homme

a d'ailleurs écrit sur les Québécois des choses qui laissent pantois. Voir par exemple *Blood and Belonging*, New York, Farrar, Strauss and Giroux, 1993.

11. John Holmes voyait jadis dans le Canada une « nation immaculée ». Voir Peter Russell, *Nationalism in Canada*, Toronto, McGraw-Hill, 1966, p. 369. Pour des enthousiasmes du même acabit mais plus récents, voir John Ibbitson, *The Polite Revolution: Perfecting the Canadian Dream*, Toronto, M & S, 2005.

12. Katia Gagnon, « Le discours de Dumont séduit », *La Presse*, 27 août 2007.

13. C'est l'historien Éric Bédard qui, le premier, attira mon attention sur cette tonalité messianique du discours trudeauiste, qu'on retrouve aujourd'hui dans le discours multiculturaliste.

14. Pierre Elliott Trudeau, « Des révisions se feront, mais l'unité du Canada ne sera pas rompue », *Le Devoir*, 23 février 1977. Le titre est de la rédaction du journal.

15. Pierre Elliott Trudeau, « Allocution lors de la cérémonie de proclamation », 17 avril 1982, cité par André Burelle, *Pierre Elliott Trudeau. L'intellectuel et le politique*, Montréal, Fides, 2005, p. 51.

16. Dans cette section, je reprends des points de vue que j'ai exposés dans de nombreux textes d'opinion parus sous forme de chroniques hebdomadaires dans le *Journal de Montréal*, tout au long des années 2007 et 2008. On retrouvera ceux-ci sur le site internet Canoë et sur mon blogue, dont l'adresse est http://www.josephfacal.org/

17. Voir Jean-François Lisée, « Les malades imaginaires », *La Presse*, 27 mai 2008.

18. Daniel Weinstock, « Bouchard aurait dû s'y attendre », *La Presse*, 11 juin 2008.

19. Benoît Dubreuil, « Pourquoi en savons-nous toujours si peu ? », *L'Action nationale*, octobre 2008, p. 40.

20. Cité par Katia Gagnon dans « Charest devrait rappeler Bouchard à l'ordre », *La Presse*, 25 août 2007.

21. Cité par Antoine Robitaille dans « Bouchard à court d'arguments pro-diversité », *Le Devoir*, 17 août 2007.

22. *Ibid.*, p. A1.

23. Gérard Bouchard et Michel Lacombe, *Dialogue sur les pays neufs*, Montréal, Boréal, 1999, p. 177.

24. Cité par Thérèse-I. Saulnier dans « Un devoir à refaire », *L'Action nationale*, septembre 2008, p. 80.

25. L'article de Gérard Bouchard est paru dans *Le Devoir* du 10 juin 2008 sous le titre : « Gérard Bouchard répond à ses détracteurs ».

26. *Le Programme d'éthique et culture religieuse. Programme d'enseignement primaire*, Québec, Ministère de l'Éducation, du Loisir et du Sport, juillet 2007, p. 280-281.

27. *Idem.*

28. Gérard Bouchard et Charles Taylor, *Fonder l'avenir*, p. 137.

29. *Ibid.*, p. 138.

30. Georges Leroux, *Éthique, culture religieuse, dialogue. Arguments pour un programme*, Montréal, Fides, 2007, p. 13-14.

31. *Ibid.*, p. 36.

32. *Ibid.*, p. 37.

33. Georges Leroux, « Un nouveau programme d'éthique et de culture religieuse pour l'école québécoise : les enjeux de la transmission », dans Jean-Pierre Béland et Pierre Lebuis (dir.), *Les Défis de la formation à l'éthique et à la culture religieuse*, Québec, Presses de l'Université Laval, 2008, p. 173.

34. Daniel Rondeau, « Comprendre le phénomène religieux : condition d'une éthique pluraliste », dans Jean-Pierre Béland et Pierre Lebuis (dir.), *Les Défis de la formation à l'éthique et à la culture religieuse*, p. 81.

35. Georges Leroux, « Orientation et enjeux du programme d'éthique et culture religieuse », *Formation et profession*, mai 2008, p. 8.

36. Georges Leroux, *Éthique, culture religieuse, dialogue*, p. 45-46.

37. Hélène Buzzetti, « La Cour suprême s'est trompée », *Le Devoir*, 9 novembre 2007.

38. Georges Leroux, *Éthique, culture religieuse, dialogue*, p. 27.

39. *Idem.*

40. *Ibid.*, p. 15.

41. Joëlle Quérin, « L'endoctrinement bien-pensant », *L'Action nationale*, vol. 99, n° 3 (mars 2009), p. 112.

42. Voir Joseph Facal, « La France debout », *Le Journal de Montréal*, 23 juillet 2008, et « L'assimilation », *Le Journal de Montréal*, 30 juillet 2008.

43. Voir notamment Robert Putnam, *Making Democracy Work*, Princeton (N. J.), Princeton University Press, 1993, et Charles Tilly, *Identities, Boundaries and Social Ties*, Boulder (Colorado), Paradigm Press, 2005.

4 • VRAIMENT MAÎTRES CHEZ NOUS

1. Voir par exemple Daniel D. Jacques, *La Fatigue politique du Québec français*, Montréal, Boréal, 2008.
2. Un exemple parmi d'autres : Alain Dubuc, *À mes amis souverainistes*, Montréal, Voix Parallèles, 2008.
3. Toutes ces données sont tirées de Gilles Gagné et Simon Langlois, « Les jeunes appuient la souveraineté et les souverainistes le demeurent en vieillissant », dans Michel Venne et Antoine Robitaille (dir.), *L'Annuaire du Québec 2006*, Montréal, Fides, 2005, p. 440-456. Dans cette étude, les auteurs reprennent et actualisent des données et une méthode abordées une première fois dans leur ouvrage *Les Raisons fortes. Nature et signification de l'appui à la souveraineté du Québec*, Montréal, Presses de l'Université de Montréal, 2002.
4. Pierre O'Neil, « Pour le Bloc, la notion des deux peuples fondateurs est dépassée », *Le Devoir*, 18 avril 1999, p. A3.
5. Michel Venne, « Dumont dérape », *Le Devoir*, 20 novembre 2006, p. A9.
6. Il précisa particulièrement sa position dans : André Boisclair, « Des balises », *La Presse*, 22 novembre 2006, p. A20.
7. Voir Éric Bédard, « Souveraineté et hypermodernité. La trudeauisation des esprits », *Argument*, vol. 10, nº 1 (automne 2007-hiver 2008), p. 101-126.
8. Gilles Gagné et Simon Langlois, *Les Raisons fortes*, p. 129-143.
9. Voir Joseph Facal et André Pratte, *Qui a raison ? Lettres sur l'avenir du Québec*, Montréal, Boréal, 2008.
10. Voir par exemple Denis Monière, « Être ou ne pas être souverainiste. Le Parti québécois à l'heure des choix », *L'Action nationale*, vol. 111, nº 10 (décembre 2001), p. 15-21.
11. Voir Patrick Taillon, *Les Obstacles juridiques à une réforme du fédéralisme : résumé*, cahier de recherche, Institut de recherche sur le Québec, Montréal, avril 2007.

SECONDE PARTIE D'AUJOURD'HUI À DEMAIN
5 • LE QUÉBEC DANS UN MONDE NOUVEAU

1. La littérature sur le sujet est infinie. Voir par exemple Anthony Giddens, *Runaway World: How Globalization is Reshaping Our Lives*,

Londres, Brunner Routledge, 2000, ou encore David Held *et al.*, *Global Transformations,* Cambridge, Polity, 1999.

2. On lira avec grand profit l'article lucide et décapant d'Alexandre Lamoureux, « Critique de l'écologisme contemporain », *L'Action nationale,* vol. 98, n° 3 (mars 2008), p. 34-48.

3. Je reprends ici des points déjà traités dans Joseph Facal, « L'État : définition, formes et tendances », dans Jean-Pierre Dupuis (dir.), *Sociologie de l'entreprise,* Boucherville (Québec), Gaëtan Morin, 2007, p. 99-131.

4. L'expression est de Jacques Parizeau. Voir *Une bouteille à la mer ? Le Québec et la mondialisation,* Montréal, VLB (collection « Balises »), 1998.

5. Christopher Lasch, *Le Complexe de Narcisse. La nouvelle sensibilité américaine,* Paris, Robert Laffont, 1981, p. 13.

6. Émile Durkheim, *De la division du travail social* [1893], Paris, Presses universitaires de France, 2007.

7. Jacques Grand'Maison, *Pour un nouvel humanisme,* Montréal, Fides, 2007, p. 18.

8. Voir Marie-Andrée Chouinard, « Briser les tabous », http://www.ledevoir.com, 30 janvier 2008.

9. Voir Joseph-Yvon Thériault, « Le Québec d'après-guerre : l'excessive modernité d'une société », dans Gérard Boismenu *et al., Ruptures et continuité de la société québécoise. Trajectoires de Claude Ryan,* Montréal, Presses de l'Université de Montréal, 2005, p. 33.

10. Voir, sur ce point précis, Joseph-Yvon Thériault, *Critique de l'américanité,* p. 242-247.

11. Fernand Dumont, *Raisons communes,* Montréal, Boréal, 1997, p. 106.

12. *Ibid.,* p. 106.

13. Marcel Rioux, *Un peuple dans le siècle,* Montréal, Boréal, 1990, p. 101.

14. Ronald Rudin, *Faire de l'histoire au Québec,* Montréal, Septentrion, 1998.

15. Fernand Dumont, *Raisons communes,* p. 107.

16. Violaine Ballivy, « Les Québécois moins friands d'histoire que les autres Canadiens », *La Presse,* 22 mars 2009, p. A8.

17. Joseph-Yvon Thériault, « Le Québec d'après-guerre », p. 37.

18. *Ibid.,* p. 37.

19. Je reprends ici très rapidement ce que Thériault a creusé plus en profondeur dans *Critique de l'américanité,* p. 248-261.

20. Cette thèse centrée sur le rôle de la technocratie a de nombreuses

variantes. Voir par exemple Jean-Jacques Simard, *La Longue Marche des technocrates,* Montréal, Albert Saint-Martin, 1979 ; Gilles Paquet, *Oublier la Révolution tranquille,* Montréal, Liber, 1999 ; Gilles Gagné et Simon Langlois, « La république des satisfaits », *Argument,* vol. 3, n° 1, 2001, p. 9-20.

21. Cette thèse est si classique, a été creusée par tant de gens qu'il serait fastidieux de tous les nommer. Le plus illustre d'entre eux est évidemment Fernand Dumont.

22. Voir ici Jean-Jacques Simard, « Ce siècle où le Québec est venu au monde », dans Roch Gauthier (dir.), *Québec 2000,* Montréal, Fides, 1999, p. 64-65.

23. On reconnaît évidemment ici la thèse développée par François Ricard dans *La Génération lyrique,* Montréal, Boréal, 1992.

24. Jacques Beauchemin, Mathieu Bock-Côté et moi-même sommes fréquemment revenus sur cette question. Voir par exemple Joseph Facal, « Qui sommes-nous ? », *Le Journal de Montréal,* 22 et 29 novembre 2006 et 6 décembre 2006.

25. Le meilleur ouvrage sur cette question reste à mon avis : George H. Nash, *The Conservative Intellectual Movement in America since 1945,* Wilmington (Delaware), Intercollegiate Studies Institute, 1996.

26. Benoît Lévesque, Gilles L. Bourque et Yves Vaillancourt, « Trois positions dans le débat sur le modèle québécois », *Nouvelles pratiques sociales,* vol. 12, n° 2, 1999, p. 1-10.

27. Voir Richard Wilkinson et Kate Pickett, *The Spirit Level: Why More Equal Societies Almost Always Do Better,* Londres, Allen Lane, 2009.

6 • FAMILLE, ÉCOLE, HUMANISME

1. Je reprends ici les données compilées par Luc Godbout et Suzy St-Cerny dans *Le Québec, un paradis pour les familles ? Regards sur la famille et la fiscalité,* Québec, Presses de l'Université Laval, 2008.

2. *Ibid.,* p. 239-241.

3. Voir par exemple Antoine Prost, « Frontières et espaces du privé », p. 13-132, et Gérard Vincent, « Une histoire du secret ? », p. 133-350, tous deux dans Philippe Ariès et Georges Duby (dir.), *Histoire de la vie privée,* vol. 5 : *De la Première Guerre mondiale à nos jours,* Paris, Seuil, 1999.

4. Luc Ferry, *Familles, je vous aime,* p. 95.

5. *Ibid.,* p. 100.

6. Anthony Giddens, *The Third Way: The Renewal of Social Democracy,* Cambridge, Polity Press, 2001, p. 92.
7. La littérature sur le sujet est immense. Voir notamment Sarah McLanahan et Gary Sandefur, *Growing Up with a Single Parent,* Cambridge (Mass.), Harvard University Press, 1994.
8. Voir Gosta Esping-Andersen, *Trois leçons sur l'État-providence,* Paris, Seuil, 2008, p. 26-27.
9. *Ibid.,* p. 27.
10. *Ibid.,* p. 28-32.
11. Voir Helen Wilkinson, « The Family Way: Navigating a Third Way in Family Policy », dans Anthony Giddens (dir.), *The Global Third Way Debate,* Cambridge, Polity Press, 2001, p. 224-232.
12. Voir Gosta Esping-Andersen, *Trois leçons sur l'État-providence,* p. 29.
13. Voir Gosta Esping-Andersen, « A Child-Centered Social Investment Strategy », dans Gosta Esping-Andersen *et al.* (dir.), *Why We Need a New Welfare State,* Oxford, Oxford University Press, 2002, p. 26-67.
14. Helen Wilkinson, « The Family Way », p. 232.
15. Citée par Fernand Dumont, *Raisons communes,* p. 166.
16. Lise Bissonnette, citation tirée du discours qu'elle prononça le 14 juin 2006 lors de son acceptation d'un doctorat *honoris causa* de l'Université de Montréal. J'ai retrouvé cette citation dans Éric Bédard, « La nouvelle guerre des éteignoirs », *Argument,* vol. 9, n° 1 (automne 2006-hiver 2007), p. 3.
17. Voir Josée Boileau, « Bilan manqué », *Le Devoir,* 21 juin 2006, p. A6.
18. Voir Katia Gagnon, « Bulletin confidentiel », *La Presse,* 7 décembre 2005, p. A26.
19. Normand Baillargeon, « La mort dans l'âme : la réforme et la recherche », *Argument,* vol. 9, n° 1 (automne 2006-hiver 2007), p. 38.
20. *Ibid.,* p. 39.
21. *Ibid.,* p. 38.
22. Voir Clermont Gauthier, « La réforme de l'éducation au Québec. Fallait-il aller si loin ? », dans Michel Venne et Antoine Robitaille (dir.), *L'Annuaire du Québec 2006,* p. 341.
23. Marc Chevrier, « Le complexe pédagogo-ministériel », *Argument,* vol. 9, n° 1 (2006), p. 21.
24. *Ibid.,* p. 25.
25. Éric Bédard, « La nouvelle guerre des éteignoirs », p. 4.
26. Clermont Gauthier, « La réforme de l'éducation au Québec. Fallait-il aller si loin ? », p. 342-343.

27. Je m'appuie ici sur les présentations critiques, mais dont je n'ai aucune raison de douter de l'honnêteté, d'autant qu'elles citent les textes mêmes des théoriciens socioconstructivistes, faites par Normand Baillargeon et Gérald Boutin. Voir Normand Baillargeon, « De bien fragiles assises : le constructivisme radical et les sept péchés capitaux », dans Robert Comeau et Josianne Lavallée (dir.), *Contre la réforme pédagogique,* Montréal, VLB, 2008, p. 59-84. Également : Gérald Boutin, « De la réforme de l'éducation au "renouveau pédagogique" : un parcours chaotique et inquiétant », *Argument,* vol. 9, nº 1 (automne 2006-hiver 2007), p. 49-61.

28. Voir Luc Germain, Luc Papineau et Benoît Séguin, *Le Grand Mensonge de l'éducation. Du primaire au collégial : les ratés de l'enseignement du français au Québec,* Montréal, Lanctôt éditeur, 2006, p. 40.

29. Normand Baillargeon, « La mort dans l'âme : la réforme et la recherche », *Argument,* vol. 9, nº 1 (automne 2006-hiver 2007), p. 41.

30. Lire à cet égard le texte très éclairant d'Éric Bédard : « Note au (futur) ministre de l'Éducation », dans Robert Comeau et Josianne Lavallée (dir.), *Contre la réforme pédagogique,* p. 113-126.

31. Céline Saint-Pierre, « Petite bourgeoisie et consommation des besoins/désirs », *Chroniques,* vol. 13, 1976, cité par Marc Chevrier, « Le complexe pédagogo-ministériel », p. 29.

32. Georges Leroux, *Éthique, culture religieuse, dialogue. Arguments pour un programme,* Montréal, Fides, 2007, p. 82-83.

33. *Ibid.,* p. 83.

34. *Ibid.,* p. 83.

35. Charles Pépin, « Nietzsche contre l'utilitarisme de l'école Villepin », *Le Devoir,* 10 février 2007, p. C6.

36. *Idem.*

37. Allan Bloom, *The Closing of the American Mind: How Higher Education Has Failed Democracy and Impoverished the Souls of Today's Students,* New York, Simon and Schuster, 1987.

38. Alain Finkielkraut, « La révolution culturelle à l'école », *Le Monde,* 18 mai 2000.

39. Ministère de l'Éducation, du Loisir et du Sport (MELS), *Programme de formation de l'école québécoise,* chap. 1 : « Un programme de formation pour l'école du XXIe siècle », Québec, 2007, p. 8.

40. *Ibid.,* cité par Charles-Philippe Courtois, « La culture de la médiocrité », *L'Action nationale,* (mars 2009), p. 86, consulté sur le site de la revue : http://www.action-nationale.qc.ca

41. *Ibid.*, chapitre 2, p. 9.
42. Voir Charles-Philippe Courtois, « Le nouveau cours d'histoire du Québec au secondaire. L'école québécoise au service du multicultura-lisme canadien ? », cahier de recherche, Institut de recherche sur le Québec, mars 2009. Tous les exemples ici mentionnés sont tirés de cette étude.
43. Nicole Gagnon, « Libérez-nous des pédagogues », *Argument,* vol. 9, n° 1 (automne 2006-hiver 2007), p. 13.
44. *Idem.*
45. Éric Bédard, « La nouvelle guerre des éteignoirs », p. 9.
46. *Ibid.*, p. 5.
47. Fernand Dumont, *Raisons communes,* p. 155.
48. Gary Caldwell, annexe 1 du rapport final des États généraux de l'édu-cation 1995-1996, *Rénover notre système d'éducation : dix chantiers prioritaires,* texte daté du 23 septembre 1996, p. 66-75.
49. Sur toute cette question d'un ordre professionnel des enseignants, voir Émile Robichaud et Gary Caldwell, *Qui a peur de la liberté ?,* Drummondville (Québec), Éditions de l'axe, 2000, p. 65-68.
50. Voir par exemple « The Race Is Not Always to the Richest », *The Eco-nomist,* 8 décembre 2007, p. 69-70.

7 • PROSPÉRITÉ ÉCONOMIQUE ET PROGRÈS SOCIAL, I

1. Voir Jacques Bourgault, « La réforme et les défis de la fonction publique québécoise », dans Robert Bernier (dir.), *L'État québécois au XXIe siècle,* Sainte-Foy, Presses de l'Université du Québec, 2004, p. 403-430.
2. La meilleure illustration et démonstration chiffrée de cette situation est indiscutablement : Pierre Fortin, Luc Godbout *et al., Oser choisir maintenant. Des pistes de solution pour protéger les services publics et assurer l'équité entre les générations,* Québec, Presses de l'Université Laval, 2007.
3. *Ibid.*, p. 122-123.
4. « Gauche efficace » est, par exemple, l'expression que Jean-François Lisée, dans un livre du même titre par ailleurs intéressant (Mont-réal, Boréal, 2008), emprunte à François Legault pour désigner un bouquet de mesures dont l'esprit, voire la lettre, s'apparente à ce qu'on trouvait déjà dans le *Manifeste pour un Québec lucide,* dans le

rapport Montmarquette-Facal-Lachapelle sur la tarification des services publics et dans plusieurs autres rapports remis aux autorités.

5. Je reprends ici des réflexions déjà amorcées dans Joseph Facal, « L'urgence d'un redressement au Québec », dans Luc Godbout (dir.), *Agir maintenant pour le Québec de demain. Des réflexions pour passer des manifestes aux actes,* Sainte-Foy (Québec), Presses de l'Université Laval, 2006, p. 9-18.

6. Jean-Marc Léger, « Aimez-vous l'argent ? », *Le Journal de Montréal,* 25 février 2009, p. 29. Le sondage fut mené en janvier 2009 auprès de 1 002 répondants.

7. *Idem.*

8. Jean-Philippe Pineault, « 10 consensus pour le Québec », *Le Journal de Montréal,* 24 janvier 2008, p. 8.

9. Banque Toronto-Dominion, « Convertir les atouts du Québec en prospérité accrue », 10 avril 2007, 27 p., disponible dans http://www.td.com/economics

10. Tout le passage qui suit reprend des idées que l'on trouvera beaucoup mieux développées dans Joseph Facal et Luc Bernier, « Réformes administratives, structures sociales et représentations collectives au Québec », *Revue française d'administration publique,* n° 127 (2008), p. 493-510.

8 • PROSPÉRITÉ ÉCONOMIQUE ET PROGRÈS SOCIAL, II

1. Banque Toronto-Dominion, « Convertir les atouts du Québec en prospérité accrue ».

2. Mouvement Desjardins, « L'impact du choc démographique sur l'économie du Québec », *Études économiques,* 28 mai 2009, p. 5-7, http://www.desjardins.com/economie

3. Pierre Fortin, « Le Québec à long terme : gros défi, beau défi », 21 juin 2007, présentation PowerPoint aimablement transmise par l'auteur, que je remercie vivement.

4. Éric Desrosiers, « Drame soporifique », *Le Devoir,* 17 septembre 2007, p. B1.

5. On trouve cette observation dans *L'Investissement au Québec : on est pour. Rapport du Groupe de travail sur l'investissement des entreprises,* Gouvernement du Québec, 2008, p. 156. La référence exacte de l'étude est Wiji Arulampalam, Michael Devereux et Georgia Maffini,

« The Incidence of Corporate Income Tax on Wages », document de travail 07/07, Oxford University Center for Business Taxation, Oxford University, 2007.

6. Voir Pierre Fortin, Luc Godbout *et al.*, *Oser choisir maintenant*, p. 111.

7. Ministère des Finances du Québec, « L'évasion fiscale au Québec. Sources et ampleur », *Études économiques, fiscales et budgétaires*, vol. 1, n° 1 (avril 2005).

8. Voir *Mieux tarifer pour mieux vivre ensemble. Rapport du Groupe de travail sur la tarification des services publics*, Gouvernement du Québec, 2008.

9. Je reprends ici ce que nous avons écrit dans le rapport Montmarquette. On ne s'étonnera pas que je sois encore d'accord avec ce que je signais il y a quelques mois à peine.

10. Gérard Bélanger et Jean-Thomas Bernard, « Les subventions aux alumineries. Des bénéfices qui ne sont pas à la hauteur », *Notes économiques*, Institut économique de Montréal, 2007.

11. J.-Thomas Bernard, Marcel Boyer, Martin Boyer et P. Fortin, « Cessons le bradage ! », *La Presse*, 12 avril 2007, p. A19.

12. *Mieux tarifer pour mieux vivre ensemble*, p. 104.

13. Pierre Fortin, « Le Québec à long terme : gros défi, beau défi ».

14. Je ne voudrais pas ici rendre trop indigeste la lecture en multipliant les statistiques. On trouvera de nombreuses références bibliographiques dans le rapport Montmarquette, qui se penche longuement sur ces questions dans les p. 86 à 95.

15. Karim Moussaly-Sergieh et François Vaillancourt, « Le financement des institutions d'enseignement postsecondaire au Québec, 1961-2005 », *McGill Journal of Education*, vol. 42, n° 3 (automne 2007).

16. Marc Frenette, *Pourquoi les jeunes provenant des familles à plus faible revenu sont-ils moins susceptibles de fréquenter l'université ? Analyse fondée sur les aptitudes aux études, l'influence des parents et les contraintes financières*, Statistique Canada, 2007.

17. René Morissette et Marie Drolet, *Dans quelle mesure les Canadiens sont-ils exposés au faible revenu ?*, Statistique Canada, avril 2000.

18. René Morissette et Xuelin Zhang, *L'Emploi et le revenu en perspective*, vol. 2, n° 3, Statistique Canada, mars 2001.

19. Les études qui le confirment sont innombrables. Voir par exemple Michael Wolfson et Brian Murphy, « Inégalités en Amérique du Nord : le 49e parallèle a-t-il encore une importance ? », *L'Observateur économique canadien*, Statistique Canada, 2000, étude 10-010-XPB.

316 NOTES DES PAGES 266 À 284

316 NOTES DES PAGES 266 À 284

316 NOTES DES PAGES 266 À 284

20. Pierre Lefebvre, « La pauvreté. Évolution, état de situation et options de politique », dans Robert Bernier (dir.), *L'État québécois au XXIe siècle*, p. 191-229.
21. Voir par exemple Anthony Giddens (dir.), *The Global Third Way Debate*, Cambridge, Polity Press, 2001.
22. Pierre Rosanvallon, *La Nouvelle Question sociale. Repenser l'État-providence*, Paris, Seuil, 1995, p. 65.
23. *En avoir pour notre argent. Rapport du groupe de travail sur le financement du système de santé*, Québec, février 2008, p. 27.
24. *Indicateurs de la santé, 2006*, Statistique Canada et ICIS, n° 82-221-XIF.
25. *En avoir pour notre argent*, p. 84.
26. On trouvera des références précises, pour les rapports produits dans le reste du Canada, dans Marcelin Joanis, David Boisclair et Claude Montmarquette, *La Santé au Québec. Des options pour financer la croissance*, rapport de projet, CIRANO, Montréal, mai 2004.
27. Pour des données à jour et présentées fort clairement, voir *En avoir pour notre argent*.
28. *Ibid.*, p. 143.
29. *Ibid.*, sommaire, p. 8.
30. Voir Anthony Giddens, « Neoprogressivism. A New Agenda for Social Democracy », dans Anthony Giddens (dir.), *The Progressive Manifesto*, Londres, Polity Press, 2003, p. 19.
31. Katia Gagnon, « Couillard livre un plaidoyer pour le privé en santé », *La Presse*, 10 décembre 2008, p. A21.
32. On trouve cette observation dans *En avoir pour notre argent*, p. 165.
33. Organisation mondiale de la santé, *Rapport sur la santé dans le monde 2000. Pour un système de santé plus performant*, Genève, OMS, 2000.
34. *En avoir pour notre argent*, p. 60.
35. *Ibid.*, p. 200.

Table des matières

Imprimé sur du papier 100 % postconsommation,
traité sans chlore, certifié ÉcoLogo et fabriqué dans une usine
fonctionnant au biogaz.

MISE EN PAGES ET TYPOGRAPHIE :
LES ÉDITIONS DU BORÉAL

CE DEUXIÈME TIRAGE A ÉTÉ ACHEVÉ D'IMPRIMER EN FÉVRIER 2010
SUR LES PRESSES DE TRANSCONTINENTAL GAGNÉ
À LOUISEVILLE (QUÉBEC).